新潮文庫

花の回廊

流転の海 第五部

宮本 輝著

新潮社版

8844

花の回廊

流転の海　第五部

第一章

穴だらけの雨樋《あまどい》からの錆《さび》と、煤煙《ばいえん》混じりの塵埃《じんあい》とで汚れたモルタル壁に「蘭月《らんげつ》ビル」と赤いペンキで大きく書かれてはいても、その中身は迷路とおぼしき構造の木造アパートであった。

松坂熊吾《まつざかくまご》と房江《ふさえ》は、富山から連れ帰ってすぐに神戸の御影《みかげ》の村井鶴松《つるまつ》家に預かってもらっていた伸仁《のぶひと》を迎えに行き、三人で阪神バスに乗って、国道二号線に面した尼崎《あまがさき》市の東難波《なにわ》という停留所で降りた。停留所は蘭月ビルの南側のちょうど前にある。

「ここは貧乏の巣窟《そうくつ》じゃ。病気の巣窟じゃあらせんようじゃけん心配せんでもええ。住めば都っちゅう言葉もあるぞ」

と熊吾は笑顔で言ったが、伸仁はバス停の前から動こうとはしなかった。昭和三十二年の三月の半ばである。

父と母に逢《あ》いたがって、食事も摂《と》らなくなり、ひとりででも大阪へ帰ると泣いてばかりいる伸仁を仕方なく熊吾が豪雪の富山に迎えに行ったのは二月十日だった。

我慢や忍耐ということのできないなさけない息子に腹はたったが、子が親を慕う心は充分に理解できて、熊吾は小学四年生としての授業日数をまだ三十日以上も残している伸仁を富山市立八人町小学校から中途転学させ、大阪へ連れ帰ったものの、親子三人で暮らせる家はなかった。

関西中古車業連合会の事務所を閉め、房江が新聞の求人広告で職を得て大阪の難波の宗右衛門町《そえもんちょう》筋にある小料理屋で働き始めたのは去年の暮だった。

ほとんど一文無しとなった松坂熊吾と房江は、福島天神裏の駄菓子屋の二階から再び持ち主も住人もいない船津橋のビルに移った。

電気も水道も止められたままのビルに、伸仁をひとりで暮らさせるわけにはいかなかった。房江の仕事が終わるのは夜の十一時か十二時で、最終の市電に乗り遅れたら宗右衛門町から船津橋まで歩いて帰るしかない。

急いで歩いても一時間の夜道は、房江の帰宅をときに夜中の二時過ぎにさせることもあったので、もしそこで一緒に暮らすとしたら、まだ十歳になったばかりの伸仁は夕刻から夜中まで蠟燭《ろうそく》の明かりだけを頼りにひとりきりですごすことになる。それはどんな不測の事態を招くやも知れない……。熊吾と房江は相談しあって、伸仁をタネに預かってもらうことにしたのだった。

「タネおばちゃんのとこには、明彦も千佐子もいてるんやから、寂しいことはあらへんやろ？」

房江に何度も背をさすられながら説得されてやっと歩きだした伸仁の視線が、蘭月ビルの暗い洞窟にも似た通路に注がれているのに気づき、熊吾は、

「こんな薄気味の悪い陰気なボロアパートで暮らしてみるのもええ思い出になる。時がたったら、思いもかけん宝物に変わっちょったっちゅうのが人生というものの不思議じゃ。いま大阪に帰っても、父さんや母さんと一緒に暮らせるかどうかはわからんぞと何遍も言うたのに、それでもええ、大阪に帰りたいと泣いたのはお前じゃ。男らしゅう腹を決めんか！」

と脅しているのか諭しているのか自分でもよくわからない言葉を大声で言って伸仁の手を握った。そして、凹型をさかさまにしたような二階建ての蘭月ビルの、一階部分を南北に貫く、決して日の光の射《さ》し込むことのない湿った土の通路へと熊吾は背筋を伸ばして入っていった。タネの住まいは、その通路の北の端にある。

もともとはこのアパートは路地を挟んで向かい合う二棟の細長い長屋だった。それがどういういきさつからか、終戦から五年ほどたって、二棟の長屋をまたぐ格好で二階部分を増築したのだという。

昭和二十八年の夏に、熊吾の反対を押し切って南宇和の城辺町《じょうへんちょう》の家と土地を二束三文で売り払い、年老いた母と娘の千佐子を伴なって上阪したタネは、熊吾がみつけてやっ

た尼崎市杭瀬《くいせ》の借家で暮らし始めたが、長男の明彦を預かってくれていた杉野信哉《しんや》が昭和三十年の夏に脳溢血《のういっけつ》で倒れると、明彦を引き取るために、それまでよりも少し部屋数の多い借家に移らねばならなくなった。

もうそのころには夫婦同然の振る舞いでタネのところに居ついてしまっていた寺田権次がみつけてきたのが、蘭月ビルという名の奇妙な長屋だったのだ。

阪神電車の尼崎駅には歩いて五、六分で、大阪と神戸を結ぶ阪神バスの東難波の停留所の前という立地条件は、何か小商いをするには有利なうえに、家賃が安い。それに国道二号線、通称「阪神国道」の北側の裏道に面していて、近辺には尼崎地方裁判所と家庭裁判所があり、弁護士事務所と司法書士事務所が集まっている。

間取りも、四人掛けのお好み焼きの台が四つほど置けるコンクリート敷きの土間の奥に六畳と八畳の部屋があって、その東側には台所と四畳半がつながっている。そこは明彦の受験勉強用の部屋にもってこいではないか……。

寺田権次はそう言って、ほとんど独断で蘭月ビルの一階の北側を借りてしまったのだった。

だが明彦は、親代わりになってくれていただけではなく、ゆくゆくは自分を養子にしたいとさえ望んでいた杉野信哉が倒れ、杉松産業も人手に渡した時点で大学進学をあきらめて、蘭月ビルで暮らし始めると同時に、母親に相談することなく、大阪市天満《てんま》にある繊維の卸し問屋の経理部に就職を決めてしまった。

熊吾は蘭月ビルの階下の暗いトンネル状の通路を歩いて行きながら、ここにはいったいいかなる人間たちが住んでいるのかと両側の家々の表札に目を走らせた。

東側が七世帯、西側が六世帯だった。そのうちの数軒には表札はなかった。西側のほうが少ないのは、真ん中に共同便所があるからだった。昼間でも電球を灯さなければならないほど暗い便所は臭気がたちこめて、それが湿った通路に満ちていた。

共同便所の隣の部屋の前には、車輪のついた支那《しな》そばの屋台が置いてあり、練炭のいこった大型の七輪に載せた一斗缶のなかではそばの出汁《だしじる》が煮られている。

屋台のラーメン屋の隣は理髪屋で、度の強い眼鏡をかけた店主が新聞を読んでいる。だがよく目を凝らすと、共同便所と屋台のラーメン屋の家とのあいだに細い階段があり、四、五歳くらいの女の子が小さな人形と話をしながら階段の中程に腰かけていた。

二階に差し込む日の光も、階下の天井に灯る裸電球の明かりも、その階段の中程には届かないので、熊吾にはひとりで遊んでいる幼女が暗闇《くらやみ》のなかの汚れた石仏に見えた。

熊吾は、自分と手をつなぎ合っている伸仁の手のこわばりを感じて、

「寂しィなったら、最終のバスに乗って千代麿《ちよまろ》おじさんのとこへ行け。そしたら誰かが車で船津橋のビルまで送ってくれるじゃろう。母さんは早けりゃ夜の十二時半くらいに帰って来る。わしも仕事が早う済んだら、夜の八時か九時にはあのビルの三階の部屋に

戻っちょる」

と言って、十円玉を十個、伸仁のズボンのポケットに入れた。

「そんなことしてたら、しょっちゅう学校に遅刻するわ」

と房江が伸仁の頬を撫《な》でながら微笑《ほほえ》んだ。

蘭月ビルの北側のタネの住まいの前には、車が一台通れるほどの裏道に沿って、油膜に覆《おお》われた泥《ど》溝《ぶ》が流れていて、その泥溝をまたぐと有刺鉄線を四方に張りめぐらした工務店の資材置き場だった。だが置かれている資材はほんの少しで、そこは近所の子供たちの遊び場と化していて、数人の子供たちが竹棒をバット代わりにゴムボールで野球をしたり、「缶蹴《かんけ》り」に興じていた。

家の戸の前に立っていた千佐子が、熊吾たちを見ると、ノブが来たと叫んで家のなかに駆け込んだ。

タネはお好み焼き屋だけでなく、土間のわずかな場所にさまざまな色彩の飴《あめ》とかチュウイングガムとか、スルメの甘煮や怪し気な菓子類を並べて、近所の子供相手の駄菓子屋も営んでいる。

寺田権次の姿はなかった。俺と顔を合わすのを避けているのであろうと思いながら、熊吾はソフト帽と外套《がいとう》を脱ぎ、六畳の間の火鉢の前に坐《すわ》った。

「ノブちゃんは相変わらず細いなァ」

お好み焼き用のキャベツを刻んでいたらしいタネが笑顔で言って、割烹着《かっぽうぎ》のまま茶を淹《い》れた。

「ノブちゃんと逢うのは一年ぶりやなァ。富山は雪が多いんやてなァ」

「雪ばっかりや。ぎょうさん降ったときは二階の窓から出たり入ったりするねんで」

伸仁はタネの家のあちこちに目をやりながらそう応じ返し、わざと知らんぷりをしている千佐子に、

「いじめんとってや」

とケンカ腰で言った。

「いじめよったら、ノコギリで首を挽《ひ》き切っちゃれ」

熊吾の言葉に、房江は溜息《ためいき》混じりのあきれ顔で、

「親子でなんてことを言うの……。千佐子は人をいじめたりする子ォとちがう」

と言い、伸仁がしばらくお世話になるが、どうかよろしく頼むと、タネと千佐子に頭を下げた。

「明彦は元気に働いちょるか」

と熊吾は訊《き》いた。

「元気は元気やけど、毎晩遅うに帰って来るねん」

「ほお、そんなに毎日残業があるのか」

タネはかぶりを振り、阪神電車の尼崎駅の近くにあるキャバレーでアルバイトをしているのだと答えた。

「キャバレーでアルバイト？　どんな仕事をしちょるんじゃ」

「トランペットを吹いてるねん」

キャバレーの楽団で、専属のトランペッターがひとり病気で入院して、欠員を募集していると教えられ、応募してテストを受けたら採用されたのだという。

「あいつ、トランペットなんか吹けるのか？」

「私に内緒で古道具屋でトランペットを買《こ》うて……。会社の近くのトランペットを教えてくれる教室にもう二年も習いに行ってたらしいねん。大学に行けへんて決めたころから」

「お兄ちゃんが毎晩家のなかでトランペットの練習をするから、うるそうて寝られへんねん」

と千佐子が言った。それで寺田のおじさんとしょっちゅうケンカをするのだ、と。

押し入れをあけて、積んである蒲団《ふとん》にトランペットの先を押し当てて練習するので、外に聞こえるほどうるさくはないのだが、家のなかでは畳にまで響くほどのくぐもった音で、ヒキガエルのような音が枕《まくら》を伝わってきて、到底眠れるものではないとタネは苦笑した。

「尼崎のキャバレーじゃろうとも素人《しろうと》の楽団やあらせんのじゃ。プロの楽団で雇ってくれたんじゃから、たいしたもんよ。たった二年かそこいらの練習でそこまでトランペットが吹けるようになるとはのお」

熊吾の言葉に、あの子があんなにトランペットに夢中になるとは思いもよらなかったとタネは言い、

「房ちゃん、喘息《ぜんそく》はどないなったん？」

と訊いた。

「大阪に帰った途端に嘘《うそ》みたいに治ってしもてん」

房江は千佐子の髪を櫛《くし》で整えてやりながら言った。

「あんなに苦しかった喘息が、ぴたっと治ってしもて……。富山では何かの魔法にでもかかってたんやろかって気味が悪いわ」

「富山の気候が、よっぽど房ちゃんに合えへんかったんやなァ」

「小谷先生は、精神の為《な》せる業《わざ》やって言いはるねんけど、そんな心の仕業で、あんなにひどい喘息に突然かかったり、それがまた突然ぴたっと治ってしもたりするもんやろか……。自分の体ながら合点がいかへんわ」

熊吾は五時に「阪神裏」の玉突き屋「ラッキー」に行くつもりだったので、タネの家の柱時計を見てから手帳に電話番号を書き、その部分を破り取るとタネに渡した。

「丸尾運送店かそこに電話をかけるかしたら、わしに連絡がつくようになっちょる。何かあったら、どっちかに電話をくれ」

房江がその手帳の切れ端に自分が勤める宗右衛門町の小料理屋「お染」の電話番号を書いた。そして伸仁に、外から帰ったら必ず手を洗い、丁寧にうがいをするように、タネおばちゃんの言うことをよくきいて、我儘《わがまま》なことをしないように、千佐子と仲良くするように、と今朝からずっと口にしつづけてきた言葉を繰り返した。

四月から伸仁が小学五年生となって通う尼崎市立難波《なにわ》小学校は、タネの家から西へ歩いて十分少々のところにある。そのための手続きはすでに済ませてあった。

熊吾が立ちあがり、外套を着て靴を履き、房江が伸仁のセーターやズボンの乱れを直していると、戸があいて、白髪混じりの頭髪を真ん中から分けてうしろにひっつめ、白い朝鮮靴を履いた女が一升壜《びん》を突き出して、

「うまいのができたでェ」

と言った。中身は密造のドブロクらしかった。

タネは財布から十円玉を五つ出し、それを女に渡すと一升壜を受け取った。女が曳《ひ》いて来たリヤカーには押しつぶした段ボール箱がぶ厚く積まれている。

「お向かいの朴《ぼく》さんや」

とタネは言い、この蘭月ビルには十世帯の朝鮮人が住んでいるのだと説明した。

「十世帯も？　ここには全部で何世帯の人間が住んじょるんじゃ？」

熊吾の問いに、タネは下には十三世帯、上には十二世帯と答えた。

「そのうちの十世帯が朝鮮人か……」

「朴さんて名前が二世帯。金さん、それに供さん、李《り》さん、張さん……。あとは日本名の人が四世帯」

タネは指を折ってかぞえながら言った。

「みんな戦前戦中に日本に来た人らで、子供らは日本で生まれたんや」

「自分の意志で来た連中もおるじゃろうが、たいていは無理矢理つれてこられたんじゃ。日本の無教養で野蛮な職業軍人どもに」

「そんな大きな声で……」

さっきの女が家の前で洗濯物を取り込んでいる姿をそっと指さして、房江が熊吾の言葉を制した。

「いまは朝鮮人て言い方はあかんそうやねん」

とタネは幼いころから少しも変わっていない暢気《のんき》な穏かな口調で言った。

「なんでいけんのじゃ。朝鮮人を朝鮮人と言うて何がいけんのじゃ」

自分には難しいことはわからないが、朝鮮戦争のあと北緯三十八度線で北と南に分かれて、北は朝鮮民主主義人民共和国、南は大韓民国と国名が変わったので、南出身の人たちは韓国人と呼ばなければならないらしい、とタネは言った。

「お前のからっぽの頭で、ようそれだけ覚えられたことよ」

「ほとんど毎晩、うちでお好み焼きを食べながら、北出身の人と南出身の人とがケンカをするねん。そのやりとりを聞いてるうちに自然に頭に入ってしもてん」

「ケンカ？　このお好み焼き屋で、毎晩酒を飲んでケンカをするっちゅうのか？」

熊吾はいささか驚いて、三和土《たたき》の上がり框《かまち》に腰を降ろし、このまま伸仁をタネに預けてしまっていいものかと考えた。丸尾千代磨夫婦は歓んで伸仁を預かってくれるであろうが、熊吾にしてみれば、バスで三、四十分ほどのところにタネという自分の妹がいるのに、他人に面倒をみてもらうのは筋違いだという思いは強かった。

「わしはなァ、この日本ちゅう民族には、大昔にそりゃあもうアジアのあっちこっちの民族の血が混じったはずじゃと思うちょる。南方のインドネシアやフィリピン群島の民族の血も入っちょるじゃろう。北方の血も入っちょる。勿論《もちろん》、中国、朝鮮の血も入っちょる。そやけん、人種によって差別しようっちゅう気はあらせん。しかし朝鮮人のケンカにだけは巻き込まれとうはない。心底ご免被《こうむ》りたい。あいつらは何かっちゅうとすぐにカッとなる。そのカッとなりかたが常軌を逸しちょる。わしらには理解不能のカッとなりかたで、そうなったらたとえ兄弟ゲンカでも血を見んとおさまらんようになる」

「そんな人ばっかりやあらへんでェ。さっきの朴さん夫婦も六人の子供らも、みーんな気立てのええおとなしい人らや」

熊吾はさらに言おうとしたが、房江が柱時計に何度も目をやっているのに気づくと、仕方なく立ちあがった。房江はバスで大阪駅まで出て、そこから地下鉄に乗り換えて難波で降り、歩いて道頓堀《どうとんぼり》の宗右衛門町筋の店まで行かねばならないのだ。

「日曜日のお昼ごろに、お母ちゃんが何かおいしいもんを買うてノブに逢《あ》いに来るから……」

と房江は伸仁の耳元でささやいて熊吾を促した。

タネはバスの停留所まで送ってくれながら、蘭月ビルの暗い通路に灯る裸電球を見やり、先月、消防署の人たちが調査に来て、この建物の改善を持ち主に要求したのだと言った。

「二階が違法建築で、階段は狭いし暗いし、世帯の数と比べて数も少ないから、もし火事でも起こったら、大惨事になるって……。持ち主はぜんぜん改善する気なんてあらへん。消防署の人に何と言われようと鼻でせせら笑てるわ。うちは裏の道に面してるから、何かあってもすぐに逃げられるから安心や」

と言い、阪神国道にいったん出てから寒風に身を縮め、自分の家へと帰って行った。

大阪駅行きのバスがやって来ると、熊吾は房江と一緒に乗りかけたが、蘭月ビルのほうを振り返り、たしかに火事でも起こったらこの奇妙な木造の建物はひとたまりもある

まいと思い、

「大事な息子の仮りの住まいじゃ。ちょっと二階の様子を見といたほうがええじゃろう」

と言って、房江に軽く手を振った。

「わしは次のバスに乗る」

バスが行ってしまうと、熊吾は蘭月ビルの階下の道へと戻り、共同便所の隣の階段をのぼった。さっきの女の子はまだ人形と遊んでいた。女の子は階段をのぼり始めた熊吾の足音に耳をそばだて、人形を抱きしめて身を固くさせた。

「こんな寒いとこで遊んじょったら風邪をひくぞ」

熊吾はそう話しかけて女の子の頭を撫で、そのあかぎれとしもやけだらけの手を見た。そしてやっと女の子が盲目であることに気づいた。きっと階段をのぼってくる足音でそれが誰かがわかるのであろうと思った。

「お嬢ちゃんは歳《とし》はお幾つかな？」

熊吾の問いに、女の子はしばらく用心深そうに気配をうかがってから、指で「四」を示した。

「子供はお天道さまの当たるとこや風の吹くところで遊んだほうがええ。ここは暗うて、じめじめとしちょって、便所の匂《にお》いが充満しちょる。こんなとこで遊ぶのは良うないぞ」

そう言ってから、熊吾は、この盲目の少女にとっては、ここが最も安全な遊び場なのであろうと思った。

少女は顎《あご》を突き出すようにして、熊吾の言葉に耳をそばだてていたが、不安を感じたのか、人形を抱いたまま立ちあがり、熊吾から逃げるようにして階段をのぼり二階へとあがった。熊吾はそのあとをついて行き、二階の細長い廊下に立つと、左右につづくそれぞれの部屋の様子に目をやった。

どこかのアパートからドアだけを剝《は》がして持って来たかのように、蘭月ビルの二階の西側の各部屋には、色も異なれば材質も異なるドアがつけられていた。

表札替わりにボール紙に姓だけを書いてドアに貼《は》りつけている部屋もあれば、このアパートにふさわしくないカイヅカの磨き抜かれたぶあつい表札に一家全員の名が太い黒文字でしたためられている部屋もあった。

モルタルの外壁の裏にそのまま釘《くぎ》で打ちつけられているとしか思えない廊下の壁はベニヤ板で、数ヵ所に「火気厳禁」とペンキで書きなぐってある。

廊下には、空の牛乳壜や、幼児のものらしいズック靴や、新聞のチラシや、先がすり減った短い箒《ほうき》などが散乱していた。手足のもげた汚れた小さな人形も捨てられたままになっている。その廊下の北側は行き止まりで、さっきの朝鮮人の一家の部屋の西側へとつながる狭い階段があった。

東側の部屋にはどうやって行くのかと、熊吾は薄暗い廊下の北側に目を凝らした。盲目の少女は、熊吾の存在が気になるのか、自分の住まいらしき部屋のドアに片方の手を添えたまま、首をかしげて気配をうかがっていた。

そのドアには「津久田清一」と印刷された名刺が押しピンで留めてあり、「清一」の横にペン字で「琴枝、悟、咲子、香根《かね》、清之介」と家族の名が列記してあった。

「お嬢ちゃんは、咲子さんかな？　香根さんかな？」

熊吾は少女の頭を撫《な》でながら訊《き》いたが、少女は答えなかった。

廊下の南側は行き止まりではなく、人がふたりやっとすれちがえる程度の狭い廊下が左へとつづいていて、それはそのまま蘭月ビルの東側の部屋の前を通って、ちょうどタネの住まいの横へと降りるのであろう階段とつながっていた。

なるほどこれでは火事でも起こったら、二階の南側の住人は袋の鼠《ねずみ》も同然で、逃げる間もなく火と煙に包まれてしまうことであろうと熊吾は思った。

熊吾は蘭月ビルの東側の廊下にたったひとつだけある窓の外を見た。灰色のモルタル壁が視界のすべてを覆《おお》っている。蘭月ビルとその東隣りにある映画館の壁との間隔は五十センチほどしかなかった。

廊下を歩いて、タネの住まいの二階にあたる部屋の前に行き、熊吾は、しばらくそこで立ち止まると、伸仁をつれてバスに乗ったほうがいいのではあるまいかと迷った。

だが、この蘭月ビルで生じるかもしれない不測の事態と、父と母のいない、他の人間もひとりもいない船津橋のビルで生じるそれとの確率を比較すれば、この不穏なものがたくさん潜んでいそうなボロアパートのほうがまだましだと考え直し、熊吾は煙草《たばこ》に火をつけた。

ふいにドアがあいて、下着のシャツの上に重そうな革ジャンパーを羽織った体の大きな男が熊吾を睨《にら》み、

「なんやねん。俺のとこに何か用でもあんのかい」

と言った。

「いや、ちょっと人を捜しちょりまして」

熊吾はそう答え、男のドアの横にある郵便受けを見た。「金村盛男　知姫子」と書かれてあった。

「何ちゅう名前のやつを捜してんねん」

三十歳前後のその男は、怪しむように熊吾を見つめてそう訊いた。熊吾は咄嗟《とっさ》に、盲目の少女の部屋のドアで見た名前を口にした。

「津久田っちゅう人を捜しちょりまして」

「津久田？　津久田の家の誰をや」

「津久田……、咲子さんですが」

「咲子？　咲子に何の用事や」

「そんなことをいちいちあんたに説明する義務はありませんな」

熊吾は、煙草の吸い殻が捨てられているバケツのところに行き、自分の煙草の火を消してそこに入れると、元来た廊下を戻りかけた。すると男は、

「咲子、このおっさんがお前を捜してるそうや。気ィつけや。こんな口髭《くちひげ》はやしたおっさんが危ないんや」

と言った。

熊吾が振り返ると、セーラー服を着た少女が階段をのぼって来た。雪の結晶の模様を甲の部分にあしらった赤い毛糸の手袋をはめた少女は、不審気に熊吾を見つめ、まるで盾で身を守ろうとするかのように、鞄《かばん》を自分の胸のあたりに持ち上げた。

「あんたが津久田咲子さんですか。……そうですか」

それだけ言うと、熊吾は踵《きびす》を返し、廊下の南側へと行き、右に曲がって蘭月ビルの西側の廊下を歩き、盲目の少女が遊んでいた階段を五段ほど降りた。そして耳を澄ましながら、咲子という十四、五歳の少女がやって来るのを待った。このまま自分が消えてしまったら、あの津久田咲子に不安を残しつづけるだろうと思ったからだった。だが、どうして津久田咲子という人を捜しているなどという嘘《うそ》をついたのかを説明す

るのは難しいと思い、熊吾は口髭を指で撫《な》でつけながら、そのまま階段を降りた。

おそらく津久田咲子の妹なのであろう盲目の少女は、さっきと同じ場所で人形と遊んでいた。

「またここで遊んじょる。こんなところに長いことおるのは体に良うない。お姉さんが学校から帰って来たぞ」

熊吾がそう言ったとき、うしろで声がした。

「私に何の用事ですか？」

いつのまに来たのか、津久田咲子が暗い階段の中途に立っていた。

「いやいや、これは誠に申し訳ない。じつは……」

熊吾は、少女の名前を使った理由を説明した。

「あの怖そうなおにいさんに因縁をふっかけられそうじゃったので、ドアのところにあった津久田さんの名刺のなかの名前を適当に使わせてもろうたんです。ただそれだけのことで他意はありません」

そう言いながら、熊吾は津久田咲子のセーラー服の左胸につけられている小さなバッジを見た。「1年C組」と書かれてある。

この少女は来月には中学二年生になるのかと思ったが、熊吾はそのような年齢の少女と接することがなかったので、津久田咲子が歳相応に成長しているのか、それとも早熟なのか晩生《おくて》なのかよくわからなかった。わからないままにも、熊吾は思春期のとば口にいる少女の持つ華奢《きゃしゃ》な色香を美しいと感じた。その色香にはなにかしら威圧感すらあった。

津久田咲子は、納得しかねる表情で熊吾を見つめてから、

「香根、おいで」

と言い、盲目の妹に手を差し出した。

「掃き溜《だ》めに鶴《つる》、っちゅうやつじゃ」

熊吾はいっそう風の冷たくなったバス停でバスを待ちながら、そうつぶやき、この国道に面した蘭月ビルの南側にも早急に階段をつけなければ、火事が起こったら大惨事になると思った。そして、おそらく阪神電車の線路のさらに南側にあるのであろう巨大な球形のガスタンクに目をやった。そのガスタンクが、尼崎港の周辺に拡《ひろ》がる工業地帯のためのものなのか、あるいはタンカーによって運ばれた液体ガスの備蓄用のものなのか、熊吾にはわからなかった。

わずか二年のあいだに、京阪神地方にはプロパンガスが急速に普及して、都市ガスの行き届かない場所には、プロパンガスのボンベを設置している家々が増えていた。

熊吾と杉野とが出資して興《おこ》した杉松産業は、昨年に社名を変更し、エビハラ通商のプロパンガス部門の代理店となって新たな展開を始めたことを熊吾は口づてで知っていた。

どうして自分はプロパンガスの事業から身を退いたのだろうと、熊吾は強い寒風のなかでマッチを五本も使って煙草に火をつけてから思った。

商売には不向きな杉野を杉松産業から排除して、自分が経営の指揮を執ることにさほど難儀な策や手順は必要ではなかったはずだった。杉野の処遇の仕方は幾通りもあったのだ。

だが俺は、貴子の兄の杉野信哉に一国一城の主という座を与えてやりたかったのだ。俺のような男と大阪に駆け落ちし、まだ十七歳の若さでつかのまの嵐《あらし》のような流行《はや》り病《やまい》で死んだ貴子への思いが、大事な事業に私情を持ち込ませたと言えば言える。

しかし冷静に自己分析すれば、俺はもうひと苦労、もうふた苦労を避けたのだ。プロパンガスの普及販売の代理店として、杉松産業を軌道に乗せるためには、あの時点でさらに百万円ほどの資金調達が必要だった。テントパッチ工業の命綱が台風による高潮で切れてしまったあとの、銀行の掌《てのひら》の返し方に自尊心を傷つけられ、恥も外聞もかなぐり捨てて金策に駆けずり廻ることから逃げたのだ。

杉野よ、えらそうなことを言うなら自分の力で資金を調達してみろという感情もあった。警察上がりのお前に、青二才の銀行員に頭を下げられるのか。やれるものならやってみろ。いざとなったら、親が遺《のこ》してくれた郷里の植林山を売ればいいなどという世間知らずな思惑が、いかに甘いものかを思い知ればいい。愛媛県南宇和郡という温暖な気候に育った杉の木の価値がいかほどのものかも、いい歳をして認識もしていないお前が、この松坂熊吾の存在をけむたがるのは身の程知らずにもほどがある……。俺は、中華料理店の親父《おやじ》で充分だ……。

俺が、今後大きく発展するであろうプロパンガスの事業からおりたのは、そうした幾つかの感情によってだった。

熊吾はいっこうにやって来ないバスを待って国道二号線の西の方向を見つめ、富山で伸仁に語った己の言葉を自嘲《じちょう》を込めて思い浮かべた。

——自分の自尊心よりも大切なものを持って生きにゃあいけん。——

その自分の言葉に鼓舞されて、あの海老原太一に罵倒《ばとう》されながら土下座までして国宝級の日本刀を買ってもらったが、どうしてそのようなことを杉松産業の足場固めのためにやろうとはしなかったのか……。

「まあ要するに、わしという人間は大事なところで横着になるんじゃ」

熊吾はそうつぶやき、神戸のほうからやって来た阪神バスの銀色の車体に気づくと、煙草を路上に捨て、それを靴で踏みつけて火を消した。

桜橋の交差点でバスから降り、四つ橋筋を渡って「阪神裏」の入り組んだ路地に入ると、熊吾は、磯辺《いそべ》富雄《とみお》が営むビリヤード場「ラッキー」へ向かった。

磯辺は「ラッキー」の隣にあった古着屋の店舗を買って、ことしの二月からそこで「満貫」という名の雀荘《ジャンそう》も営んでいた。そして「満貫」は、いまのところ熊吾の中古自動車ブローカーとしての事務所代わりになっている。

「ラッキー」への階段をのぼり、もう五台のビリヤード台すべてが客で埋まっている店内に入ると、熊吾は女店員の坂田康代に熱い茶を淹《い》れてくれと頼んで壁ぎわの長椅子《ながいす》に腰をおろした。

「ラッキー」専属のコーチとして雇われた上野栄吉が、いつもの黒い蝶《ちょう》ネクタイをして、二人の客にビリヤードを教えていたが、熊吾を見るとキューを持ったまま近づいて来て、

「何件も電話があったそうですよ」

と笑顔で言った。

戦前には日本のビリヤードの選手権で何度も優勝経験のある上野が、抑留されていたシベリアから帰国したのは三年前の初夏だった。上野はその前年の十二月に凍傷で右の人差し指すべてと中指の第二関節から先を喪《うしな》った。

ブリッジを作る左の指だったら、ビリヤードの選手としては復帰できなかったであろう……。喪ったのが右の指だったお陰で、それまでの上野栄吉にはなかった柔かさが突如奇跡のようにそのキューさばきにもたらされて、人間業《わざ》とは思えない触れるか触れないかの微妙なタッチで球を自在に操れる一種の「遊び」の間合いを習得できたのだ……。

戦前の、まだ二十代だった上野栄吉をよく知る玉突き師は、嫉妬《しっと》とも羨望《せんぼう》とも尊敬ともつきかねる表情で、初対面の松坂熊吾につぶやいたのだった。

「遊び？」

熊吾の問いに、もう七十五歳だという老玉突き師は、

「車のハンドルにはわざと『遊び』の部分をこしらえてまっしゃろ。あれですわ。あの『遊び』ですわ」

と言った。

「なるほど。遊びですか。なるほど、うまい比喩《ひゆ》ですな」

そう応じ返してはみたが、熊吾には、上野栄吉のキューさばきにおける「遊び」が、彼のキューの動きのどこに見いだせるのか、皆目わからなかった。

去年の暮に、ビリヤード場の木の長椅子に腰かけてビールを飲んでいた熊吾に語りかけた老玉突き師は、それ以来姿をあらわしていない。

「わしは万策尽きて、このビリヤード場を事務所代わりにする中古車のエアー・ブローカーに落ちぶれ果てるとは夢にも思わんかった」

笑顔でそう言いながら、熊吾は上野栄吉が胸ポケットから出してくれた三枚のメモ用紙を受け取った。三人の男の名前と電話番号が書いてあった。

〈ダットサン31年型。走行距離二万から三万。価格連絡乞う。〉

他の二枚も車種は異なってはいたが、ほとんど似たような文面であった。

「みんながいまいちばん欲しがる車じゃ。車はなんぼでもあるが、たいていはタクシーあがりか事故車じゃ。それを程度のええ車じゃとだまして売るのがエアー・ブローカーじゃが、この松坂熊吾は、そんないんちきはせん。客の希望にできるだけ近いええ中古車を捜して、大阪や神戸を駈《か》けずり廻る。戦前の商売仲間が、こんなときに助けてくれるとはのお。この松坂熊吾のあまりの落ちぶれ果て方にびっくりして、助けてやるしかしょうがないと思うてくれとるんじゃろう」

「松坂の大将の人徳ですよ」

と上野栄吉は言った。

「人徳なんてものがこのわしにあるかや。この数年、とにかくこれでもかと人に騙《だま》されて、まともな中古車業者からも匙《さじ》を投げられて、関西中古車業連合会の看板も外すしかのうなって、女房にはミナミの小料理屋の賄《まかな》い婦をさせ、一人息子はきょう尼崎のスラム街の、なんとも奇妙な汚ないアパートに住む妹に預けてきた。首でも吊《つ》るしかないほどにお先真っ暗じゃが、それがどうも不思議なことに、わしにはお先真っ暗な気がせんのじゃ。わしっちゅう人間は、どうにもならんくらい能天気にできちょるらしい」

「松坂の大将は、このままやられっぱなしで終わるようなお方とちがいます。いまはやられたふりをして、じっくり牙《きば》を研いでるんです」

さして互いを語り合ったこともなければ、一緒に酒を酌《く》み交わしたこともないのに、ことし四十五歳になるという上野栄吉は熊吾が訝《いぶか》しく感じるほどに松坂熊吾を慕ってくる。

磯辺富雄が自分の営むビリヤード場「ラッキー」に上野栄吉を専属のコーチとして雇ったのは、戦後沈滞してしまっていたビリヤードというゲームが二年ほど前からにわかにブームとなり、とりわけ京都を中心としてそこから西の各沿線、京阪電鉄の枚方《ひらかた》や寝《ね》屋川《やがわ》といった町のビリヤード場には、かつて名の知られた玉突き師が戻って来て、裏では高額の金を賭《か》けた内緒の競技会が催されるようになり、そんな玉突き師に憧《あこが》れる若者たちが本物の技術を求めて腕を磨こうと「ラッキー」に日参しはじめたからだった。

だが「ラッキー」には、彼等に師と仰がせる玉突き師などいなかった。

指を二本失くした上野栄吉を磯辺に紹介したのがどんな人物なのか熊吾は知らない。上野栄吉はある日忽然《こつぜん》と熊吾の前にあらわれ、昼の一時から夜の九時まで、上野の指導を求める者たちにビリヤードを教えるようになった。

その上野の丁寧な教え方や客への応対の仕方や、ちょっとした身振りや口調を見ているうちに、熊吾は上野が男色家であることを知った。その自分の勘はおそらく外れてはいないだろうと思っているが、熊吾はそのことを誰にも口にしてはいない。

上海《シャンハイ》で事業をしていた三十代の半ばに、熊吾は中国人の男色家数人と交友があった。

交友といっても、行きつけのカフェや茶館で碁を打ったり、ブリッジというトランプゲームに興じたりするだけだったが、熊吾が名前を記憶しているだけでも三人いた。朱旭《しゅきょく》程《てい》、王乙龍《おうおつりゅう》、葉荘哲《ようそうてつ》……。とりわけみなから「小乙」と呼ばれていた王乙龍は、体つきが華奢だけでなく、当時の京劇で一番の人気を博していた女形よりもはるかに美形で、見つめられるとその艶然《えんぜん》とした目に熊吾ですら惹《ひ》きこまれそうになったものだった。

朱旭程は、美少年以外には目もくれなかったが、材木商で財を成した葉荘哲は、八歳か九歳くらいの美少女も買った。葉に買われる少女は生まれたときからそのために育てられ、三歳のときに両足を布で強くくるまれる。その纏足《てんそく》の足の布を取り外す最初の男となることが、高い地位を得たとか、商売の成功者であることの証《あか》しでもあったので、上物の少女はすでに四、五歳で買い手がついている。

だがどんなに上物であろうとも、葉荘哲にとってはそれは一種のつまみ食いに過ぎず、彼が涎《よだれ》を垂らすほどに我がものにしたがるのは、十一歳から十二歳になるまでのわずか一年間のうちの瞬時の「旬」のときを迎えた少年なのだった。

予想していたよりも早熟に育つ少年もいるだろうし、その逆の場合もあるだろう。だがいずれにしてもそのような少年における「旬」とはいかなる状態をいうのかと熊吾は質問したが、ほんの片言の中国語しか喋《しゃべ》れない熊吾と、似た程度の日本語の葉荘哲との会話では、「旬」の微妙なありさまをお互い十全に伝え伝えられるといったことはできなかった。

朱旭程も王乙龍も、熊吾が知識として認識している「男色家」の範疇《はんちゆう》に入る男どもではあったが、葉荘哲がはたして同じ部類に属するのか、熊吾には疑わしかった。けれども三人に共通するのは、とび抜けた機知と繊細さ、そして彼等だけの卑下の裏返しであるかのような矜持《きようじ》と自尊心、さらにはその呆気《あつけ》にとられるほどのお天気屋ぶりであった。女はお天気屋だというが、男色家のお天気屋ぶりはその数十倍だと熊吾はあきれかえったことが再三ある。

そして熊吾が上海時代に知り合った三人の男色家すべてが持ち合わせていたものを、この上野栄吉というビリヤード師もまたすべて身に帯していた。

上野は、二人の客のところに戻り、もう一度キューの持ち方と構え方を何度も繰り返して教え始めた。

熊吾は帳場に置いてある電話を借り、知り合いの中古車業者に客の要望に近い車があるかどうかを聞いた。三人の客のうちの二台はなんとか希望に添えるものがみつかりそうだった。

熊吾はメモ用紙に走り書きされた電話番号の主に電話をかけ、あしたその車に乗って指定の場所に参上するので試乗してみて気に入ったら値段の交渉をしようではないかと伝えた。

「お値段は出来得るかぎり、そちらのご意向に添わせていただきますけん、ご安心下さい」

熊吾が電話を切ると、上野にコーチを受けていた二人の客が帰って行った。上野は他の客たちとそれぞれ短く談笑してから、自分の着換えなどを入れてあるロッカーをあけ、新聞紙を持って熊吾のところに戻って来た。

それはきょうの朝刊だった。上野栄吉が指差した箇所には〈きょうにも閣議決定　引揚者への給付金法案〉という見出しがあった。

〈政府は「引揚者給付金等支給法案」をまとめたので十四日これを自民、社会両党に示した。政府としてはできれば十五日の閣議で決定し、今国会に提出する方針。

この法案はいわゆる在外財産補償問題の解決策として、引揚者、戦犯、外地死亡者の遺族に対して交付公債を支給しようというもので、さきに政府は公債交付の総額を五百億円とすることなどの大綱を決め、引揚者側の了解を得ており、このほど細目についても決定をみたものである。「引揚者給付金等支給法案」の大綱は次の通り。

▽公債を支給される引揚者の範囲＝①昭和二十年八月十五日まで引続き六ヵ月以上外地にいたもの（ソ連参戦によって二十年八月十五日以前に引揚げたものも含む。なお満州開拓民は六ヵ月未満のものも含む）②終戦後引続き外地に戦犯として抑留されていたもので、昭和二十七年四月二十九日以降に内地に引揚げたもの。

▽引揚者給付金の額＝①終戦時の年齢が五十歳以上のもの二万八千円②三十歳以上五十歳未満のもの二万円③十八歳以上三十歳未満のもの一万五千円④十八歳未満のもの七千円⑤終戦後戦犯として抑留されていたものは年齢にかかわらず二万八千円。〉

記事はさらにこまごまとした条件や給付金の額などを記載していたが、熊吾は新聞を上野に返し、

「お前は、この⑤じゃな」

と言った。

「やっぱり⑤の戦犯ですか。ソ連は、満州の北部におった私らをぎゅうぎゅう詰めの貨物列車でシベリアの果に連れて行って、零下五十度のとこで森林の伐採をさせつづけたんですよ。私はソ連兵の口から、お前らは戦犯としてここで強制労働をさせられてるんやって言葉は耳にしてません。ソ連は私らを戦犯としてシベリアに連れて行ったと公式に認めたんですやろか？」

「じゃあソ連はどういう名目でお前らをシベリアで強制労働させたんじゃ。戦犯という罪状をつけんかぎり、国際法に違反するじゃろう」

「国際法？　ソ連に国際法？　あの国にそんなもんはありませんよ。あいつらにとったら条約なんてもんは破棄するためにあるんです」

上野は目の縁を赤くさせて言った。

「勝ったら何でもありじゃ。勝てば官軍。古今東西、それは変わらん。東京裁判で、日本の弁護団副団長の清瀬一郎は、国際法においては戦争が犯罪じゃとは定められちょらんから、戦争犯罪人というものも存在せんと論陣を張って連合軍側を慌《あわ》てさせたが、確かに法律上ではそのとおりじゃ。もし戦争犯罪人ちゅうものがおるとしたら、戦勝国側であろうとも敗戦国側であろうとも、戦争をやろうと決めて、それを実行に移した連中すべてが戦争犯罪人ということになる。勝った国でも何十万ちゅう若者が戦場で死んだんじゃからのお。その子らが生きちょったら、生きる苦労はあっても、人生の楽しさにも巡りおうたじゃろう。人間を戦場に送り込んだやつらは、勝とうが負けようが、責任を取るべきじゃ。それが『もののふ』じゃろうが」

熊吾は笑みを浮かべ、

「お前は運良くシベリアから帰ってこれて、二万八千円の金が貰《もら》える。まだシベリアとかソ連領内には六十万人以上の日本人が抑留されたままじゃっちゅう話じゃ。どこでどんな死に方をして、遺骨もどこにあるのか見当もつかん兵隊の数は六十万人どころやあらせんちゅう話じゃ」

と上野栄吉に言った。

「二万八千円ですか……。米一升が百三十円やから約五俵分ですなァ」

上野はつぶやいて帳場の横の大きな掛け時計に目をやった。

「そういう数字がすぐに暗算できる頭がないと、ビリヤードっちゅうものは上手にならんらしい」

熊吾は笑って言って、冷めてしまった茶を飲んだ。客の何人かが女店員の康代に支那《しな》そばとか焼き飯とかを注文した。康代は去年、石川県七尾市からバスで三十分かかるという日本海沿いの村の中学校を卒業して、同級生三人と一緒に大阪に働きに出て来たという。

彼女たちはみな大阪市郊外の電器部品の下請け工場に就職した。だが康代は手先が無器用で単純な作業にも失敗を重ね、たちまち工場で厄介者となり、誰かの口ききで「ラッキー」で働くようになった。

工場での手仕事とは違って、「ラッキー」での仕事は康代に合ったらしく、忙しいときでも何人もの客の代金の計算は迅速だったし、甲高くて大きな声は場を明るくさせ、ビリヤード台の掃除も手抜きをしないのに要領良くて、磯辺に命じられたわけでもないのに一日に三度も便所の掃除をやってしまう。そして営業時間が終わり、客がすべていなくなってから、上野にビリヤードを教えてもらうのを楽しみにしている。

熊吾は、康代を見ながら、自分のキューを布で丁寧に拭《ふ》いている上野に、

「あの子より三つくらい歳《とし》は下じゃが、とんでもない美少女を見たぞ」

と言った。

「気圧《けお》されるっちゅう言葉があるが、六十のこのわしが、その子のあまりの美貌《びぼう》に気圧されて、しどろもどろになっしもた。あんな美しい女の子を見たのは、わしは初めてじゃ」

「へえ……、どこでです？」

「わしの妹が住んじょる尼崎のアパートの二階でじゃ。息子を妹に預けて帰ろうとして、このアパートにはどんな連中が住んじょるのかと、ちょっと二階に上がってみたときに会うた」

「松坂の大将が気圧されて、しどろもどろになってしもたんですか？　康代ちゃんより三つくらい下やということは、十三、四ってとこですか」

「ことし中学二年生になるようじゃから、そういうことになるのお。あの子も、あと二年もしたらこの塵芥《ちりあくた》の世の中に出て行くんじゃのお……」

　あのアパートに住む一家で、娘を高校に進学させる親は少ないであろうと思いながら、熊吾はそう言った。

「あんなにきれいな子には、世の中の塵芥という塵芥がこれでもかと一斉に群らがり寄って来る。それでどうなっていくかは、あの子の持って生まれた星廻りもあるが、ひとえにあの子のおついむ次第じゃのお」

「おつむですか？」

上野は苦笑しながら自分の頭を人差し指で突ついた。

「そうじゃ、賢こさじゃ。しかし女としての賢こさを身につけるまでに塵芥は押し寄せて、ほんの二、三年で身も心もボロボロにさせてしまいよる」

熊吾は、城崎《きのさき》にいる谷山麻衣子を思い浮かべた。もう随分長く逢《あ》っていない。麻衣子はことし幾つになるのだろう。二十三かな。いやまだ二十二だ。近いうちに逢いに行かねばなるまい……。

「大将、きょうは私に晩飯をご馳走《ちそう》させて下さい」

と上野は言い、洗面所で手を洗った。上野にコーチを求める客がいないときは、一時間だけ食事をとるために外出してもいいことになっていた。上野はいつもはたいてい出前を頼んで「ラッキー」の店内で晩飯を済ませるのだが、熊吾が返事をする前に、八時前には戻って来るからと康代に言い、熊吾を手招きして階段を降りて行った。熊吾は行きかけて、忙しく動き廻っている康代の脚を何気なく見た。穿《は》いているナイロンストッキングに大きな穴があいていた。それは貧乏と不幸への入口のように見えた。

その瞬間、熊吾は、伸仁をあの蘭月ビルという奇妙なアパートで暮らさせるのはやめようと思った。

以前、俺は何かの折に「環境という恐しい敵」という言葉を心に描いたことがある。

そのような敵の存在を知っているこの俺が、まだ幼い大事な息子をあんなアパートの住人にしておいてはならない……。

ここは丸尾千代麿とミヨのお言葉に甘えて彼等夫婦に預かってもらおう。房江も本心ではそれを望んでいるに違いない。

よし、そうしよう。いまから伸仁を迎えに行くぞ……。

雪が降り始めた阪神裏の路地に出てそう決めたとき、康代の呼ぶ声が聞こえた。振り返ると、「ラッキー」の二階の窓から康代が顔を出し、丸尾さんの奥さんから電話がかかっていると伝えてくれた。

「千代麿の女房？」

これはまたなんと好都合なことだろうと思いながらも、熊吾は何か不吉なものを感じた。千代麿の体にまた異変でも生じたのではないのかと思ったからだった。

風の音のする路地に上野を待たせて、熊吾は階段をのぼり、電話を取った。

「いまから何かご予定でもおありですやろか」

と丸尾ミヨは声をひそめて訊《き》いた。

「格別の予定はないが……。何かあったのか？」

と熊吾は訊き返した。

「迷いに迷うて、……迷い抜いてもう四年になります」

と丸尾ミヨは言った。

夫は今夜は三重県の津市へ行って、帰宅はあすの夕刻になる。自分の決心はもう変わらないので、松坂の大将に相談に乗ってもらいたい。ご足労をおかけするが、桜橋の事務所にお越しいただけないか。

ミヨの言葉に、

「千代麿の腹のなかのできものが生き返ったっちゅう話じゃないんじゃな？」

と熊吾は念を押した。

「はい。ご飯もよう食べますし、病気をする前よりも元気ですねん」

熊吾は電話を切り、路地に出て、上野に急な仕事が入ったと言った。

「ご馳走になるのは、また次の機会にさせてもらうけん」

桜橋の交差点へと歩きながら、城崎の美恵のことに違いないと思った。千代麿が米村喜代に産ませた女の子は、昭和二十八年に浦辺ヨネが自分の養女として正式に入籍した。その美恵も五歳となり、もう幼稚園児だ。

俺と千代麿のしめしあわせた茶番劇など、ミヨは瞬時に嘘《うそ》と見抜いてしまっていたわけだ……。

熊吾は微《かす》かな笑みを浮かべてそう思ったが、同時に、ミヨの電話での短い話しぶりから、事は丸く納まるのであろうという予感も抱いた。

丸尾ミヨは、外出時以外は片時も脱がない割烹着《かっぽうぎ》を脱いで、事務所の二階の卓袱台《ちゃぶだい》の上に、蜜柑《みかん》をたくさん盛って待っていた。

「南宇和の蜜柑ですねん。古うからのお得意さんがぎょうさんくれはりましてん。大きいし、甘いし。これは奥さんとノブちゃんに」

ミヨは片手では持ちきれないほどの蜜柑を新聞紙に包んでから、さらにそれを風呂敷《ふろしき》で巧みに包んだ。

「わしはなんかお白州《しらす》に坐《すわ》らされたような気分じゃ」

そう言いながら、熊吾は蜜柑の皮を剝《む》き、

「四年も迷い抜いて、もう変わらんと決めた決心ちゅうのやらから聞かせてもらおうか」

と笑みを向けた。

「うちの人の五歳になる娘を、私の子供としてこの家に迎えてやりたいんです」

ミヨは、いま城崎に住む娘が五歳であること以外、何も知らなかった。城崎のどこで、誰とどのように暮らしているのかさえも知らなかった。

ミヨなりに、ある程度の調べをしたのであろうと思っていたので、熊吾は少し驚いてしまった。それで熊吾は死んだ米村喜代のこと、彼女の歳老いた祖母のこと、浦辺ヨネや麻衣子のことについて説明しなければならなかった。

「麻衣子ちゃんと一緒に暮らしてきたんですか？」

ミヨが驚き顔で熊吾を見つめたので、熊吾はわざと剽軽《ひょうきん》に、

「伸仁も美恵とは仲良しじゃ。知らぬは千代麿夫人とわしの奥方だけじゃ」

と言った。

「美恵のおばあちゃんはお幾つです？」

「九十二になるが、まだまだ元気じゃ。わしも長いこと逢《お》うちょらん。近いうちに一度顔を見に行かにゃあいけんと思うちょる」

ミヨは長いこと考え込み、

「それやったら私の出る幕はどこにもありませんがな……」

と言って泣いた。その泣き方は次第に悲痛なものへと変わっていった。

「美恵は、浦辺ヨネさんの子供として育ってる……。戸籍上でもちゃんとした親子や。私が決心をつけるまでのこの四年間は、いったい何でしたんや」

夫にはよその女に産ませた娘がいる。そしてその子は松坂熊吾の隠し子ということになっている。その子の母親が若くして急死したことも知っている。夫はどこまで隠しつづけるつもりなのだろう。その子はいま誰に育てられているのであろう。

そんなことをしょっちゅう考えながら、同時に自分の心を占めつづけたのは、はたして自分はその女の子の母になれるだろうかという逡巡《しゅんじゅん》であった。

自分のお腹《なか》を痛めて産んだ子ではない。夫の愛人が産んだ子なのだ。しかしその女はどうやら幼い子を遺《のこ》して城崎で若くして急死した。それを知らせる電話をかけてきたのは女の歳老いた祖母だ。

さまざまな感情をすべて乗り越えたわけではないが、自分たち夫婦には子供はないのだから、結局はその娘を引き取って、自分たちの子供として育てるのが、すべてが丸く納まる最善の方法ではないのか。問題はこの自分の感情だけだ。その子に何の罪もないとわかってはいても、どうかしたひょうしに自分は自分の感情を烈《はげ》しくぶつけたり、あるいは絶え間なく冷徹に底意地悪く振る舞ったりはしないだろうか……。

一緒に暮らすようになれば、そのどちらかを、いや時として両方を使い分けながら、自分は美恵という娘にひとかけらの愛情もないままに接しつづけるかもしれない……。

そんなことを四年間自問自答してきて、この二、三週間で、なぜか悟りをひらくかのように決心できて覚悟も定まった。

一年や二年では無理かもしれないが、四年、七年、十年と暮らすうちに、美恵という娘の立派な母になれる。いや、なってみせる、と。

その自分の思いに揺るぎがないかを改めて自分自身に問い質《ただ》し、震えながら松坂熊吾がいそうなところに電話をかけたのだ……。

ミヨは顎《あご》から伝い落ちる涙をぬぐおうともせず、熊吾にそう言った。

熊吾は返す言葉もなく、ミヨの言葉を聞くばかりであった。

「私の出る幕は、ひとつもなかったんですなァ……」

「女房以外の女とのあいだに子供が産まれたなんてことは隠し通せるもんじゃあらせんとわかっちょったが、とりあえず、いまのところは内緒にしちょこうっちゅうことになってのお……。そしたら子の母親の突然の死じゃ。そんなことは予想もしちょらんかった。美恵の曾祖母《そうそぼ》は九十歳。他に身寄りはない。ヨネよ、とりあえずお前が母親代わりになってやってくれ……。時がたてばまたええ知恵も湧《わ》くじゃろうし、事態も変わっていくじゃろう。それがわしの考えじゃった。つまらん浅知恵じゃった。その場しのぎの浅知恵で、大事な問題を先送りさせたのは、このわしじゃ。その場しのぎの先送りっちゅうやつが、あとになってどうにもならん厄介事になるっちゅうことくらい山ほど経験してきちょるのにのお。わしが悪い。謝まってどうなることでもないが、わしを責めてくれ」

熊吾はそう言いながらも、これからの美恵にとってはいったいどっちが幸福なのだろうと考えた。

曾祖母やヨネや正澄や麻衣子のいるあの平和な城崎の家から離れ、千代麿とミヨの娘として大阪で新しい生活に入るのが、長い目から見れば幸福なのかどうか……。それを誰がいかなる尺度で判断するのか……。

するとミヨは立ちあがり、階下へおりると、タオルで涙をぬぐいながら戻って来て、

「美恵ちゃんを優しいおばあちゃんやお母さんから引き離すようなことはでけしません」

と言った。五歳の美恵は、浦辺ヨネを自分の母親だと信じている。年齢が一歳も違わない弟のこともまだ不思議だと思える歳でもない。美恵はこのまま浦辺ヨネの子として、海に近い、湯量豊かな温泉の町で成長していくのがいちばんいいと思う……。

そう言ってミヨは、

「こういうのも、問題の先送りというやつですやろか？」

と訊いた。

「いや、そんなもんやあらせん。立派な決断じゃ。すべて解決とは言えんが、いまは最善の解決法じゃ。物事はいつも動いちょるけん、いつか美恵も真実を知るときが来る。ひょっとしたら、やがて美恵が丸尾ミヨを必要とするときがくるということもなきにしもあらずじゃ。そのときはそのときのことじゃ」

熊吾は言って煙草《たばこ》に火をつけたが、いや問題は解決しないだろうという予感がした。事ここに到《いた》っては、ミヨもこれまでどおり夫には知らん振りをつづけるわけにはいくまい。千代麿が仕事から帰って来たら、夫婦二人で話し合うことであろう。美恵の父が誰であるかを何年も前から知っていたこと。自分の娘として引き取ろうかどうか迷いつ

づけ、その覚悟を定めたこと。今夜そのことを松坂熊吾に打ち明けて、考えが変わったこと。これまでどおりの生活が美恵にとって最も幸福だと思ったこと……。

だがその妻の言葉を聞いた千代麿は、どのような考え方をするであろうか。

まったくお前の言うとおりだ。お前がそう決めたのならそうしようと頭を下げつつ賛同するだろうか。

妻にはすべてばれていたことを知り、妻がそこまで覚悟を決めてくれたのだと知ったら、千代麿は可愛《かわい》くて愛《いと》しくてたまらない美恵を、このまま浦辺ヨネの子として城崎に置いておくなどということは決してしない。千代麿のことだから、美恵だけでなくあの九十二歳の曾祖母までもこの大阪に引き取ろうとするのではあるまいか。いや千代麿なら必ずそうする……。

熊吾はそう思った。

「えらい冷えてきたと思うたら、雪が降ってましたんやなァ。もうそろそろやみそうですけど」

ミヨは言って熱い茶を淹《い》れてくれた。

「あした、千代麿は家に帰って来てから針の筵《むしろ》じゃのお」

「それも二、三時間は坐っててもらわんと」

ミヨは苦笑しながら珍しく冗談を言った。

一見、芯《しん》があるのかないのかわからない、どことい って特徴のない、善人ではあっても無個性過ぎるという印象だった丸尾ミヨが、じつは芯が強く思慮深く辛抱強くて賢い女だったのだと知り、熊吾は自分の人間を見る目の浅薄《せんぱく》さをあらためて思い知らされている気がした。

「いずれにしても、わしは近いうちに城崎へ行くつもりじゃ。麻衣子のことが気にかかる。ええ男とめぐり逢えばと思うが、十八で結婚してすぐに亭主と別れたまだ二十二歳の女に近づいてくるのは、助平ないなか議員とか漁業組合の下衆《げす》な役員とか、えらそうにいっぱしの事業家面《づら》をした水産加工屋の親父《おやじ》ばっかりじゃ。老舗《しにせ》の旅館の、商売は女房にまかせて遊び暮らしちょる馬鹿《ばか》亭主も二、三人ほど麻衣子に何やかやと甘いことを言うて近づいてきちょるらしい。こないだ電話でヨネがそれとなくわしにそう言うちょった。こないだっちゅうても、正月じゃったが」

熊吾は、伸仁のことを言いだせなくなってしまい、蜜柑をもうひとつ食べると、丸尾運送店を辞し、四つ橋筋を南へと歩いて、最近知った「つばめ」という屋号の大衆食堂に入った。その店は開店してまだ日は浅かったが、安くてうまいという評判で、昼には近くの勤め人たちが店先に列を作るほどだった。

丼物《どんぶりもの》や定食などはなくて、大きなガラスケースのなかに「冷や奴《やっこ》」「玉子焼き」「魚の焼き物」「サバの煮つけ」「ホーレン草のおひたし」といったいわば家庭料理を幾種類か並べてある。客は自分の好きなものを取り、大中小と量の異なるご飯を註文《ちゅうもん》するというやり方で、とりわけ「豚汁」に人気があった。

熊吾は、ガラスケースのなかから「サバの煮つけ」と「冷や奴」を取り出し、テーブルに運ぶと、ご飯と豚汁を頼んだ。

他の多くのエアー・ブローカーを敵に廻しながら、いわば一匹狼《おおかみ》のような自分が糊口《ここう》をしのぐためとはいえ、同じエアー・ブローカーとして中古車を売ってどれだけ稼げるだろうかと考えながら、熊吾は黙々と豚汁を飲み、ご飯を頬張り、伸仁を丸尾夫婦に預かってもらうことはあきらめねばなるまいと思った。

伸仁が中学校に入学するまであと二年。二年もあるではないか。二年もあればまた道もひらけるであろう。中古車のエアー・ブローカーの稼ぎで伸仁を私立の学校に入れることはほとんど不可能だ。この二年のあいだに、こんどこそ安定した収入のある商売を立ちあげなければならない……。

「なりふりかもうちょる場合か……」

熊吾は胸のなかで言って、この自分に金を出そうという人物をみつけることが先決だと思った。

関西中古車業連合会の挫折《ざせつ》で自分の信用は失墜した。番頭格の男に事業資金どころか、得意先からの預り金まで盗まれ、予定していた展示即売会を延期せざるを得なくなり、たちまち誰の口からか久保敏松《くぼとしまつ》の所業は松坂熊吾の企《たくら》みではないのかという噂《うわさ》が流れた。

金庫のなかの銀行通帳を盗まれ、別の場所に保管してあった印鑑までも持ち出されて、銀行に預けてある自分の金だけでなく他人の金までもまんまと引き落とされて、それが全額賭《か》け将棋で消えてしまったとは、あまりにも出来過ぎた話だ。もしそれが真実だとしたら松坂熊吾とはなんとまぬけな男だ。耄碌《もうろく》したとしか言い様がないではないか。そんな男が発案した関西中古車業連合会がうまくいくはずもないし、展示即売会のために新たに金を出すというのは危険極まりない話だ。わざわざ詐欺《さぎ》にあうために金庫をあけるようなものだ……。

そんな噂話にさらに尾ひれ背びれがついて、熊吾が説得し交渉し、熊吾の計画にやっと賛同してくれた十数人の中古車業者のうちの半分が脱会してしまった。

博美が返してくれた金のお陰で、預り金だけはなんとか返済したが、あの金がなければ自分は脱会した業者たちから詐欺罪で訴えられていたかもしれない……。

熊吾はそう思った。

噂話を流したのは、関西中古車業連合会の進展が死活問題となるエアー・ブローカーたちであったことを、熊吾はいまなお信頼してくれている数少ない中古車業者たちから教えられたのだ。

しかし、その噂話に、熊吾は反論できなかった。自分はまた信用している人間に裏切られ、大事な事業資金を横領された。これでいったい何回目であろう。上海の時代に二度。戦前に二度。戦中に一度。戦後は、松坂商会を再建したときには井草正之助に裏切られた。そしてこんどの久保敏松……。

間抜けと言われても仕方がない。まったくそのとおりなのだ。俺は間抜けなのだ。確かに耄碌したのだ。何と嘲《あざ》けられようが、返す言葉なんかあるものか。俺という人間はどこかの栓が抜けている……。

熊吾は生姜《しょうが》の程良い香りと少し濃い目の醬油《しょうゆ》味の沁《し》み込んだサバの煮つけを食べた。房江ならばもうちょっと薄味にするだろう。そう思いながら、熊吾は近いうちに城崎に行こうと決めた。

するとふいに、昭和二十六年の夏の、耐え難いほどに暑かった金沢での光景が甦《よみがえ》った。死期の近さを全身に漂わせた井草正之助が、ときおり乱れる息遣いで自分に話しかけている姿だった。

あのとき俺は井草が持ち逃げした百万円余の金については不問にふしたが、考えてみれば百万円といえば当時は大金どころの額ではない。あれから六年たったいまでも、百万円あれば家が建つ。

井草は、あの金の一部で従兄《いとこ》夫婦に騙《だま》された谷山節子の負債を返済したようだが、どのような詐欺にひっかかったとはいえ、まさか百万円も使ったはずはない。多く見積っても、たかだか十万か二十万といったところであろう。金沢で古い家を借り、少々散財して遊んだとて、井草には持ち逃げした百万円余りの金のうち、六、七十万円は残っていたはずだ。

その金を、井草は女房に渡したのだろうか、それとも谷山節子に渡したのだろうか……。女房に渡せる金ではない、と熊吾は思った。あの井草の女房の気質なら、金の出処にこだわってしつこく詰問《きつもん》するであろう。思いもかけぬ儲《もう》け話が舞い込んだとか、松坂熊吾が妻子とともに郷里へ帰るために松坂商会の土地を売ることに決めたので、これまでの慰労金として貰《もら》ったとか、その程度の誤魔化しでは説明のつかない大金なのだ。

井草は俳句をひねる以外には何の道楽も持たない男だった。酒は好きだったが、酔いつぶれるほど飲んだりはしない。麻雀《マージャン》や花札なども、誘われたらつき合うが、自分から率先してやりたがったこともない。

俺から盗んだ金の残りは、どこへ行ったのか……。

熊吾には、谷山節子以外には思い当たらなかった。そして、自分の勘が当たっているとすれば、節子はその金の大半をいまも持っているはずだと熊吾は思った。節子は欲深い女ではなかったし、生活振りに浮わついたところはなく、いつも質素で倹約家だということを周栄文から聞いたことがあったのだ。

もし谷山節子があの金を持っているのなら、訳を話して返してもらえないものだろうかと熊吾は思った。節子は、この松坂熊吾が嘘《うそ》をついて他人の金を持ち去ろうとする人間ではないことを知っている……。

熊吾は食事を終えると、食堂の主人に、この近くに文具店はないかと訊《き》いた。便箋《びんせん》と封筒を買って、金沢の谷山節子に手紙を書こうと思ったのだ。

ここから歩いて二、三分のところにあるが、年寄り夫婦が営んでいて、夜の七時に閉めてしまうと若い主人は言った。

「大阪中央郵便局のなかでは便箋とか封筒は売っちょるかのお」

熊吾の言葉に、顔馴染《なじみ》になった主人は、

「便箋と封筒でっか？　安物でよかったら、うちにあるのを使いはったらどうでっか？」

と言い、調理場から持って来てくれた。

熊吾は礼を言い、背広の内ポケットから万年筆を出すと、節子に手紙を書いた。

事情があって昭和二十二年に井草正之助に百万円を預かってもらった。そのうちの三十万円ほどは井草が自由に使っていい金だということになっていた。しかし井草はあのような病気にかかり、予期せぬ出費もあったであろうから、それよりも多く使ったかもしれない。もし井草から金を預かっているならば、小生に返済してもらえないだろうか。井草に金を預けて十年近くたって、いまごろこのような手紙を差し上げるのには少々訳がある。その訳はお会いした際に説明する。至急お返事を乞う。

熊吾はそんな意味の文章をしたため、手紙を封筒に入れ、食堂の主人にまた丁重に礼を述べて、さっき来た道を引き返し、大阪中央郵便局のほうへと向かった。

途中、自分の勘が外れて、井草が金を妻君に渡していた場合のことも考えたが、それは節子からの返書を読んでからのことだと思い、手紙を速達便で投函《とうかん》した。

節子も井草の妻君も「邪ま《よこし》」とか「悪辣《あくらつ》」といったものを持ち合わせていない人間であるはずだが、すっかり自分のものになったと思い込んでいた大金が、じつは松坂熊吾の金だったと知ったら、知らぬ存ぜぬで押し通すかもしれないとも考えられた。けれども、そのときはそのときのことだと思い、熊吾は阪神百貨店前のバス停へと歩いた。伸仁が小学校一年生のときから丸三年間、学校と家との行き帰りに使ったのと同じ路線を走るバスに乗ろうと思ったのだった。

信号を渡っていると、どうやら「阪神裏」の自分の店へ行こうとしているらしい磯辺富雄の、それが癖の、せわしげに上体を横に揺らしつつ脚を運ぶ姿が目に入り、熊吾は声をかけた。

「寒いでんなァ。真冬みたいでんがな」

磯辺が重そうな黒い革ジャンパーのポケットに両手を突っこんだままそう言ったとき、また小雪が降ってきた。

「春が来る前には、必ずこういう寒い日があるもんじゃ」

熊吾は言って、マフラーを巻き直した。

「私の店に行きはるんですか？」

「いや、きょうはこれから家に帰るつもりじゃ。電気も水道もない家じゃが火鉢だけはあるけん、練炭をいこして、その火で湯を沸かして茶ぐらいは飲めるけんのお。女房が疲れて帰って来たとき、部屋がちょっとでも暖かいと喜ぶじゃろう。そのくらいの女房孝行はせんと、この落ちぶれ果てた亭主は肩身が狭い」

「練炭火鉢は危ないでっせ。閉め切った部屋の練炭火鉢で、寝てた親子五人が中毒死したっちゅう記事が夕刊に載ってました」

磯辺はそう言うと、喫茶店を指差し、熱いコーヒーでもいかがかと誘った。相談に乗ってもらいたいことがあるのだという。

熊吾はシャンソンの曲が流れる喫茶店の、中央郵便局の建物が見える窓際《まどぎわ》のテーブルに磯辺と向かい合って坐り、煙草《たばこ》に火をつけた。

「厄介なことに巻き込まれて身に危険を感じてますんや」

コーヒーを註文してから、磯辺は言った。

「朝鮮戦争がいちおう休戦状態になって、三十八度線の板門店に国境ができてから、日本で生活してる朝鮮人も北側と南側に分れましてん」

磯辺は、ジャンパーを脱ぎ、ポケットから手帳を出して、朝鮮半島の地図を描いた。

「ここが三十八度線。ここが北の平壌。こっちが南のソウル。ここらあたりに私の祖父母が生まれた済州島」

朝鮮は北と南に分れ、北は朝鮮民主主義人民共和国となり、南は大韓民国と国名も異にしてからすでに九年ほどたつ。

自分の祖父母は済州島出身なので、いまは大韓民国出身ということになり、通称「民団」と呼ばれる在日韓国人の団体に属しているが、北朝鮮側出身の者たちや、共産主義を支持する者たちは「朝鮮総連」と呼ばれる組織に属している。

磯辺はそう前置きし、

「最近、この北の総連の活動家っちゅうやつらがおかしな動きを始めよったんです。まあ最近と言うても、私がそのことに気づいたのが最近やというだけで、朝鮮戦争が休戦して以来ずっと地下工作というのをやってたのかもしれまへんけど……」

と声をひそめて言った。

「地下工作？　何のための地下工作じゃ。民団側の連中を総連側につけようっちゅう工作か？」

「まあそういうことですねんけど……」

「そんなことは共産主義者はしょっちゅうやりよる。シベリアに抑留された兵隊のなかにも、ソ連側がこれと目をつけて、いわゆる洗脳っちゅうのをやって、筋金入りの共産主義者に変えて、日本に帰して来た連中はぎょうさんおるじゃろう。日本でも朝鮮人が北と南に分れっしもうたんじゃから、おんなじことが起こるのは当然と言えば当然じゃと思うが」

熊吾の言葉に頷《うなず》き返し、磯辺はさらに声を低くさせて、

「私は日本で生まれ育って、日本で商売をして今日に至っとります。世の中がどんなふうに変わるか誰にもわかりまへんけど、私はこれからもずっと日本で生きていくつもりです。そやからこそ、私は日本という国で苦労してる同胞の手助けになればと思て、在日本大韓民国居留民団の、この梅田周辺の責任者の役を引き受けたんです」

と言った。

「責任者？　お前、そんな大役を帯びちょったのか。もうちょっとましな人材はおらんのか」

熊吾が言うと、磯辺は声を殺して笑った。笑いながら、磯辺は運ばれてきたコーヒーにスプーンに四杯も砂糖を入れて飲んだ。

「朝鮮が南北に分れて戦争したとき、北は南の兵隊だけやのうて、一般人も無理矢理誘《ゆう》拐《かい》していきよったんです。はっきりと北へ誘拐されたとわかってる一般人の数は八万人くらいやと言われてますけど、行方不明になったままの人は三十万人を越えてるそうで

す。それとおんなじことが、日本でも起こるんやないかと私は心配ですねん。北は人口が少ないから労働力がないんです。戦争は、結局は数の勝負でっさかい。兵器も兵隊の数も多いほうが勝ちまんがな。農業にも人が要る。工場にも人が要る。そやけど北は、南と比べたら比較にならんくらい人口が少ないんです。昭和二十八年に休戦協定が締結されたとき、北から南へと逃げて来た人間は二百五十万人で、それは北で生き残った一般人の三分の一の数やっちゅうて関西の民団の幹部が言うてました。つまりいまの北は、いかに人口が少ないかっちゅうことですねん。日本に住んでる朝鮮人の割合も、北出身は約一割とちょっとです。九割近くが南出身です」

そう言うと、磯辺富雄はまた熱いコーヒーを音をたててすすった。

自分の同胞たちは、日本が戦争に敗《ま》けたとき、これで自由に祖国に帰れるようになると思った。だが、すべての在日朝鮮人がそれを願ったわけではない。この日本の社会ですでに生きる術《すべ》を得て、前途に光明を見ているものは、また一から出直すはめになるであろう祖国へ戻るよりも、このまま日本に根を下ろしたほうが得策だと考えている。だが、日本人から侮蔑《ぶべつ》され、不当な差別を受けて生きるよりも、自分の父母の国で苦労したほうがいいと願う者もいる。

けれども、そうしたそれぞれの思惑は朝鮮戦争でたちまち外れてしまった。南の李承晩《りしようばん》政権は、在日の同胞の祖国帰還に積極的ではない。終戦ではなく休戦中の国家にとっては、大量の帰還者は混乱こそ招くものの、決して自国を潤《うるお》わす存在ではないからだ。だが北は違う。北は、とにかく労働力が欲しい。兵士の数を増やしたい。農民や工場の労働者が欲しい。さらには、朝鮮人たちが日本で築いた財産が欲しいのだ……。

磯辺は熊吾が驚くほどに饒舌《じょうぜつ》だった。自分の滑かな舌によってさらに高揚していくかのように見えた。

「朝鮮戦争がいちおう休戦ちゅうことになったころ、内密に調査があったんです」

「どんな調査じゃ」

「祖国に帰りたい者は帰ってもええと言われたら、お前は南と北のどっちへ戻りたいかっちゅう調査です。北へ帰りたいと答えたのは一割にも満ちまへんでした。九割以上が南と答えたんです。これは北を支持する連中にとっても、金日成《きんにっせい》政権にとっても屈辱的な数字です。そのころから、私が責任者として受け持ってる地域の朝鮮人同士のいがみあいが大きいなりました。とくに若いもんのあいだで。兄貴は南支持、弟は北を支持なんて兄弟がおる一家は大変です。家のなかで南北に分れて戦争ですわ」

「その騒ぎが、お前にまで及んできたっちゅうわけか」

「そうですねん。それもはっきりと暴力的にねェ。私、暴力は怖いんです」

磯辺はスプーンでコーヒーをかき廻しながら、

「いまは、朝鮮ちゅうのは北のことですねん。南は韓国と呼ばなあかんそうでして……」

と言った。

熊吾は、信頼できる用心棒をつけろと磯辺に助言した。

「用心棒でっか？」

「万一のことを用心してっちゅうことじゃ。何が起こるかわからん。特にこの『阪神裏』っちゅう迷路ではな」

熊吾は喫茶店の東側の壁を指差した。

「お前と祖国を同じくする連中とか、過去を明らかにできん日本人とか、うまいもんを飲み食いできて女を抱けりゃあ何でもありじゃっちゅう、氏素姓のわからんやつらが、戦後のどさくさに闇市《やみいち》を作って、それがそのままひとつの集落になっしもた場所やけんのお。大阪だけじゃのうて、日本中にそういう場所があることじゃろう」

磯辺は空になったコーヒー茶碗《ぢゃわん》の底を見つめたまま、

「松坂の大将は、朝鮮人は嫌いでっか？」

と訊いた。

「好きとか嫌いとかっちゅうよりも、ようわからんのじゃ、朝鮮人の気質っちゅうのが……。わしの人間理解の範疇《はんちゅう》を越えちょる。わしがそんなタイプの朝鮮人としか出会わんかったのかもしれんが、とにかく突然過激になりよる。日頃は温厚で優しい人間が、思いも寄らんことで時も場所もわきまえずに怒りだして、泣いたり喚《わめ》いたり、死ぬか生きるかっちゅう騒ぎになる。なんでこんなに些細《ささい》なことで、こんなに怒らにゃあいけんのじゃ。なんでこんなに些細なことで血を見にゃあおさまらんほどのケンカになるんじゃと辟易《へきえき》となるような朝鮮人としか、わしが出会わんかったんじゃろう」

熊吾は、自分は若いころ、近衛《このえ》聯隊《れんたい》の龍山《りゅうざん》駐屯兵として一年近く朝鮮の龍山で任務についたことがあると磯辺に言った。

「そやけん、わしは日本人どもが、朝鮮人を犬猫以下みたいに見下して、牛馬のように苦役に使うたことも知っちょる。朝鮮人が日本人を憎んで当然じゃと思う。日本人はそのことをきちんと謝罪して償わにゃあいけん。しかし朝鮮人も、あの突然かっとなって逆上するっちゅう癖を自己規制せにゃあいけんと思うんじゃ。まあ、わしは磯辺富雄こと李尚基《りしょうき》が些細なことで逆上して包丁を振り廻したところは目にしちょらんが……」

「そんな朝鮮人としか出会わんかったんじゃろうなんて、松坂の大将にえらい気ィ使わせまして、……すんまへん」

磯辺の、なんとなく落胆したような、それでいて剽軽《ひょうきん》な言い方に、熊吾は笑い声をあげ、

「そうでない朝鮮人にわしは初めて出会うたんじゃ。磯辺富雄っちゅうお方じゃ」

と言い、自分の煙草の箱を差し出して一本勧めた。

「日本にいてる朝鮮人は、みんな鬱屈《うっくつ》して生きてまっさかいなァ」

磯辺は熊吾のピースの箱から一本抜き取り、それに火をつけながら言った。

「親しいにつき合《お》うてくれる日本人も、腹の底では、こんなチョンコに親切にしてやってる自分はなんてええ人やろっちゅう思いがあって、さぞかし気分がええに違いないって、逆にそんなふうに考えてしまうんです。蔑《さげす》まれても腹が立つ、親切にされても腹が立つ……。そういう鬱屈が、ちょっと酒でも入るといっぺんに噴き出るんです。就職の問題、結婚の問題、進学の問題、まあとにかくありとあらゆるところで、日本にいてる朝鮮人は差別を受けてまっさかいに」

「どこの国に行こうが、外国人は差別されるんじゃ。なにも朝鮮人だけが日本で差別されちょるんじゃあらせん。日本人がフランスで暮らしたら、やっぱり差別を受けるじゃろう。フランス人がアメリカで暮らしたら、それなりの差別を受けるはずじゃ。外国人を差別せん国なんて、いまのところこの地球上にはない」

「そんな、ぎろっと睨《にら》まんといておくれやす。松坂の大将に睨まれたら、怖いんでっせ。大将、いっぺん鏡に映ってる自分を睨んでみなはれ。ああ、怖いって思いまっせ」

「わしはべつに睨んどりゃせん」

「睨んでまんがな。誰が見ても、この目は睨んでる目ェやって言いまっせ」

熊吾は自分の口髭《くちひげ》を指先で撫《な》で、さらに強く磯辺の目を見すえると、

「教育じゃ。教育がすべてじゃ」

と言った。その熊吾の言葉の意味がわからないというふうに磯辺は煙草をくわえたまま首をかしげた。

「教育とは何かっちゅうことがわかっちょらんやつが教師になると国が滅びる。そういう意味では、日教組はいま着々とこの国の完全な滅亡のための任務を遂行しちょる」

「なんか、あのお、言うてはる意味がようわかりまへんねんけど……」

「たとえば校則じゃ。学校にはそれぞれその学校の校則っちゅうもんがある」

「へえ、そのくらいはわかりまっせ」

「校則なんて、人間が作ったもんじゃ。Aという学校ではやっちゃあいけんことが、Bっちゅう学校ではお咎《とが》めなしかもしれん。生徒は文句を言うじゃろう。なんでうちの学校ではしちゃあいけんことが、Bではかまわんのかっちゅうてなァ。教師はそれをどう説明するんじゃ」

「……さあ、どない説明しまんねん？」

「A校はA校、B校はB校じゃと舌足らずに逃げるか、学校の秩序を守るために校則はあるのじゃとしたり顔で言うじゃろう。しかし、どっちも正解じゃあらせんのじゃ」

磯辺は短かくなった煙草を指先で挟むように持ち、喫茶店の天井を見つめて、

「ほんなら、どういう説明が正しいんでっか？」

と訊《き》いた。

「お前らに守らせるために、わざわざ作ったのが校則じゃというのが正しい説明じゃ。その理屈がわかったら、子供は校則を守るということの本当の意味を知るじゃろう。そうしたら校則を守るようになる」

磯辺は眉根《まゆね》を寄せ、大きく息を吐きながら、

「うーん、いまひとつ、ようわかりまへんねんけど」

と言った。

「ようわからんのはお前だけやあらせん。肝心の学校の教師が、なぜ生徒に校則を守らせるのかっちゅう意味がわかっとらんのじゃ。学校の校則なんてものはなァ、たかがしれちょる。髪はこういう刈り方をせえ、とか、制服のボタンは全部きちんとはめとけ、とか、夜遅うに繁華街をうろついちゃいけん、とか、まあそんな程度のもんじゃ。そんな程度の校則を守れんやつが、世の中の厳しいルールを守れるおとなに育つか？　社会の規則が守れるか？　校則を守るっちゅうのは、お前らがやがて直面する数多くの社会の厳しい掟《おきて》に向けての初歩的な訓練なんじゃ。だから守れ。校則が厳しすぎるとか理不尽やなんてことはどうでもええんじゃ。規則を守るっちゅう勉強のためにあえて作った校則じゃからそれを守れ。わしなら嚙《か》んで含めるようにそう説明するがのお」

「それで納得しますやろか、反抗期のくそ生意気な連中が」

「納得できんやつらは脱落していくじゃろう。学校からも社会からも。しかし遅かれ早かれ、この説明の意味が否応《いやおう》なくわかるときが来る。社会人としてまっとうに生きようとしたときに骨身に徹してわかるじゃろう。ええ歳《とし》になって気づくよりも、子供のときにちゃんとそういう訓練をしとかにゃあいけん。次は勉学についてじゃが……」

磯辺は慌《あわ》てて熊吾の言葉を遮《さえぎ》り、

「あのう、そのつづきはまたあとでゆっくり聞かせてもらいます。私、ちょっと用事がおまして」

と言い、立ちあがりかけた。

「どんな用事じゃ」

「店のことも気になりますし……」

「店は康代にまかせちょいたらええ。あの子はまだ十七歳じゃが、雀荘《ジャンそう》の仕事も玉突き屋の仕事も、ちゃんと要《かなめ》を押さえちょる。大事な話じゃけん、しっかり聞いちょけ」

「大将が演説を始めたら、長いんですもん」

磯辺はなさけなさそうに言って坐《すわ》り直し、熊吾の煙草《たばこ》をまた口にくわえた。

「演説とはなんじゃ。わしはいま大事なことをお前に教えようとしちょるんじゃ。お前の娘が反抗期に入ったとき、お前はわしがこれから喋《しゃべ》ることを、そっくりそのまま娘に言うて聞かせるはめになるんじゃ」

「はい、わかりました。そやけど大将、できるだけ手短かにお願いいたします」

「尻《しり》をもぞもぞさせんと、しっかり聞いちょれ。ええか、自分の子供には高い教育を受けさせることじゃ。勉強のできるでけんはその子の能力ややる気の問題じゃが、高い教育を受けさせようにも、そのための費用がないっちゅうことのないよう、お前も金を蓄えちょくことじゃ。これは自分の子供のための教育費で、絶対に手をつけちゃあいけん金じゃと決めて、別の銀行通帳を作って、そこに金を溜《た》めていけ。親のそういう心構えは、必ず子に伝わるもんじゃ」

「はい、そうします。必ずそうします。あしたにでも新しい銀行通帳を作りまっせ」

磯辺はふいに決然とした表情で言い、煙草に火をつけて、ゆっくりと味わうように吸った。

「まだ話は終わっちょらん」

「はいはい、できるだけ手短かにお願いいたします」

「わしの言うところの教育とは、数学や外国語や国語や歴史や物理を学ぶことによって、どういうわけか自然に人間としてどう生きるのか、人間の振る舞いとは何かっちゅうことも学んでいくっちゅう意味を含んじょる。高度な学問を学ぶためには、努力や忍耐は避けては通れん。遊びたいのを我慢して難しい数学の問題を解き、外国語の単語や文法を覚えにゃあならん。そうすることで自己を律することや、なまけ心に打ち勝つ方法も学ぶ。ひとつの学問における先人の労苦を知る。教育を受けるっちゅうことそれ自体が、人間修業につながるんじゃ」

「ええ大学を出てても、悪いことするやつ、いっぱいいてまっせ」

「それはそいつがもともとそういう資質を持った人間であり、高い教育を受けたことにうぬぼれっしもうて、いつのまにかええ気になっしまうからじゃ」

ただし、教育というものへのこのような自分の考え方は最近になって固まってきたのだと熊吾は言った。

「この一、二年のうちに、わしはいま話したような考え方に変わったんじゃ。それまでは、勉強したいやつはするし、しとうないやつは周りがなんぼうるそう言うてもしよらん。それはそれで仕方がないと思うちょった。生まれついて頭の出来不出来っちゅうもんはあるけんのお。しかし、この一、二年で変わった。勉強をさせる。叱《しか》りつけて、力ずくで机の前に坐らせてでも勉強をさせる。そうすることは、その子にとって人間としての最良の訓練なんじゃということがわしにはわかってきたんじゃ」

それなのに、自分は大事な一人息子を最も勉強には不向きな環境に放り出し、さらには自分が最も忌《い》み嫌うエアー・ブローカーという仕事で日々の糊口《ここう》をしのがなければならない羽目となった……。

熊吾は苦笑しながら言って、磯辺を見つめ、

「さっきの韓国と北朝鮮の問題じゃが、お前は適当に動いちょるふりをしちょけ」

と耳打ちした。

「お前は人がええし、腰が軽いけん、どっちの側の人間にも使われやすい。どっちも敵に廻さんようにして上手に立ち廻っちょくことじゃ。世の中はめまぐるしゅう動いちょる。お前らにとったら、これからの十年は辛抱強く様子を見る時期じゃ」

「それがなかなか難しいことでして……」

磯辺も小声で応じ返し、それから、しばらく熊吾の目をみつめつづけてから、

「大将、私の娘に逢うてやってくれまへんか。梨花《りか》っちゅう名前で、歳はノブちゃんよりもひとつ上です。大将の口から梨花にさっきの話を聞かせてやってほしいんです」

と言った。熊吾の返事を待つ間もなく、何か困ったことが起こったら松坂の大将に必ず相談すると言って立ちあがり、代金を払うと急ぎ足で喫茶店から出て行った。

喫茶店の石炭ストーブの火も落ちかけていた。熊吾は店内の掃除を始めた主人に、この煙草を一本吸ったら出て行くからと断わってピースに火をつけ、ことし一年は恥をしのんで中古車のエアー・ブローカーをつづけ、なんとか食いつないでいくしかあるまいと腹をくくった。福島西通りにある女学院が、その土地を売って移転するかどうかを決定する理事会がことしの秋ごろから本格的に始動しそうだった。あの土地が手に入れば、大阪でいちばん大きな「モータープール」なる駐車場を作ることができる。おそらく三

百台の車の駐車が可能であろう。

柳田元雄はこの計画に必ず乗ってくる。柳田に土地を買う甲斐性《かいしょう》はあっても、千二百坪近い女学院の跡地に月極《つきぎめ》契約で三百台の車を確保するだけの方策はあるまい。しかし俺なら出来る。半年で駐車場を満車にしてみせる。

女学院の土地購入から駐車場の造成、そして月極契約車の確保。それを一括して松坂熊吾に委託させ、駐車場の毎月の上がりの一割を支払わせる。それが柳田元雄にとってどんなにらくな商いとなるか、彼なら算盤《そろばん》をはじかなくても即座にわかるであろう……。

この松坂熊吾に、女学院の土地購入から駐車場経営までの仕事を一括して請け負わせてくれと頭を下げて頼み込まれることも、柳田元雄には不愉快ではあるまい……。

柳田も海千山千の人間だが、ボロ自転車に中古車部品を積んで油まみれになって売り歩き、タクシー会社を経営するまでになった男のある種の弱さというものは必ず内に秘めている。もっともっと大きな城を持ちたいという弱さだ……。

熊吾は、煙草を消し、立ちあがろうとした。すると、テーブルを拭《ふ》いていた主人が、

「人間、大きな夢を持つと、目の光が変わってきますなァ」

と言った。

何のことかと顔色の良くない主人を見やると、

「磯辺さんのことでんがな」

という言葉が返ってきた。

「うん、そうじゃな。磯辺のやつ、目の光が強うなりよったな」

熊吾はその理由を知っているといったふりの言葉で応じた。

「初めてこの店に来たころから、明けても暮れても『パチンコ屋、パチンコ屋』。大きなパチンコ屋を三軒持ったるっちゅうて、一所懸命に金をためてましたけど、曾根崎《そねざき》商店街にとうとう土地を借りよった。あそこでほんまにパチンコ屋を開業しよるんやろか……」

「さあ、どうかな。土地は借りられても、パチンコ屋を開くには金が要るけんのお」

喫茶店の主人は、しばらく黙り込み、自分用のコーヒー茶碗《ぢゃわん》にコーヒーを入れて戻って来た。

「おたくさんは、……つまりその、磯辺さんとおんなじお国のかたでっか？」

と訊いた。

熊吾は少し迷ってから、そうではないと答えた。

「終戦直後に、そこの闇市《やみいち》で知り合うて以来のつきあいじゃ」

主人は立ったままコーヒーをすすり、喫茶店の東側を指さして、

「この迷路のなかには闇の銀行までがでけてまんねん。ごっつい金を動かせる銀行やそうでっせ。知ってはりまっか？」

と言った。

「戦後の闇市が、あっというまに入り組んだ迷路だらけの、ちょっとした町みたいになって、勝手に住みついた連中が、いつのまにか闇の銀行まで持つようになりよった。恩恵を受けてる警察官がぎょうさんいてまっせ。まあ噂《うわさ》でっけど……」

どこまで喋ったらいいものかと言葉を選んでいるようだったが、喫茶店の主人の表情には、通称「阪神裏」に住みついた者たちへの嫌悪《けんお》が次第に濃くあらわれてきた。

「磯辺さん、その銀行から金を借りたら、おしまいでっせ」

煙草のヤニとコーヒーの色が混じった歯をむきだして笑みを向けた主人に、

「なんでおしまいなんじゃ。同胞の者同士が相互に助け合おうっちゅう趣旨の、あいつらだけの銀行かもしれんぞ」

と熊吾は言い、腕時計を見た。最終のバスが阪神百貨店前から発車する時刻が近づいていた。

「闇の銀行っちゅうのは、つまりは闇の金貸しっちゅうことでっしゃろ。高い利子をつけへん闇の金貸しなんて、この世におまっか？　そのうしろには戦後にこの迷路からのしあがったやくざがいてるのに決まってまんがな」

「日本人に馬鹿《ばか》にされて生きていくには、頼りは同胞同士の助け合いと金しかあるまい。それ以外に、あいつらに何のよすががあるんじゃ」

「チョンコの作った闇の銀行なんて……」

そう言いかけた主人の口を封じるように勢いよく椅子《いす》から立ちあがると、

「わしは、そういう言い方は嫌いじゃ」

そう熊吾は言って、ソフト帽を深くかぶって小雪の降る道に出た。兵隊として駐屯した朝鮮南部の農村の風景が、ひどくのどかな静まりかえったものとして懐《なつ》かしく思い出された。

田圃《たんぼ》の野焼きの煙がゆるやかにたなびき、日に灼《や》けた老婆《ろうば》が白い朝鮮服を着て鶏を追っている。低い山並みの向こうから朝日が昇ってくる。俺の祖国はあの方向にあるのかと、若かった熊吾はしばしばその光に見惚《みと》れたのだった。

熊吾は、ソフト帽を手でおさえ、最終のバスが停まっている場所へと走った。走りながら、人間、大きな夢を実現するには、一生だけでは足りんなと思った。

第二章

宗右衛門町筋の中程の、道頓堀川沿いにある小料理屋「お染」は、客同士がどんなに詰め合って腰掛けても八人が限度で、川に面した壁にはガラス張りの小窓がひとつあるだけだった。

この窓がもっと大きければ、空襲を受ける前の賑《にぎ》わいを取り戻した道頓堀の色とりどりのネオンや、戎橋《えびすばし》を行き来する人々の喧騒《けんそう》が楽しめるのにと房江は思い、自分と同じ感想を口にする常連客も多いことを知っていた。

それでもお染の女主人である田嶋カツ代はその小さな窓さえもふさいでしまいたがっている。

理由は、お染が最も活況を呈するのが夜の十時を廻るころで、ちょうどその時間帯に、道頓堀川周辺に集っていた人々の数も減っていき、それを小窓から目にする客も、いわばつられて里心を起こし、自分もそろそろ家に帰ろうかと考えてしまうからだという。

そんな女主人にとっては、最終の市電に乗るためには十一時に店を出なければならない松坂房江は役立たずの賄《まかな》い婦で、じつは、いまは物置きに使っている二階の四畳半に住み込みで働いてくれる女を捜しつづけていることも房江は知っていた。

「息子さんは親戚《しんせき》に預かってもろてるんやし、ご亭主かて夜遅うまで家に帰ってけえへんねんから、この二階で寝泊まりして何の不都合があんねんな」

カウンターの奥の畳二畳分ほどの調理場で突き出しの準備をしている房江にそう言うと、「お染」の女主人は煙草《たばこ》を吸いながらカウンター席に腰掛けたまま化粧を始めた。

店をあける六時まであと三十分ほどあった。

小料理屋といっても、房江が勤め始めた去年の十一月までは、黒門市場の近くにある蒲鉾《かまぼこ》店で買った魚の練り物を切って、それを皿に盛って出すか、客の要望に従って寿司屋から出前を取るかしか能のない店で、看板に「バー」と書くほうが正しい店だったのだ。

房江は当初は女主人のやり方に従って、蒲鉾を切って、練り山葵《わさび》を添えて出したり、酢の物を造ったりしていたが、これではあまりに客が寂しかろうと思い、女主人に無断でイワシの梅煮を作って、それを客に供した。

「これは、うまい。桜屋でこないだおんなじもんを注文したけど、このイワシの梅煮の足元にも及ばんで」

馴染《なじみ》客のひとりは近くにある味自慢の料理屋の名をあげて感嘆の声で言い、他にどんな料理が得意かと訊《き》いた。

「立派な料理人さんが見はったら嗤《わら》いはるような、どこにでもある家庭料理ですけど、こんなようなものが食べたいと思いはるものでもおありでしたら……」

房江は女主人の機嫌をうかがいながらそう答えた。

「あれが食べたい、これが食べたいて言われても、材料がおまへんがな。予約してくれはらんと。なァ、房江さん」

女主人は媚《こび》を含んで言い、房江を見やった。

「次にお越しになったときは、クリームコロッケなんかいかがですやろ」

その房江の言葉に、

「このお染でクリームコロッケかいな。そらええなァ。あさって来るよってに、クリームコロッケ、楽しみにしてるわ。三人前、予約したで」

心斎橋《しんさいばし》筋で洋品店を営む六十過ぎのその男は、二日後、友人を伴なってお染にやって来ると、蟹《かに》の身の入ったクリームコロッケをひとくち味わうなり驚き顔で房江を見つめ、

「あんた、何者やねん？」

と訊いた。

房江は笑みを返しただけで調理場にひっこんだが、自分の作った料理が代金を貰《もら》って客に供され、それを褒められたことが嬉《うれ》しくてならなかった。

けれども、房江は嫉妬《しっと》というものが、思いも寄らないところで生じて、それがどのような形で襲いかかってくるかを知っていたので、客の求めがないかぎりは突き出し類と簡単な料理以外は作らないようこころがけた。

房江から見れば、「お染」の女主人は三十九歳という実際の年齢を六つ誤魔化して三十三歳になりすました、二流か三流どころの酒場を転々としてきた女ではあったが、男のつまみ食いの相手としては手頃で、そのくせ落ちそうで落ちない術《すべ》を心得ていて、客選びには慎重だった。

このような女の前では、賄い婦は賄い婦でありつづけなければならないと房江は自分に言い聞かせ、突き出しの味を褒める客に、ちょっと顔を見せてくれと呼ばれても、割烹着《かっぽうぎ》で身を隠すようにして、顔もほとんど伏せたまま、ふたことみこと言葉を交わして調理場に消えるようにしてきたのだ。

それは熊吾と結婚する前に勤めていた新町の「まち川」で学んだことのひとつであった。

だが五月に入ったころから、房江の勤務時間の延長を求める女主人の言葉には険が含まれるようになった。房江の作る料理を目当ての客が増えつづけたからだったが、同時に、女主人に羽振りのいい旦那《だんな》ができかけていることも大きな要因だった。

その男は相撲が好きで、去年、小結に昇進したひとりの相撲取りを贔屓《ひいき》にしていて、九州で大相撲が行われるときは十五日間福岡に滞在して毎日相撲見物をつづけ、名古屋に場所を移せば名古屋に、東京の国技館のときは東京にと、場所に従って動いていた。男が九州に来いと言えば、女主人は何をさて置いても九州に行かねばならない。東京に来いと言われたら夜行列車に飛び乗ってでも招《よ》ばれた場所に行かねばならない。男に言わせれば、それができない女は自分の愛人になる資格はないのであって、代わりの女などは星の数ほどいるのだ。

男は六十二歳で、業種の異なる会社を五つ経営しているという。

「橘《たちばな》さんやその仲間連中ときたら、私のこの店を自分らの洋食屋みたいに思て、クリームコロッケやのビーフシチューやのマカロニグラタンやらをあんたに予約してからでないと店にけえへんようになったがな。房江さんが凝った料理を出すさかい、それがない日は、来てもすぐに帰ってしまうし、他の客からは、わしらにはおいしいもんは食べさしてくれへんのかいな、っちゅうて嫌味を言われるし……」

女主人はそう言って、煙草をもみ消し、きつい目で房江を見やってから、計算したようにすぐに作り笑いを浮かべた。

「房江さんがおれへんようになったら、もうこの店に足を向けへんちゅうお馴染さんが、いまぱっと思い浮かぶだけでも八人いてるわ」

それがいやなら馘《くび》にすると言われても、自分はこの店に住み込みで働く気はない。もしそうまで言われたら辞めるしかない。たとえ電気も水道もないビルの三階の部屋であっても、私は仕事を終えたら、たとえ歩いてでもそこに帰りたい。住み込みで働くことを、あの熊吾が許すはずもないし、寂しさに襲われた伸仁が、母に逢《あ》いたくて、いつあの船津橋のビルにやって来るかわからないのだ。

女主人の求めには、無言を通すのが最良の返答になると考えながら、房江はガスコンロに載せた鍋《なべ》のなかの、蕗《ふき》の葉とちりめんじゃこの煮つけの味加減を確かめた。

店のカウンターに置いてある電話が鳴り、女主人が房江を呼んだ。

「松坂タネっちゅう人からやで」

房江は割烹着で手を拭《ふ》きながら、慌《あわ》てて受話器を耳にあてがった。タネが「お染」に電話をかけてくるのは初めてだったので、房江は伸仁の身に何かあったのだと思った。

「ノブちゃんがなァ、警察につれて行かれてん」

とタネは言った。

「えっ！　なんで？」

「アパートの二階でなァ、朝鮮人のおじいさんが死んだんや。死ぬときに、ノブちゃんがその部屋におったんや。死ぬちょっと前まで、ノブちゃんと話をしてたそうやねん」

「それでなんで、ノブが警察につれて行かれるのん？　ノブがそのおじいさんに何かしたの？」

「それがわからんから、警察で事情を訊かれてるねん。熊兄さんにどうしても連絡がつけへんから、房江さんに電話をするしかなかってん」

房江は警察署の場所をタネに訊くと電話を切り、女主人に事情を説明して、すぐに帰らせてくれと頼んだ。

「十歳の子ォやろ？　人を殺したりするかいな。事情を訊かれたら、すぐに帰してくれるわ。心配せんとき。親が呼ばれてるわけやないんやから」

と女主人は冷たく言ってハンドバッグから化粧道具を出した。

房江は煮あがった蕗の葉を幾つかの小皿に盛り、そのまま客に出せばいいようにしておいてから、再度、帰らせてくれと頼んだ。

房江の目を見て、女主人はふいにそれまでの声音を変え、

「まだ十歳の子ォやもんなァ。そら母親が心配するのは当たり前やわ。早よう、行ってあげ。あしたは日曜日やさかい、今夜とあした一日、子供さんと一緒にすごせるわ。住み込みで働いてくれること、よう考えてみてな」

と言った。

「お染」から出ると、房江は宗右衛門町筋を西へと小走りで歩いた。もうじき開店するという大きなキャバレーの外装工事に従事する人たちと通行人とで宗右衛門町筋は、まるで初詣《はつもうで》客でひしめく神社仏閣の境内に似た状況だった。その人混みからやっと抜け出

ると、房江は戎橋を渡って地下鉄の難波駅に向かった。地下鉄で梅田まで行き、そこから阪神電車に乗り換えれば、三、四十分で阪神尼崎駅に着くはずだった。

満員の地下鉄に走り乗り、吊《つ》り革をつかんで荒い息をしずめると、房江は、事情を訊かれるだけなのだから、なぜタネは伸仁に同行してやらないのかと腹が立ってきた。

自分の子供ならば、何をさておいても一緒に警察に行くであろうに……。

ひょっとしたら、伸仁はその朝鮮人のおじいさんの部屋にあったものを盗んだのではないだろうか。

十歳の子が老人を殺すなどおよそ考えられないのだから、警察があえて伸仁を署につれて行って事情を訊く必要はないはずだ。

伸仁は、何か悪いことをやってしまったのだ。

そう考えだすと、房江は吊り革につかまって満員電車のなかで立っていることができなくなり、乗客をかきわけて別の車輛《しやりよう》へと移った。体を動かしていないと落ち着かなくて、心臓の鼓動が頭のなかに響いてきそうだった。

警察署の建物に入ると、廊下の長椅子《ながいす》のところで遊んでいる伸仁の姿があった。

ゴムボールを壁に当て、返ってきたボールをつかんで廊下の奥へと投げる格好をしながら、ラジオのプロ野球中継のアナウンサーの口調を真似《まね》て、

「セカンドが取って一塁へ。一塁はセーフ。その間に三塁ランナーがホーム・イン」

そう伸仁が言いながら、また同じことを繰り返そうとしたとき、廊下の奥の部屋から警官が顔を出し、

「ぼく、そんなとこで遊んでんと、もう帰りや。ごくろはんでした」

と大声で言い、房江を見た。

つかみそこねたボールを追って来た伸仁は、やっとそこに立っている母に気づいて、

「あれ？　お母ちゃんや」

と叫んだ。

「なんで？　なんでこんなとこにいてんのん？」

その伸仁の言葉で、警官が房江のところに歩いて来た。

「お母さんですか？」

「はい。この子が何か……」

「いやいや、ご説明します。どうぞこちらへ」

警官はそう言って房江を部屋へと案内した。

木の机と椅子があるだけの狭い部屋には、制服姿の婦人警官がノートに何か書いていたが、房江が伸仁の母親だと知ると、茶を淹《い》れてくれた。

房江は、警察署の廊下で伸仁を目にした瞬間に、自分があれこれと案じたことはすべて杞憂《きゆう》だったのだと悟ったので、熱くて濃すぎるまずい茶を、妙に馥郁《ふくいく》とした香りの、

ありがたいものに感じながら飲んだ。

蘭月ビルという名のアパートの二階の部屋で亡《な》くなったのは、張尚哲《ちょうしょうてつ》、八十歳で、三年前から持病の心臓病が悪化して寝たり起きたりの生活だった。妻は戦争中に病死し、五人の子供たちはそれぞれ尼崎市内の別々のところで暮らしている。

伸仁が張尚哲じいさんの部屋に遊びに行ったとき、末っ子の尚栄が、臥《ふ》せっている尚哲と口論していた。自分の父親が常用している薬の量を間違えて服《の》んだことを息子が叱《しか》ったのが原因らしい。

尚栄は、伸仁に、父が薬をちゃんと服むよう見張っていてくれたら十円やると言った。処方箋《しょほうせん》には、食後に三錠と書かれてあるが、父はまだ昼食を摂《と》っていない。ちゃんと昼食を摂り、食後の薬を三錠服用するのを見届けるまで、この部屋にいてやってくれ。自分は仕事があるので、いまから出かけなければならない。約束の十円は、こんど逢ったとき払ってやる。

張尚栄はそう言って部屋から出て行った。

伸仁は卓袱台《ちゃぶだい》に置いてある冷飯と、ニンニクの醬油漬《しょうゆづけ》の入った壜《びん》と、茹《ゆ》で玉子を尚哲じいさんの枕元《まくらもと》に持って行き、食べるよう促し、尚栄に言われたとおりに、袋から薬を三錠出した。

だが尚哲じいさんは、食べたくないと言い、寝床に身を横たえたまま目を閉じた。

仲仁は尚哲じいさんが目をあけるのをしばらく待った。尚哲じいさんは目を閉じたまま、水を飲みたいと言った。

仲仁がコップに水道の水を入れていると、自分が飲みたいのは、その水ではないという。

尚哲じいさんは、朝鮮語で何か言った。そして次に日本語で、

「××××っちゅう川の上《かみ》にある湧《わ》き水や」

と繰り返した。

おそらく、十二歳までをすごした朝鮮南西部の川の名だったのであろう。

それから、尚哲じいさんは、目を薄くあけ、

「ヨンエ」

と言いながら仲仁に手を伸ばした。何度も「ヨンエ、ヨンエ」と言って、仲仁の手を握りながら目を閉じた。

仲仁は、どうしたらいいのかわからなくて、手を握られたまま、じっとしていた。随分長いあいだそうしていたが、時間にしてどのくらいだったのかわからない。

やがて、仲仁は尚哲じいさんの喉仏《のどぼとけ》が大きく突き出たり引っ込んだりするのを見た。

ただならぬことがこの老人の身に起こっている気がして、握られている手を握りながら、

「おじいちゃん、ご飯食べよ。なァ、ご飯食べよ」

と呼びかけた。

尚哲じいさんの喉仏の奇妙な動きは止まり、伸仁の手を握る力が消えた。

それでも伸仁はまだしばらく尚哲じいさんの傍に坐《すわ》っていた。食事をさせて薬を服まさなければ、約束の十円を貰えないと思ったからだ。

部屋の前を通りかかった隣の部屋に住む女が、あけられたままのドアのところから伸仁と尚哲じいさんを見て、どうしたのかと訊いた。

「おじいちゃん、なんか変やねん」

その伸仁の言葉で部屋に入って来た女は、尚哲じいさんが息をしていないことに気づき、慌てて階下に降り、居合わせたアパートの住人たちと相談して近くの派出所にしらせた。

救急車が着いたとき、伸仁はまだ尚哲じいさんの枕元に坐ったままだった……。

説明を終えると、頭頂部だけが禿《は》げている警官は、署内に終戦間際《まぎわ》まで朝鮮に住んでいた者がふたりいるが、ふたりとも「ヨンエ」とは人の名であろうと意見が一致したと言った。

「漢字で書くと、どうもこういう字らしいです。女の名やそうです」

房江は、警官が紙に書いてくれた字を見た。「英愛」という漢字だった。

司法解剖はまだ行われていないが、尚哲じいさんの体のどこにも外傷はなく、松坂伸仁の話や隣室の女の証言から判断しても、病死と思われる。尚哲じいさんは、所持金はいつも腹巻きの裏側に縫いつけた袋に入れていたが、それは死体の腹に巻かれたままだった。

警官はそう言い、

「とにかく、息子さんの話は、あっちへ飛び、こっちへ飛びしますし、老人が死んだということで興奮もしてましたので、あのアパートからちょっと離したほうがええと思うて、署まで来てもらいましたんや」

と笑みを浮かべた。

房江が椅子から立ちあがりかけると、

「あそこは厄介なアパートです」

警官は笑みを消して言った。

「息子さんに、老人の世話を頼んで出て行った張尚栄は、阪神電車の出屋敷《でやしき》駅の近くに事務所を持つ暴力団に深いつながりのある金貸しで、日本名は張本栄一と名乗ってます。かかわりをもたんほうがよろしいでしょうな」

房江はその警官にお辞儀をし、部屋を出て伸仁を呼んだ。

「おじいさんが目の前で死にはって、びっくりしたやろ？」

「ぼく、死にはったってこと、わからへんかってん」

房江は伸仁と手をつなぎ、警察署から出ると、今夜はふたりきりで何かおいしいものを食べようと思った。そして、食事を終えたら、伸仁に新しいズック靴を買ってやってから、そのまま一緒に船津橋のビルに戻ろう。

タネの住まいに寄れば、きっと自分は、どうして警察署まで同行してやらなかったのかとタネをなじるであろう。

そう考えたからだった。

駅の裏側に行けば、いまでもここが一面闇市《やみいち》であったことに気づくが、阪神国道側の商店街には明るいアーケードが設けられて、かつての闇市の無秩序な喧騒《けんそう》と尖《とが》った表情の人々の群れはなりをひそめてしまっていた。

房江は伸仁と商店街に入り、何を食べたいかと訊《き》いた。

「こないだ、このお店でお父ちゃんとビフテキを食べてん」

伸仁は化粧品店の隣にある洋食屋を指さして言った。

「こないだって、いつや？」

「二週間ほど前や。お父ちゃんはビールとタンシチュー、ぼくはポタージュスープとテキ。そやけど、お父ちゃんが、タネおばちゃんや千佐子ちゃんには内緒にしとけって」

「お母ちゃんにまで内緒にして……」

房江は少し腹が立ったが、妻が「お染」で働いているときに、自分は伸仁とおいしいものを食べていたとは、さすがにあの夫も言いにくかったのであろうと思った。

夫はいつも、伸仁の食生活を案じている。タネの家の朝食は、ご飯と白菜の味噌汁《みそしる》だけで、夜は菜っぱやカボチャの煮つけとか、竹輪とか、キャベツのカレー粉炒《いた》めとかがそれぞれ一品だけおかずにつくだけで、玉子や肉類が食卓に載ることはないというのを伸仁の話によって知ったからだった。

タネは、自分が使う化粧品や衣類や装飾品には周りが呆気《あつけ》にとられるほどに金を惜しまなかったが、まるでその分を補おうとするかのように、食費や水道代や光熱費による出費を抑える。

それは若いときからのタネのやり方でもあったが、元来、脂《あぶら》っこいものが嫌いで、幼いころ南宇和の一本松村で暮らしていたときも、たまに鶏をしめて鶏鍋《とりなべ》を一家で囲んでも、猟師から猪肉《いのししにく》や雉《きじ》の肉のおすそわけがあっても、それらには決して箸《はし》をつけず、鍋のなかの大根や牛蒡《ごぼう》ばかり食べていたという。

熊吾は、牛肉や豆腐やネギや白菜を買ってタネの住まいに行き、みんなですき焼きをして伸仁に栄養を摂らせることを考えたようだったが、そのためにはタネと同居している寺田権次とも席を同じくしなければならないことを嫌った。

だから、夫は、たまにタネの住まいを訪ね、伸仁を洋食屋につれて行くことにしたのであろう、と房江は思った。

うなぎの蒲焼《かばや》きのいい匂《にお》いが商店街のどこかから漂ってきたので、房江はうな重はどうかと伸仁に訊いた。

「きも焼きもつけてや」

と伸仁は嬉《うれ》しそうに言った。

「ノブは、うなぎの肝《きも》が好きやなァ。きも焼きが好きな子供なんて珍しいわ」

「きも吸いでもええけど、きも焼きのほうが好きやねん」

店構えはどこにでもある大衆食堂だが、玄関の横の、あけはなした窓のところでうなぎを焼いている主人の手つきで、この店の蒲焼きはおいしそうだと見当をつけ、房江は窓から店内をのぞき込んで値段を見た。うな重の上を二人前と、きも焼き二本分なら、きょうの財布の中身でなんとか払えそうだったが、房江はほんの少し酒も飲みたかった。

タネから「お染」に電話がかかってきて警察署に急ぐまでの不安が消え、久しぶりに伸仁とふたりで賑《にぎ》やかな夜の商店街を歩く歓《よろこ》びに、銚子一本の熱燗《あつかん》の何が悪かろう。

もう酒は一滴も飲まないと、富山から大阪に帰る列車のなかで夫に約束し、以来それを守りつづけてきたが、今夜は特別だ。

伸仁が何か悪いことをしたのではないかという息苦しくなるほどの不安のあとに、警察署でボール遊びをしている伸仁の能天気で元気そうな姿と再会した。そのいわばお祝いの酒なのだ。

房江は、自分の胸にそう言い聞かせ、財布のなかを確かめてから食堂の戸をあけた。

「ぼくが行くお風呂屋《ふろや》さん、この近くやねん」

席につくなり、伸仁は商店街の西のほうを指差して言った。

「お母ちゃん、お酒を一合だけ飲むわ。お父ちゃんには内緒やで。ノブのことを心配して胸が痛うなったから」

房江の言葉で、伸仁は笑みを消し、

「ぼく、お母ちゃんがお酒を飲んで酔うてるのん、嫌いやねん」

と言った。

「一合だけや。一合だけやったら、酔うたりせえへんわ」

「お金、あるのん？」

「ある、ある。船津橋のビルまでの電車賃も、二人分、ちゃんとあるわ」

「えっ！　ぼくも一緒に帰ってもええのん？」

「あしたは日曜日やから、きょうは船津橋のビルで一緒に寝よか」

「うん、一緒にお風呂屋さんにも行こな」

「ほな、お母ちゃん、お酒飲んでもええやろ？」

「一合だけやで」

房江は、熱燗を一本ときも焼きを二本、そしてうな重の上を二人前註文《ちゅうもん》した。

それから、房江は伸仁に蘭月ビルでの生活ぶりを訊いた。

蘭月ビルの共同便所が怖いので、便意を催すとこの商店街にあるパチンコ屋の便所を使うのだと伸仁は言った。

共同便所の横の階段には、いつも香根ちゃんがいる。そこは香根ちゃんだけの遊び場で、親や兄姉がいくら叱っても、香根ちゃんは人形と一緒に階段のところに行ってしまう。香根ちゃんは、生まれつきの盲目で、六歳になったら自分たちと同じ小学校ではなく、そのような子供たちが行く学校に入学しなければならない。けれども、香根ちゃんはあの階段から離れようとはしない。

暖かくなったころ、香根ちゃんのお兄さんに頼まれて、みんなが遊び場にしている工務店の資材置き場に、日なたぼっこをさせるためにつれて行ってやったが、五分もたたないうちにひとりであの暗い階段へと戻ってしまった。
二、三回同じことを繰り返しているうちに、香根ちゃんが泣きだしたので、それ以来、自分は香根ちゃんを資材置き場につれて行くのはやめた。
香根ちゃんには、お兄さんとお姉さん、それに弟がいる。

お兄さんの悟ちゃんは高校二年生で、小さいころから神童と呼ばれている。一度でも授業で聞いたことはすべて脳味噌に入ってしまって、忘れたりはしないからだ。

尼崎市内の高校生だけでなく、兵庫県のすべての高校生のなかでも、成績は三位以下だったことがないそうだ。

お姉さんの咲子ちゃんは中学二年生だ。近くに住む男子中学生や高校生たちが、咲子ちゃんを見たくて、いつも蘭月ビルの近くをうろついている。自分もこれまで五人の中学生や高校生から、咲子ちゃんに渡してくれと言って手紙を託された。きっとラブレターなのだ。

咲子ちゃんは、その手紙を読もうともせず、

「捨ててきて」

と怒ったように言う。とにかく、凄《すご》い美人なのだ。千佐子ちゃんまでが、咲子ちゃんを見るたびに「きれいやなア」とうっとりとつぶやくほどだ。

弟の清之介ちゃんはまだ二歳で、お母さんが働いている映画館の映写室の横の部屋で暮らしていて、月に一度か二度、お母さんと一緒に蘭月ビルに戻って来る。

お父さんは、工事現場で働く人たちを地方から集めてくる仕事をしていて、月のうち十日ほどしか家には帰ってこない。とても体が大きくて、プロレスラーのような人だ。

このまま伸仁が蘭月ビルに住む人たちのことを喋《しゃべ》りつづけたら、それだけで夜が明けてしまうと思い、房江は笑いながら、

「もっと自分のことを喋りなさい。学校ではこんな友だちができたとか、担任の先生はこんな人やとか」

と言った。

銚子に一本の熱燗と猪口《ちょこ》と、串《くし》に刺して焼いたうなぎのきもが二本運ばれてきた。房江は、伸仁がきも焼きを食べ始めたのを見ながら約半年ぶりの日本酒を飲んだ。ひどく甘く感じた。

ちょうど朴一家の斜め上にあたる部屋に住んでいる土井という家の子が同級生で、親友になってくれと頼まれて仲良くなった。土井くんはお母さんとおばあさん、そしてお母さんの弟と一緒に三年前から蘭月ビルの二階で暮らしていると伸仁は言った。

「土井敦《あつし》くんていうねん。ぼくは、学校では土井、学校以外では、あっちゃんて呼んでるねん」

「なんで、学校でもあっちゃんて呼べへんのん？」

「学校では、ちゃんと名字で呼ぶようにって、担任の先生が怒りはんねん」

「なんで？」

「わからん……。先生は峰山文一郎。クラスの男の子は、勉強がようできる子ォ以外は陰でブン公て呼んでるで」

「ノブは、先生をどう呼んでるのん」

「ブン公」

房江がわざとらしく顔をしかめて睨《にら》むと、伸仁は笑いながら、二本目のきも焼きに手を伸ばし、

「あっちゃんのお父さんは戦死しはってん」

と言った。

「戦死？　土井敦くんはノブとおない歳《どし》とは違うんか？」

「おない歳やで。誕生日は三月三日。ぼくより三日早うに生まれたんや」

そして伸仁は、きも焼きを頬張ったまま、

「お母ちゃん、赤ちゃんはお母さんのお腹《なか》のなかに十月十日《とつきとおか》いてるねんなァ？」

と訊いた。

「うん、まあ昔からそう言われてるけどなァ」

蘭月ビルの近くに住む中学生や高校生たちのなかには、土井敦を指差し、

「あいつや、おかはんの腹のなかに三年もおったやつは」

と言って馬鹿《ばか》にするが、自分もあっちゃんも昭和二十二年生まれだから、お父さんが戦死をしたというのは、やはり変だと思う。

その伸仁の言葉に、房江はどう答えようかと思案したが、

「あっちゃんのお母さんが、お父さんは戦死したって言うてはるんやったら戦死したん

や。あっちゃんは、三年くらい、お母さんのお腹のなかでのんびりしてはったんやろ。お母さんのお腹のなかが、よっぽど居心地がよかったんかもしれへんなァ」

と言い、酒が胃の腑《ふ》に沁《し》みていく感覚を、久しぶりの安寧な気持で楽しんだ。

うな重が運ばれてきて、それを食べながらも、伸仁の、蘭月ビルに住む人々の話はつづいた。

「そんなに喋ってたら、うな重を食べ終えへんうちにお腹が一杯になるやろ？　ご飯は全部食べられへんかっても、うなぎは残さんと食べなさい」

房江にたしなめられても、伸仁は喋りつづけた。

土井家の隣の部屋には、伊東という若い夫婦が住んでいる。去年の秋に結婚して、来年のお正月くらいに赤ちゃんが生まれる。

その伊東夫婦は、月に一度、「マメの会」に自分とあっちゃんを招んでくれて、そのときお小遣いを五十円ずつズボンのポケットに入れてくれる。

「マメの会」とは、伊東さんの奥さんがつけた名で、牛の新鮮な腎臓《じんぞう》が手に入ったときだけ、前の晩から用意しておいて、蘭月ビルの親しい人たちを招くのだ。

マメとは牛の腎臓のことだ。それを一センチほどの厚さに切り、七輪の炭火に網を載せて焼く。おとなたちは、真っ赤な唐辛子《とうがらし》が入ったタレをつけるが、子供たちは醬油《しょうゆ》だけをつけて食べる。

マメを焼き始めると、蘭月ビルの二階は煙で充満し、「マメの会」に招ばれなかった人たちが文句を言いにくるが、張本のアニイの顔を見ると、何も言わずに部屋に戻ってしまう……。

「張本のアニイって、きょう亡《な》くなりはったおじいさんの息子さんやろ？」

房江は、さっきの警官の忠告を思いだしながら、そう訊《き》いた。

仲仁はうなずき返し、

「金貸し屋さんやねん。ぼくにも、いつでも要るだけ貸したるから遠慮せんと言うてこいって」

と得意そうに言った。

「そんな人からお金を借りたらあかんで」

房江は思わず声を荒げて言った。その声で、うなぎを焼きつづけている禿《は》げ頭の主人が振り返った。

房江が、うな重を食べ終えても仲仁は喋りつづけ、ご飯を三分の一ほど残して、うなぎの最後のひときれをやっと口に入れたころには、食堂に入って一時間半近くたっていた。

今夜は仲仁を船津橋のビルにつれて帰る。日曜の夜にタネの住まいに戻るようにする……。そのことをタネに伝えておかねばならないと房江は思った。

寺田権次と顔を合わせるのは、房江とて避けたかったが、タネの家には電話がないのだ。それに、伸仁の着換えの下着や服も、すべてタネの家にある。

房江と伸仁は食堂を出ると、商店街を駅のほうへと歩いた。

暗い露地から、肩に下げた自転車の車輪用チューブに新聞の束を載せた少年が走り出て来て伸仁を呼んだ。固太りした頑丈そうな体つきで、伸仁とおない歳くらいなのに目つきが鋭かった。

「月村くんや」

と伸仁は言い、

「毎晩、夕刊を売って歩いてんねん」

そう房江に説明した。

「夕刊、売れた？」

「あかん、きょうはまだ三部だけや」

「残り、何部？」

「二十七部」

月村という少年は、夕刊の束を小脇《こわき》に別の露地へと消えた。

あの子も蘭月ビルに住んでいて、同じクラスなのだが、給食を食べると学校からいなくなってしまうのだと伸仁は言った。

「学校に来るのは、給食を食べるためやねん。ぼくが残したパンは、あいつの妹が食べるねん」

「妹さんが？　ノブが残したパンを？」

「あいつの妹、まだ五つや。家で、お兄ちゃんがパンを持って帰ってくるのをひとりで待ってるねん。そやから、ぼくもあっちゃんも、わざとパンを残したるねん」

「五つの子ォが、ひとりで？　親御さんは？」

「お母さんがいてはるけど、ぼくは二回しか逢《お》うたことがあれへん。夕方からお仕事に行きはって、朝になるころに帰って来て、お昼過ぎまで寝てはるから」

房江は、商店街を出ると阪神電車の尼崎駅とは反対の方向へと曲がり、阪神国道を渡ったところにある蘭月ビルへと歩きながら、夫の言葉は大袈裟《おおげさ》ではなかったのだと思った。

蘭月ビルは貧乏の巣窟《そうくつ》というだけではない。自分たち一家がこれまで縁しなかった人々の巣窟なのだ。

伸仁は親を慕って、あの船津橋のビルで一緒に暮らしたいと、ときおり駄々をこねるが、蘭月ビルの人々と親しくなって、タネの家での暮らしを意外なほどに屈託なく享受《きようじゆ》している。

そうせざるを得ないと、十歳の子供なりに悟っているのであろうが、たとえ不便で、ひとりきりの寂しい時間が増えようが、父と母と一緒に暮らしたいという思いは強いはずだ。

なんとかしなくてはならない。夫はあと一年辛抱しろというが、伸仁にとって蘭月ビルでの生活は、知る必要のない世の塵芥《ちりあくた》と人間の不幸に日々まみれつづけることに等しいのだ。

房江はそう思ったとき、伸仁がきょう生まれて初めて、人の臨終に立ち会ったことに気づいた。

近江丸《おうみまる》の事件のときにも、親しい人の不幸な死があった。しかし、伸仁はあのとき、人が息を引き取っていくのを、その傍で見ていたわけではない。燃えている船のなかで焼け死んでいくであろう姿を岸から見ていたにすぎないのだ。

伸仁はちゃんと育っているではないかと房江は思いながら、阪神国道の交差点を歩いている伸仁のうしろ姿を見つめた。

「死ぬ子は、どんなに手を尽くしても死ぬであろうし、生きる子は生きるであろう」

それは、伸仁が早産で生まれ出た瞬間、長い難産による自分の苦しさと疲労に息たえだえになりながら見たそのあまりの小ささと、か弱さに、絶望に似た思いに襲われながらも、胸のなかで己に言い聞かせるようにつぶやいた言葉だったな……。

房江は十年前の啓蟄《けいちつ》の日を懐《なつか》しみながら、バス停の前の蘭月ビルのなかをトンネル状に貫いている湿った道へと入った。

ここが尾橋モータース、オートバイの修理屋さんだ。その向かいの家は、もうひとりの朴さん。尾橋モータースの隣は李さん。最近、自分の鉄工所を持った。

その向かいは沼田さん。どんなお仕事をしているのか知らない。

李さんの隣は空家だ。毎年、お盆が来るとこの空家に幽霊が出るそうだ。空家の向かいは並河さん。タネおばちゃんとおない歳の女の人がひとりで住んでいる。保険の勧誘員というお仕事だ。

空家の隣は及川さん。運送会社でトラックの運転手をしていたが、三年前、肺結核で入院して、いまは奥さんと及川さんのお父さんだけが住んでいる。

及川さんの向かい。ここが共同便所。タネおばちゃんの家より広いが、便所の底も深くて、落ちて死んだ子がふたりいるそうだ。

共同便所の横に階段。ここが香根ちゃんの遊び場だ。

及川さんの隣は唐木さん。唐木さんは六十歳なのに奥さんは二十一歳で、神戸のキャバレーで働いている。

唐木さんの向かいは糸山さん。屋台の支那そば屋さんだ。いちばん下の子供は双子の女の子で、ふたり揃《そろ》ってとても意地悪だ。

唐木さんの隣は供引基さん。周りの朝鮮人の人たちは供さんを「ヤカンのホンギ」と呼んでいる。「ホンギ」は引基を朝鮮語で言うときの読み方で「ヤカン」は供さんがヤカンを作る工場で働いているのと、頭が禿げているからだ。

供さんの向かいが猿橋理髪店。猿橋さん一家は二階に住んでいて、ここは店だけに使っている。

供さんの隣は大関さん。お母さんと小学二年生の女の子とのふたり暮らしで、お母さんは近くの司法書士事務所に勤めている。このアパートのなかでも小さな部屋で、六畳一間しかないが、台所が広い。

大関さんの隣が、タネおばちゃんの家。その向かいが朴さん。朴さんは……。

「もうええわ。いっぺんにおぼえられへん。ノブは、よう知ってるねんなァ」

房江はなかばあきれぎみに言って裏通りへと出て、タネの家の戸をあけた。戸の前には「お好み焼き」と染められた暖簾《のれん》があった。

四つのお好み焼きの台は満席で、タネはビールを運び、寺田権次が慣れた手つきでお好み焼きを焼いていた。

「ノブちゃん、待ってたんやで」

そう言って、手に持っていたコテを左右に振りながら、大柄な男が椅子《いす》から立ちあがり、客たちはいっせいに房江に視線を注いだ。

「ねえさん、ご苦労さんでしたなァ」

首から下げたタオルで額の汗を拭《ふ》いてから、坊主頭《ぼうず》の寺田権次は房江に笑みを向けて言い、

「ねえさんにお茶でもお出しせんかい」

とタネに大声で命じた。

警察署を出たあと、三和商店街で食事をしてきた。あしたは日曜日なので、今夜はこれから伸仁を船津橋のビルにつれて帰る。

房江はタネにそう言って、早々に退散しようとしたが、

「息子はんにえらい迷惑をかけてしまいましたなァ。俺も、さっきまで警察にいてましたんや。ノブちゃんと行き違いですわ」

と大柄な男が立ったまま言ったので、出て行きかけた脚を止めるしかなかった。

「張本のアニイや」

と伸仁は言い、店が満席のときに使うらしい丸椅子を台所のほうから運んで来た。

房江は仕方なくそれに腰掛け、茶を淹《い》れてくれたタネに、伸仁が世話になっていることの礼を述べた。

「俺の親父《おやじ》、どんなふうに死んだんや？　ノブちゃん、俺の親父、苦しんだか？」

張本栄一こと張尚栄の問いに、伸仁は首を横に振り、張尚栄が父親の部屋から出て行ってからのことを話した。

「そら大往生やがな。ぜんぜん苦しまんと死にはったんや」

客のひとりが言った。

「心臓に爆弾をかかえとったからなァ」

別の客がそうつづけた。

「兄貴も姉貴も、連絡がつけへんのや。あいつら、自分の親父が死んだことも知らんと、どこで遊んどんねん、ドアホらが！　葬式の手配、全部俺にさす気かい！」

テキ屋が口上を述べるときのような声音だと思いながら、房江は張尚栄の赤ら顔を盗み見てからタネを呼び、遅くなると銭湯が閉まってしまうのでそろそろ失礼すると耳打ちし、伸仁の着換えを捜して店の奥の座敷へと行った。

タネの家から出てバス停へと行きかけると、伸仁が、向かいの朴一家の住まいの横へと房江を導き、かくれんぼをして遊ぶとき、鬼はこの電柱のところで、「まあーだだかい」と声をあげなくてはならないのだと言った。そして、隠れる者たちは、この蘭月ビル以外に隠れてはならないのだ、と。

「鬼になったら、みんなが飽きてしまうまで鬼がつづくねん。そやから、かくれんぼして遊ぶのん、ぼく、もういやになって、なんぼ誘われても、絶対にせえへんねん」

「へえ、なんで？」

「来たら、わかるでェ」

そう言うなり、伸仁は朴家の西側にある階段をのぼり始めた。

房江は蘭月ビルの二階には行きたくなかったが、怖いもの見たさもあって、伸仁のあとから階段をのぼった。

のぼったところに州本と印刷された名刺をドアに押しピンでとめてある部屋があった。

伸仁は、ここは下の朴さんのところの長男夫婦が住んでいると説明した。

そして、阪神国道のほうへと伸びている狭い廊下を進みながら、さっきと同じように住人の名を順番に口にした。

州本というのは奥さんの姓だ。そのことで、朴家の兄弟はよくケンカをする。

州本さんの隣は寺井さん。最近引っ越してきたばかりなのと、朝早く出かけて夜遅く帰って来るので、どんな人なのか知らない。

寺井さんの隣が伊東さんだ。「マメの会」のとき招《よ》んでくれる若い夫婦の住まいだ。伊東さんの本名はイさんだが、ほんとうはユンと読むのだという。どんな字なのかは知らない。

伊東さんの隣が土井さんで、その隣が津久田さん。あの盲目の香根ちゃんの家だ。伊東さんのところと津久田さんのところはどちらも部屋数が多い。下の家の二軒分ある。

津久田さんの隣は金さん。この部屋で洋服の仕立屋さんをしている。夜遅くまでミシンを踏むので、下の沼田さんと朴さんは怒っていて、そのために仲が悪い……。

房江は、まだ向こうに部屋があるのであろうと思ったが、小さな裸電球に目が慣れてくると、金という人の住まいの奥は壁に沿って左へと曲がる狭い廊下だった。その廊下を曲がって蘭月ビルの東側へ歩を進めると、阪神国道のほうへと降りる階段があった。

この階段は四月半ばに新しく作られたのだと伸仁は言った。

だが、消防署の命令でこの階段を設けたために下の尾橋モータースは店舗の東側の一部を提供しなければならなくなり、そのことでいまも家主ともめつづけている。

「タネおばちゃんが、そない言うてたわ」

「詳しいなァ。この蘭月ビルで知らんことなんかないんとちがうか？」

房江は次第におかしくてたまらなくなり、笑いながらそう言って伸仁のあとから廊下をまた左に曲がった。

「ここは恩田さん。怪人二十面相やねん」

なぜ怪人二十面相なのか、房江はもう訊くのをやめた。すでに階下の住人たちの名も思い出せなくなっているのに、さらに二階の住人のことなど頭に入るはずはなかったからだ。

恩田さんの隣は新井さん。京都大学を出たインテリだが、変なものばかり作っている変人で、張本のアニイは、あいつとは関わり合うなとのことだ。

「へえ、張本のアニイがそない言うのん？」

噴き出しそうになりながら、房江は小声で言って、「新井」と手書きされたボール紙が貼《は》ってあるドアを見た。ドアには、二十センチ四方のガラスの小窓があったが、すりガラスなので、なかの明かりしか見えなかった。

新井さんの隣は、さっき三和商店街で夕刊を売っていた月村君一家の部屋。その隣が、張おじいさんの住まい。その隣は下の猿橋理髪店の一家の住まいで、さらに隣は、ちょうどタネおばちゃんの住まいの上になっていて、金村さん夫婦が暮らしている。

そう説明して、金村夫婦の部屋の前の壁を指差した。廊下の北の端にあたるところに、ベニヤ板の戸があった。

戸を内側にあけると階段で、タネの家の東側へと降りられるようになっている。

伸仁がその階段を降りかけたので、房江は廊下の南側の、新しく作られた階段から降りようと言った。タネや寺田権次とうっかり顔を合わしてしまいたくなかったのだ。

房江と伸仁は廊下をあと戻りして、阪神国道に面した階段を降りた。

阪神バスの停留所に立ったとき、伸仁が、

「咲子ちゃんや」

と言って、房江のスカートをひっぱった。白地に大きな向日葵《ひまわり》が描かれたワンピースの上に、向日葵と同じ色の薄手のカーディガンを袖《そで》を通さずに羽織って、重そうな布製の手下げ袋を持った少女が、阪神国道を西から歩いて来た。

仲仁は、津久田咲子のところへと走って行き、

「ぼくのお母ちゃんやねん」

と言って、房江を指差した。

咲子は、かすかに笑みを浮かべ、房江に向かって小さくお辞儀をして、新しく作られた階段をのぼっていった。

「まあ、きれいな子ォやこと……」

と房江は誰に言うともなくつぶやいた。

夫からも、その美しさは聞いていたが、これほどとは思わなかった。同じ年頃の男の子どころか、おとなの男でも心を乱されるであろう。

房江はそう思いながら、

「お母ちゃん、あんなきれいな子、初めて見たわ」

と仲仁に言った。

「なっ？　ほんまにきれいやろ？」

その仲仁の得意気な言い方がおかしくて、房江はまた笑った。

「仲仁が咲子ちゃんとおんなじくらいの歳《とし》やったら、きっと恋をして、ご飯も喉《のど》を通ら

へんようになるわ」

「うん。そやけど、歳が離れすぎてるねん」

房江は笑いながら、

「歳が離れすぎててよかったと思うときが、きっと来るで」

と言い、神戸のほうからやって来たバスに乗った。

バスのなかでも伸仁は喋《しゃべ》りつづけた。

蘭月ビルの二階の住人が、部屋のドアを閉めて鍵《かぎ》をかけるのは、寝るときと外出するときだけであること。仕立屋の金さんと、怪人二十面相の恩田、そして変人の新井は、必ずどんなときでもドアを閉めて鍵をかけている。

だから、かくれんぼをすると、二階にはいくらでも隠れ場所がある。鬼が捜しに来て、伊東家の押し入れをあけた気配を感じると、土井家の台所の奥に隠れていた者は、そっと部屋から廊下に出て、国道に面した、新しく作られた階段を降り、階下のトンネルのような通路を走り、朴家の前の鬼のいた電柱にタッチできる。

二階の各部屋と、壁に沿ってコの字型にめぐっている廊下と四つの階段をうまく使えば、決して鬼にみつかることはない。

だから、一度鬼の役が廻ってくると、ほとんど永遠に鬼ばかりつづけなくてはならない……。

その伸仁の言葉に、房江はまた余計な不安の種をもらった気がした。鍵もかけず、ドアもあけたままとはいえ、勝手に他人の住まいに侵入したら、どんな厄介な問題が生じるやもしれないという不安だった。

けれども、房江はもうその不安を口にはしなかった。

あの奇妙な構造の蘭月ビルには独特の秩序があって、子供たちもその秩序をしたたかに守りながら生きているのであろうという気がした。

野田阪神の停留所でバスから降り、そこから市電に乗り換えて船津橋の手前まで行くと、房江は伸仁と並んで歩きながら堂島川に架けられた船津橋を渡った。

そこからは、かつて「平華楼」や「ジャンクマ」があった三階建てのビルが見える。

「お父ちゃん、まだ帰ってへんわ」

三階の窓を見あげて、伸仁がそう言った。ビルのどの窓からも蠟燭《ろうそく》の明かりらしきものは漏れていなかった。

ビルの玄関の鍵をあけ、階段の手すりに置いてある蠟燭に火をつけると、その明かりを頼りに房江は伸仁の手を引いて三階へとあがり、かつての平華楼の座敷席であった八畳の間に入ると、卓袱台《ちゃぶだい》の上に立てたままの蠟燭に火をつけた。一本ではあまりに暗いので、蠟燭は卓袱台の上だけでなく、土佐堀川に面した窓と、安治川が見渡せる窓とにそれぞれ二本ずつ立ててある。

卓袱台の上に、新聞のチラシが裏向きにして置かれ、そこに夫の字で何か書かれていた。

――千代麿の家にいます。あした、千代麿夫婦と城崎のヨネのところに行くかもしれません。たぶん今夜は千代麿の家に泊まると思います。委細は後日。

房江は、チラシに書かれた夫の伝言を伸仁に読んで聞かせ、銭湯に行く仕度をした。最も近い銭湯は江戸堀にあるが、ここから歩いて十五分かかる。十一時で閉まるので、急がなければならなかった。

房江に促がされても、伸仁は窓辺に立ったまま、安治川から土佐堀川のほうへとのぼってくるポンポン船に見入って動こうとはしなかった。

房江には、その伸仁の、富山時代よりも背は伸びたのに、あきらかに肩のあたりの肉づきの落ちたうしろ姿が、遠い昔日を懐《なつか》しむ老人のように見えた。

伸仁の学校が夏休みに入るまでの二ヵ月余に、伸仁が船津橋のビルにやって来たのはわずか三回だけだった。

父と母を慕って、もっと頻繁に尼崎の東難波のバス停からバスに乗ってやって来るであろうと思っていたので、房江は蘭月ビルのタネの住まいにおける暮らしが、伸仁にとってはさして寂しいものではないのだと安堵《あんど》していた。

だが、その真の理由が、伸仁にはバス賃がないからだとわかったのは一学期の終業式があった日のことだった。

夫は、月に二、三度、必ずタネの住まいを訪ね、伸仁を三和商店街の洋食屋につれて行って栄養のある食事を摂《と》らせ、その際、お小遣いとして五十円を伸仁に渡してくる。

その五十円は、どうしても両親に逢《あ》いたくなったときに必要なバス賃も含まれているのだが、伸仁はそれをすべて駄菓子代に使ってしまって、肝心のバス賃が残らないのだ。

そしてその駄菓子代をどこで使うのかというと、タネの店であった。

店の敷地の三分の二をお好み焼き店に、残りの三分の一を近所の子供相手の駄菓子屋として使っているタネが、売り物のわずか十円のチュウイングガムの代金を伸仁から受け取っていたことを知ったとき、房江は珍しく怒りで逆上しそうになった。

受け取るというよりも、タネは、伸仁がこのチュウイングガムを欲しいとねだると、

「はい、十円やで」

と手を突き出すのだという。伸仁は、物を買うには金を払わなければならないと思っているので、それが当然とばかりにタネに十円玉を渡す。怪し気な色をした飴玉《あめだま》も、甘く煮つめたスルメの足も、伸仁がそれを欲しいというとタネは必ず代金を支払わせる。

そのために、バス賃はたちまち消えてしまう。

房江は伸仁からそのことを初めて聞かされて、

「お父ちゃんには、絶対に言うたらあかんで」

と約束させたが、十歳の伸仁がその約束を守り切れるとは思えなかった。

もし、夫が知ったらただでは済むまい。南宇和の一本松村の時代も、城辺町の時代にも、熊吾はいったいどれほど妹のタネのために金を使ったことであろう。

城辺町の土地も家も、すべて熊吾が買ってやったのだし、タネと政夫のためにと、ダンスホールを建てる際も、その費用の全額を支払ったのだ。

それ以前の、房江がまだ松坂家に嫁ぐまでにも、タネは生活のほとんどすべてを兄である松坂熊吾に頼って生きてきた。

そんなタネが、自分の店の売り物の、たった十円の駄菓子を、代金を支払わなければ伸仁の口には入れさせないという……。

房江はその日の「お染」での仕事を終え、最終の市電になんとか間に合って川口町の北詰で降り、土佐堀川に架かる端建蔵橋《はたてくらばし》を渡りながら、またタネへの怒りを抑えられなくなってきた心を鎮《しず》めるために歩を止めて欄干に凭《もた》れた。そうやって、川を下って行くポンポン船の音に聞き入り、船首の灯りを見つめた。

船津橋のビルの三階の窓に、熊吾の顔があった。房江は、夫が自分を見ているのを知って軽く手を振った。

朝からひどく蒸し暑い一日ではあったが、川風は涼しくて、いったいどれほどの汗をかいたのかとうんざりするほどの「お染」の調理場の暑さによる疲労が癒《いや》されていった。

窓辺の夫の顔が消え、しばらくすると、端建蔵橋を向こうから歩いて来る人影が見えた。

「ああ、ええ風やわァ。窓をあけて寝たら風邪をひいてしまうなァ」

房江は夫にそう言った。

「あした、ついに丸尾夫婦は美恵を引き取りに城崎に行くぞ。お前も一緒に行かんか」

熊吾は房江と並んで橋の欄干に凭れ、そう言ってから煙草《たばこ》に火をつけた。川風が強くて、三本のマッチが無駄になった。

伸仁が張尚哲じいさんの死を看取《みと》った夜、熊吾は丸尾千代麿とミヨの夫婦のあいだに入って、城崎の美恵をどうするかという相談に乗ったが、その夜は結論が出なかった。

そのために、城崎行きは中止となり、房江は伸仁が尼崎へ帰って行った日の夜に、熊吾から事のいきさつを初めて聞かされたのだ。

千代麿に愛人ができて、その女は五年前に美恵という名の女の子を産んだ。

だが女は突然の心臓マヒで死に、幼い美恵は浦辺ヨネの娘ということにされて、城崎でヨネとヨネの子の正澄、死んだ女の祖母、そして麻衣子とひとつ屋根の下で仲良く暮らしている。

しかし、千代麿の妻は、とうにそのことに気づいていたのだ……。

房江は自分の知らないところでそのような事態が生じていたことを知って驚くとともに、千代麿の妻の身になって、その心情に寄り添ってみると、美恵という五歳の女の子にとって、いずれの道を行くのがしあわせなのか、どうにも判断がつきかねた。

「やっぱり、千代麿さんご夫婦の娘になるのん？」

と房江は熊吾の白い開襟《かいきん》シャツの衿《えり》を見ながら訊いた。少々異常なほどに汗かきの熊吾のシャツの衿には、昼間の汗の染《し》みが、橋のたもとの街灯の乏しい明かりでも見ることができた。

「千代麿はそのために大淀区に家を買いよった。女房への罪滅ぼしの意味もあるんじゃろう……。きょう、電話でヨネにしらせた。あしたの朝早ように、わしの車で行くんじゃが、お前も行かんか。お前は城崎の温泉にゆっくりつかっちょりゃあええけん」

「お店、休まれへんわ。一日休みを貰《もら》うために、三日も四日も嫌味を言いつづけられるのは、私、いややわ」

売るために買った三台のダットサンのうち、一台が売れ残り、仕方なく熊吾はその車を自分の脚代わりに使っていた。その車も買い手がつきそうで、来週には納車する予定であることを房江は知っていた。

三台の中古車は、どれも程度のいいものだったので、仕入れ値は高く、売れてもさして儲《もう》けにはならなかった。

「ピータンが届いたぞ」

と熊吾は苦笑しながら言った。

素焼きの大甕《おおがめ》に入れられて富山駅に着いた最高級のピータンは、富山で合計十六個食べただけで、残りは大甕のなかの土に埋まったままだった。

大阪に戻るとき、暇な折でいいから送ってくれと高瀬勇次に託しておいたのだ。

「どこまでつきまとうんやろ、あのピータン」

その房江の言葉に笑いながら、熊吾は手の甲で房江の首筋に触れた。

「汗でねっちょりしちょる。お前は汗かきやけんのお。二階で行水ができるようにしといた。昔の平華楼の厨房《ちゅうぼう》は床がタイル張りで、大きな排水口があるけん、ホースの先に如雨露《じょうろ》をつけたら、ええ具合のシャワーになると思うて、きょう如雨露を買うてホースに取りつけたんじゃ」

誰も足を踏み入れないまま約二年もたったので、かつてのコックであった呉明華が長い柄のついたブラシで毎日丁寧に磨きつづけた厨房の床は、埃《ほこり》と鼠《ねずみ》の糞《ふん》だらけだった。

それを、夕刻から掃除して、植木に水をやるための如雨露を荒物屋で買い、その先っぽをホースに取りつけてみたのだ。

熊吾はそう説明し、

「なかなか結構なシャワー室ができあがったっちゅうわけじゃ」

と言って笑った。

房江は、ビルの東隣りの河原家にある庭とも資材置き場ともつかない一角に設けている水道の蛇口からホースで汲《く》みあげている水は、いまはまさに自分たちの命水だなと思いながら、

「河原さんは、毎月、千円しか水道代を受け取ってくれはらへん……。困ったときはお互いさまやって言いはって……」

とつぶやき、熊吾と並んで船津橋のビルへと歩きだした。

蠟燭の黄色い明かりだけでも、熊吾がどれほど念入りに元平華楼の厨房を掃除したのかがわかった。

床のタイルも、窓ガラスも窓枠も、蜘蛛《くも》の巣だらけだった天井も、大きな調理台が並んでいた空間も、まるであしたからでも平華楼を復活させられるほどに磨き抜いてあった。

夏とはいえ、このふたつの川に挟まれたビルの夜に、水道の水でシャワーを浴びるのはいささか冷たすぎるだろうが、汗を流したあとの気持良さを思って辛抱しろ。

熊吾はそう言って先に服を脱ぎ、房江にも裸になるようにと促した。

裸になった房江は、ふいに頭からシャワーの水を浴びせられて、

「つめたーい!」

と叫んだ。

そんな房江の体に石鹸《せっけん》を塗りたくりながら、

「城崎へは、美恵を引き取りに行くんじゃあらせんのじゃ」

と熊吾は言い、自分の頭髪に石鹸を塗った。

美恵はまだ五歳で、ヨネの子として育ち、曾祖母《そうそぼ》や麻衣子に可愛《かわい》がられ、歳下《としした》の正澄を弟と信じて疑っていない。

そんな美恵に真実を話して聞かせ、さあきょうから丸尾千代麿が父で、丸尾ミヨが母だ、そのふたりの子として大阪で暮らすのだと諭し、これまで一緒に暮らしてきた者たちと引き離すのは、あまりに酷というものだ。

美恵が理解できるできないは別にして、とりあえず真実だけは教え、いずれ自分で判断を下せる年齢まで待とう……。

千代麿とミヨ夫妻がそう結論をだすのに三ヵ月以上もかかったのは、千代麿がなんとしても美恵を自分の子として入籍し、すぐにでも大阪で一緒に暮らしたいと、子供が駄々をこねるように懇願しつづけたからだ。

熊吾はシャワーの水で体を洗いながら、そう説明した。

「千代麿の女房は、深い心を持っちょる女じゃった。亭主の誠に我儘《わがまま》勝手な思いとか、自分のいろんな感情っちゅうもんを度外視して、亭主がよその女に生ませた子の身になって、どうすることがその子にとっていちばんええのかを考えつづけてくれよった」

房江は、何と応じ返したらいいのかわからないまま、慌《あわ》ただしく髪を洗い、体を洗って、タオルで全身を拭《ふ》いた。寒くて、ときおり全身が震えたが、寝巻を着ると体が火照《ほて》ってきた。

夫がいつにも増して元気そうなので、柳田元雄との交渉がうまくいきかけているのではないかという気がして、そのことを訊《き》いてみた。

「柳田は、その気になりよった」

と熊吾はホースを床に置いてから言った。

「駐車場の毎月の売り上げの一割を、この松坂に払うっちゅうことだけを躊躇《ちゅうちょ》しちょる。月極《つきぎめ》契約で駐車場を借りようっちゅう連中が、どれほどの数になるのか、いまのところ、皆目読めんからじゃ。千二百坪の土地全部を駐車場にするのか、その何分の一かを別の用途に使うのか……。どっちがええのかも、いまのところは計画が立たんのじゃ。もし、千二百坪全部に月極契約の車が埋まったら、この松坂に支払うマージンは少々多くなりすぎると考えちょるんじゃろう。ここはわしが譲歩する番じゃと思うが、それには時期っちゅうもんがある。わしは七パーセントまで譲るつもりじゃが、それは女学院側が土地を正式に売りに出すときじゃと思うちょる」

「それはいつごろになると思うのん？」

「もうすぐじゃ。移転先が決まったけんのお。F女学院は西淀川区に土地を買うことを決めて、銀行の融資も決まったようじゃ」

そう言って、熊吾は服を着ると、蠟燭《ろうそく》を持って階下へ降りて行った。河原家の水道の栓を閉めに行ったのだ。

房江は、この仕事がなんとしても夫の目論見《もくろみ》どおりに決まってほしいと祈るような思いで髪を拭《ふ》きながら三階の部屋に戻った。

蒲団《ふとん》を敷き、蚊取り線香に火をつけながら、房江はあしたからの夏休みのあいだ、伸仁はあの迷路のようなアパートですごすのをいやがりはしまいかと案じた。夏休みなのだから、この船津橋のビルで両親と暮らしたいと駄々をこねるのではあるまいか。

しかし、父は福島区にある女学院の土地購入のためにあらゆる手段を弄《ろう》するであろうし、土地を買う柳田元雄との交渉も同時につづけなければならない。

母は「お染」で働くために、遅くとも午後の四時にはこのビルを出て、帰って来るのは夜の十二時以後になる。

日が落ちると蠟燭の明かりだけが頼りのこの三階建てのビルで、十歳の子がひとりきりですごせるはずがないのだ。

房江はそんな自分の考えを、戻って来た熊吾に話した。熊吾は、一升壜《びん》の栓をあけ、湯呑《ゆの》み茶碗《ぢゃわん》に酒を注いでから、

「タネの家で夏休みをすごさせるしかないじゃろう」

と言い、富山の高瀬勇次から届いたピータン入りの大甕を見やった。

「そうやねェ、それしか方法はあらへんもんねェ。そうするんやったら、ちょっと多めにお小遣いを渡しといてやらんと……」

「わしの渡す小遣いは少ないか？　小学五年生の子なんじゃ。一月に五十円は少ないかのお。なんか欲しいものがありゃあ、タネに言やあええんじゃ。親から貰《もろ》うた五十円のなかから工面して、たまに船津橋に戻って来るためのバス賃を残しとくっちゅうことも、もう十歳になったら計算できにゃあいけんぞ。あいつは小遣いを貰うたら、すぐにみんな使うてしまいよる。多めに渡してもおんなじじゃ」

夫には決して喋《しゃべ》ってはならぬと自分に言い聞かせたのに、房江はタネへの怒りに煽《あお》られて、黙ってはいられなくなってしまった。

「なんじゃとォ！」

熊吾は口元まで持って行った湯呑み茶碗を畳の上に置き、車のキイを持って立ちあがった。

「どこへ行きはるのん？　もう夜中の一時半やのに」

房江は熊吾がどこへ行こうとしているのかを承知しながらも、そう言って引き留めようとした。

「伸仁をここにつれて帰って、あした城崎に遊びにつれて行ってやるんじゃ。夏休みやけんのお。その前に、あのタネも寺田の野郎も、ドブのなかに放り込んじゃる。恩知らずとはタネのためにある言葉じゃっちゅうことを思い知らせちゃる」

ああ、もうこうなったら誰も夫を止められない……。

房江は後悔しながらも、伸仁が父の運転する車に乗って城崎へ遊びに行けるようになったことを歓《よろこ》んでもいた。それも、伸仁が大好きな千代麿夫婦も一緒だ、と。

「あんまり無茶なことはせんといてな。伸仁をつれて、すぐに帰って来てな」

房江の言葉が終わらないうちに、熊吾は階段を降りて行き、すぐに河原家の前あたりから車のエンジンをかける音が響いた。そのエンジン音が船津橋を渡っていくのを聞きながら、房江は松坂熊吾という男が本来の性格を露《あら》わにさせて帰って来たと思った。

それは房江にとっては難儀で厄介な男ではあったが、何かがいい方向へと転じる吉兆でもあるような気もした。

あの柳田元雄が、モータープールという巨大な駐車場経営の腹を決めたという夫の言葉が、自分を高揚させていると房江は思った。

熊吾が伸仁を伴なって帰って来たのは夜中の三時半だった。

熊吾の開襟シャツのボタンはふたつ取れていて、伸仁の目元には泣いた跡があった。

「なんで泣いたんや？　お父ちゃんに叱《しか》られたんか？」

房江は伸仁を自分の膝《ひざ》に載せて抱きしめながら訊いた。伸仁はかぶりを振り、房江の胸に顔をすりつけ、

「タネおばちゃんも、寺田のおっちゃんも、死んでしまうわ」

と言った。

「あの図体がでかいだけの海坊主《うみぼうず》が、ビール壜で頭を割られたくらいで死にゃあせん。タネは……、うん、タネにはちょっとやりすぎたかのお。まあ、根が丈夫な女じゃけん、大丈夫じゃろう」

「寺田さんみたいな大男とケンカなんかして……。反対にひどい目に遭わされてたらどうするのん」

「相打ちを覚悟でくるやつには誰も勝てんのじゃ。寺田には、わしがその気じゃっちゅうことがわかったんじゃ。体に彫り物を入れるようなやつが、ほんとに度胸があった例しはない。弱いから、くりからもんもんで飾るのよ」

熊吾がそう言って、畳の上に置いたままの酒を口に含んだとき、ポンポン船の音が近づいて来た。

伸仁は時計を見て、この時間に土佐堀川を下って行くのは「さくらだ丸」なのだと言って窓辺に立った。だがそれは「さくらだ丸」ではなかった。

「あんなポンポン船、ぼく、初めて見たわ。さくらだ丸のおじいちゃんも死にはったん

やろか……」

と伸仁は言った。

「ごっつい被害やなァ。死亡・行方不明者が九百九十二人やて。負傷者三八六〇人、家屋全半壊二〇八六軒、同流失四百六十九軒……」

いまや房江の作る料理を食べるために「お染」にやってくる心斎橋筋の店主たちのひとりが新聞記事を声に出して読んだ。

七月二十五日から二十八日にかけて九州西部を襲った豪雨は、新聞では「諫早《いさはや》豪雨」と名づけられていたが、長崎、熊本、佐賀、鹿児島、宮崎における被害は、梅雨前線の活発化によるものとしては余りにも大きかった。

「ことしの梅雨は長いけど、もうそろそろ明けるやろ」

茶葉販売業の老人はそう言い、房江の作った豚の角煮と焼ビーフンを食べながら、

「敗戦からたったの十二年やというのに、東京の人口はロンドンを抜いて都市人口世界一になったっちゅう記事がこないだの新聞に載っとった。あの一面焼野原と化した東京がやで。天皇陛下の玉音放送を聴いた二週間後に、わしは妹一家の消息を何とかしても摑《つか》みとうて東京へ行ったんや。あのとき目にした東京のありさまは忘れられへん。それがたったの十二年で都市人口世界一やて……。産めよ増やせよっちゅうて、せっせと子作

りに励んだ成果にしても、たいしたもんやで」

と感嘆したようにつづけた。

「私の従姉《いとこ》の子ォなんて、一クラスに五十八人も教室に詰め込まれてますねん」

「お染」の女将《おかみ》がそう言ったのを、調理場で洗い物をしながら、この女が自分の肉親のことを口にするのを聞くのは初めてだなと房江は思った。

客たちの話題は、来年から全国で実施される「メートル法」へと移った。

「うちは大忙しや。メーカーは泣いてるわ。定規とか巻尺はなァ、とりあえず表がメートル法、裏は従来どおりの尺と寸で表示することになったから、これまでのもんは全部廃棄して、新しいのを作り直さなあかんのや」

と文具屋の店主は言った。

「味噌《みそ》百匁《もんめ》は三百七十五グラムらしいで」

「五寸釘《くぎ》っちゅうのは何センチ釘になんねや？」

「坪はどないなんねんな。たとえば十五・二坪は、何平方メートルになるんやろ……」

房江は、きょう黒門市場で役所の者たちが配っていたチラシをひろげた。それには、一匁が何グラムで、一寸が何センチでと細かく印刷されてあった。

「うちの商売は、メートル法ではどないにもならん。一反、二反、一尺、二尺の世界や。織物屋も染物屋も、そない簡単にメートル法に変えられるかいな。大工もおんなじやで。

八寸角の柱とか、三間幅の床の間を、メートルで言えっちゅうても、そんなややこしいこと、大工が、ああそうでっかっちゅうてお上の言うとおりにするはずがない」

呉服屋の主人はそう言って笑った。

その心斎橋筋に店舗を持つ者たちが出て行ってすぐに、

「いやァ、珍しいお人が」

という女将の甲高い声が聞こえた。

背の高い見事な銀髪の男と、いかにも粋筋の人間が身につける色と柄の絽《ろ》の着物を着た女が入ってきた。

房江は調理場と店とを隔てる暖簾《のれん》越しに、その絽の着物がいかに高価なものであるかを見抜いたが、女の顔がちらっと見えた瞬間、烈《はげ》しい狼狽《ろうばい》でタワシを持つ手が震えた。

女は、新町の芸者であった千代鶴に間違いなかった。

房江が熊吾と結婚し、千代鶴が、当時電鉄会社の社長であった小森伝三の妾《めかけ》となって新町を去ったのは昭和十六年で、それから戦争を挟んで十六年たっている。千代鶴は三十九歳か四十歳になっているはずだった。

「この妖艶《ようえん》なお方は北新地のクラブ『しまづ』のママや」

その男の言葉のあとに、

「初めまして。『しまづ』です」

と女が言ったとき、房江はこれはもはや疑うべくもなく千代鶴の声だと思った。千代鶴の本名は島津育代だった。

房江は体の突然の不調を装《よそ》おって、顔を千代鶴に見られないように素早く店から出てしまおうかとさえ考えた。いまの自分の姿を、千代鶴にだけは見られたくなかった。

「房江さん、お通し二つやで」

いつもなら、客が入って来ると、すぐにおしぼりをカウンターに運ぶ房江が調理場から出てこないのを不審に思ったらしく、「お染」の女将は暖簾を手で上げて房江にそう言った。

「それから氷もやで」

はいと小さく返事をしてから、房江は腹を決めるために氷をアイスピックで割り、しばらく何度も深呼吸をした。

顔を伏せて、氷とお通しを運び、すぐに調理場にひっこめば、千代鶴は気づかないかもしれない。十六年もたったのだ……。

房江はそう思い、氷を入れたガラス容器と玉子豆腐を二人前、盆に載せると、いかにも履いている下駄の具合が悪いのを気にしているふうに足元のほうに顔を伏せたまま調理場から出た。

銀髪の男と千代鶴の前にお通しを置き、

「いらっしゃいませ」

そう挨拶《あいさつ》して調理場に戻りかけると、

「キク姐《ねえ》ちゃん……、キク姐ちゃんとちがいますのん？」

と千代鶴が訊いた。

仕方なく房江は振り返り、

「お久しぶりです。お元気そうで……」

と笑みを浮かべて言った。

「お声が聞こえたとき、もしやと思たんですけど……」

千代鶴は、房江の頭のてっぺんから足の先までをわざとらしく何度も見るような目つきを繰り返し、

「へえ……、松坂熊吾さんの奥方がなァ」

と言った。

「松坂さん、お元気？」

「はい、元気です」

「キク姐さんは、ほんまの名前は房江さんやったなァ」

「はい、松坂房江です」

「戦争が終わって二年目くらいに、松坂さんとのあいだに男の子が生まれはったって人

づてに聞いたんやけど……」

「はい、ことし十歳になりました」

房江は再び笑みを返して、調理場に戻った。

それから三十分近く、千代鶴のわざと低く落とした話し声がつづいた。

あんたに関して内緒話をしているのだぞと房江にわからせるような話し方だった。

「房江さん、つもる話があんねん。ちょっとこっちに顔を出してえな」

千代鶴が呼んだ。

つもる話か……。私には千代鶴に聞かせたいようなつもる話はない。

そう言い返して、私はこの店をやめよう。千代鶴がいつまた訪れるかわからないような店で働きたくはない。

そう決めて、房江が調理場から出ようとしたとき、銀髪の男が、

「ママ、あんまり意地の悪いことはせんとき」

とたしなめて、「お染」の女将とふたことみこと言葉を交わし、店から出て行った。

「こんな店で皿洗いをやってるなんて、やて。こんな店で悪かったたな」

調理場にやって来て、小さな椅子《いす》に腰を降ろして煙草を吸いながら、「お染」の女将は言った。

「クラブって、どんなお店ですのん？」

と房江は訊《き》いた。

「キャバレーをちょっと高級にしたようなもんや。『しまづ』って、いま北新地で一番の人気店や。とにかく若うてきれいな女の子ばっかり集めてるわ。客も、政界財界の連中で、舶来の高い洋酒を法外な値段で出すんや。あのママ、ぼろ儲《もう》けしてるはずやわ。あの人、昔は何をしてたん？」

女将の問いに、房江は答えなかった。ひそひそ声での内緒話のなかで、千代鶴は、新町の時代の房江について語ったであろうから、「お染」の女将は当時のキク姐さんのことをある程度知っていて訊いているのだと思った。松坂熊吾の当時の勢いについても、千代鶴は語ったであろう、と。

十時半を廻ってから客が五人入って来たので、房江は最終の市電に乗ることができなかった。

房江の料理を楽しみに来る呉服屋の主人は、いつも五百円のチップをくれる。その金を今夜はタクシー代に使おうかとも考えたが、いまは一銭たりとも無駄使いはできないと思い直し、房江は街灯の多い道を選んで船津橋へと夜道を歩きつづけた。一泊か二泊の予定で城崎に行った熊吾たちは、予定を二日延ばして、あしたの夜に帰ることになっていた。

今朝、それをしらせに来てくれた丸尾運送店の若い従業員がビルの玄関を叩《たた》く音で目を覚まし、その際、玄関の戸の隙間《すきま》から入れられていた一通の手紙に気づいた。

熊吾に宛《あ》てた手紙で、差し出し人は谷山節子だった。

きのうの夜は、床に落ちている封書に気づかなかったのであろうと思ったが、麻衣子の母親から手紙が送られてきたのは初めてだったので、房江はいったい何事だろうかと、きょういちにち気になって仕方がなかったのだ。

谷山節子から手紙が届いたことを熊吾にしらせたかったが、公衆電話では市外に電話をかけられず、房江は「お染」の電話を使わせてもらうつもりだった。だが、千代鶴のことがあって、電話を使わせてくれと言い出せないまま店を出てしまったのだ。

御堂筋を北に淀屋橋まで歩き、そこで西へ曲がり、市電のレールに沿って肥後橋、土佐堀通四丁目、川口町北詰と近づくにつれ、街灯の数は減っていき、脚は疲れて、ふくらはぎや足の裏に重い痛みを感じた。

蒸し暑さで汗まみれになっているのを感じながら、今夜は夫が作ったシャワーを浴びなければ到底眠れるものではないと思ったが、そのためには河原家の水道の栓をあけに行かなければならないことに気づき、房江はバケツに汲《く》み置きしてある水で体を拭《ふ》くしかあるまいと思い直した。

川口町の北詰まで辿《たど》り着いたとき、自転車に乗って警邏《けいら》中の警官とすれちがった。房江はその顔に見覚えがあったので、あっと小声をあげて振り返った。

その声で警官も振り返り、自転車にまたがったまま房江のところに戻って来て、

「松坂さんですね」

と言った。

かつて野田阪神の駅前の交番所にいた警官だった。

「こんな遅うに女のひとり歩きは危ないですよ」

警官はそう言ってから、じつはきのうもきょうも船津橋のビルを訪ねたのだがお留守だったので、あした派出所のほうに来てくれというメモを入れておいたのだと説明した。

「私はいまは川口町の派出所勤務になりまして、松坂さんが住んではる地域も管轄《かんかつ》なんです」

「私に何か?」

房江は、ひょっとしたら行方不明のままの姑《しゅうとめ》のことかもしれないと思いながら訊いた。

「松坂ヒサさんのことなんですが……」

そう言って警官は自転車から降り、房江と並んで船津橋のほうへと歩きながら説明を始めた。

自分と警察学校が同期の者が、二年前、家庭の事情で四国の香川県へと引っ越し、勤務先も香川県警に変わった。

彼が勤める派出所は、香川県の南西部の山間地で、四国八十八寺を巡る遍路たちが必ず立ち寄る有名な寺の近くにある。

一年前の六月、大きな熊《くま》が里に降りて来て農耕馬を襲うという騒ぎがあり、村の消防団や青年団、それに猟師たちも加わって、その熊を殺すために山に入った。一度でもそのようなことをした熊は、必ずいつか人間も襲うからだ。

そのとき、徳島県との県境に近い林道に、杉の木に凭《もた》れかかって坐《すわ》っている白骨死体がみつかった。

雨風にさらされて、着ていたものの色や柄も分明ではなく、死後数年を経ていたが、医者の所見ではかなり高齢な女性であることはわかった。

しかし、それ以外にまったく手がかりがなく、ベテランの刑事も、老人の行き倒れであって、事件性はないと結論を下し、遺骨は無縁仏として処理された。

警官はそう説明してから、

「その私の同期の警官が十日ほど前、私用で大阪に出て来まして、久しぶりに私と一杯飲んだんです。白骨死体を最初にみつけたのは彼でして、あそこまで完全に白骨化した死体が、まるで息を引き取ったときとおんなじ形で木の切り株のうえに坐ったままの状態なのは珍しい、うしろから見たら、まるでそこで一服してる生きた人間のようやったと言うんです。杉綾《すぎあや》模様の着物の一部が背中から夏物の帯へとへばりついてて、それで余計に、その白骨死体を生きてる人のように見せてた……。彼がそう言うたとき、私は、松坂さんから捜索願いが出てたおばあさんも、杉綾模様の着物を着てたなァと思い当ったんです。四国の南宇和に帰りたいと言うて家を出たんですし……。四国の地図を見ると、香川県から愛媛県の南宇和郡へ行くには海岸沿いよりも中央の山々を斜めに横切るほうが、一見、距離的に近いように思えます。ひょっとして、松坂のおばあさんもそう考えはったとしたら、四国に辿り着いてから、人に道を訊いて、そのまま山道へと入り、香川県と徳島県と愛媛県とが交わるあたりで力尽きて、杉林の切り株の上に坐り込んで、そのまま息絶えはったんやないか……。私はそう思いまして。あの当時、四国で老人の捜索願いは二十六件でしたが、そのうちの二十三件は解決してますし、残りの三件も遺体で発見されてます。まあ、これは香川に帰ったその警官が調べてくれたんですが……」

房江は、それは姑に間違いないと思った。姑の持っている夏物の着物は、杉綾模様のもの一枚きりだった。姑のヒサが杉綾模様の着物を着て出て行ったのは、簞笥《たんす》のなかからそれが消えていたことで明らかなのだ。

「無縁仏として処理されたというのは、具体的にどういうふうにして下さったんでしょうか？」

端建蔵橋を渡り切ったところで房江はそう訊いた。

「そういう人たちを供養《くよう》するお寺に位牌《いはい》を安置するだけです。遺骨も着ていた衣類も廃棄されます」

房江は篤実《とくじつ》な警官に深く礼を述べ、夫が帰ったら派出所におうかがいすると言った。

「お義母《かあ》さん、ひとりでそんな山のなかで……」

蠟燭《ろうそく》に火をつけ、階段をのぼって行きながら、房江はそうつぶやいて、ヒサの顔を思い浮かべた。

一銭も持っていなかったはずなのに、どうやって船に乗ったのであろう。人里離れた深山の木の切り株のところまで何日かかって歩いて行ったのであろう。その間、いったい何を食べていたのであろう。

三階の畳敷きの部屋に坐り、窓をあけることも忘れて、房江は長いあいだじっとしていた。額や首筋や胸や背を伝う汗も拭かず、房江は正坐《せいざ》して身じろぎもせず、姑のことを思った。

その無縁仏を供養する寺で位牌を貰《もら》い、愛媛県一本松村広見の、松坂家の墓に納めたい。けれども、自分たち夫婦には、それをするための時間も費用もない。いったいどうしたらいいのだろう……。

房江はそう考えながら、やっと立ちあがって窓をあけた。いつもなら涼しい川風が入ってくるのだが、蒸した空気が重苦しく体にまといつくばかりだった。

房江は、タオルを水にひたし、裸になるとそれで体をぬぐった。真夏の深い山のなかでは、すさまじい蟬《せみ》の音が満ちていたことであろうと思った途端、それはたちまち房江の心のなかで響き始めた。

ガーゼ地の寝巻に着替え、蒲団《ふとん》を敷いて横になったが、どうにも眠れそうになかった。

「お義母さん、ごめんね」

房江は小さな声でそう言い、一本松村の松坂家の墓に「松坂ヒサ」の名を刻んでもらおうと決めた。すると即座に中村音吉の顔が浮かんだ。

音吉なら労を惜しまず手配してくれるであろうし、そのための費用もしばらく立て替えておいてくれるであろう……。

房江は、あらためて、タネの思慮のない無分別な行動を心のなかで責めた。

タネは、自分の我儘《わがまま》のために、城辺町の家と土地を売り、残り少ない人生を平和にすごしていたヒサを大阪につれて来て、寺田権次などという男と同居したのだ。そのためには母親は邪魔だった。

タネは、寺田権次と同じ蒲団にくるまって寝ることが、ふたりの子に恥かしくはないのだろうか……。

房江は、押し入れのなかの熊吾のための一升罎《びん》を出し、酒をコップに注いで飲んだ。白骨化した姑の姿を、酔うことで自分のなかからつかのまでも消したかった。

犬畜生のような、という言い方があるが、考えてみれば、私の父も、そのような人間だったと房江は思った。この乳呑《ちの》み児《ご》の私を捨てて、父は女をつくって行方をくらましたのだ。

もし父がまだどこかで生きていて、もしばったりとどこかで出会うことがあったら、私は犬畜生と罵倒《ばとう》して石を投げてやる。愚かなけだものめと大声でののしってやる。

随分昔に、お前の父は肝臓をわずらって三十七歳で死んだと教えられたことがある。それを教えてくれた人は、風の噂《うわさ》として伝え聞いたのだとつけくわえた。

いま考えれば、あれは嘘《うそ》だったのではないのか。

冷や酒の酔いが急に廻ってくると、房江は、自分の父がいまなお薄汚れた人生をおくっているような気がしてきた。

「もし生きてたら七十五歳や……」

房江はそうつぶやいて、空になったコップにまた酒をついだ。そして、自分はまだまだ「お染」で働かなくてはならないと思った。

夫は、柳田元雄が買うことを決めた土地を手に入れるために奔走するだろう。片手間に中古車のブローカーもやって生活費を稼ぐなどということはおそらく不可能だ。土地を手に入れ、それからモータープールなる巨大駐車場を作りあげ、そこを月極《つきぎめ》契約で借りてくれる客たちを集めるために持ち出す金も多くなるはずだ。そうした資金も含めて、柳田元雄は松坂熊吾に利潤の分配をするのだから……。

房江は、まだ少なくとも半年以上は、伸仁はタネに世話にならなくてはならないのだと思った。

それなのに、夫は寺田権次の頭をビール壜で殴り、タネをドブに放り込んでしまった。タネに、もう伸仁を預るのはいやだと拒否されたらどうしよう。

この夜遅くまで無人のビルで、伸仁は父か母の帰りを待ちつづけなければならない。千代鶴か……。あの勝ち誇った顔……。千代鶴の美貌《びぼう》には、さらに豊麗なものが加わったかに見えるが、それはうわべだけのものだ。「お染」でのこの私の姿を見てあからさまに小馬鹿《こばか》にするような言葉を吐く女にすぎないのだ。

二杯目のコップ酒も飲み干し、三杯目をついだとき、ポンポン船の音が近づいて来た。伸仁が「さくらだ丸」だと思ったポンポン船であろう。

富山に行く前、「さくらだ丸」の船長は、伸仁が「桜のじいちゃん」と呼ぶ七十二、三歳の老人だった。小さな操舵室《そうだしつ》の屋根には、いつも一匹の猫がいた。そのメス猫の名はヒメだった。

ヒメは、「さくらだ丸」から一歩も出ようとしない。小さなポンポン船のなかだけがヒメの世界で、「桜のじいちゃん」が仕事を終えて船から降り、家に帰ってしまっても、ヒメだけはポンポン船のなかに残っている。どんなに呼んでも、陸に脚をつけようとはしない……。

房江は以前、伸仁がそう話していたことを思い出しながら、コップを持って立ちあがり、ここを通る時間も、扱う荷も「さくらだ丸」と替わったらしい「光運丸」を見た。しかしそれは「さくらだ丸」だった。

「あっ、ノブ、桜のじいちゃんや。元気で働いてはるわ」

房江がそうつぶやいたとき、「さくらだ丸」の操舵室から鉢巻をした老人が声をかけてきた。

「富山から戻って来たんかいな」

「はい。おじいちゃんもお元気そうで」

房江も大声で応じた。「さくらだ丸」は速度を落とし、

「ノブちゃんは夢のなかやな」

と言った。

「伸仁は尼崎の親戚《しんせき》の家にいてますねん」

「そうかァ……。わしは、いまも砂糖を此花《このはな》から毛馬《けま》に運んでるって言うといてんか」

「ヒメも元気？」

「ヒメは死によった。わしより先にいてまいよった」

「ポンポン船のなかで死んだん？」

「ああ、ついにいっぺんも陸にはあがらずや。このさくらだ丸のなかで大往生や。処女を守り通して、いてまいよった」

房江は笑った。桜のじいちゃんも笑いながら再び船の速度をあげ、端建蔵橋をくぐって安治川のほうへと去って行った。

第三章

城崎から帰ってくると、松坂熊吾はF女学院の土地売却を委託された不動産屋との交渉に入った。

買い手はいくらでもあるだろうから、柳田元雄が提示した金額で買うことは難しいと思っていたが、熊吾の読みは外れた。千二百坪もの土地をそっくりそのまま買える者は少なくて、ほとんどは、三百坪だけならとか、五百坪だけならという条件をつけていた。

女学院の移転計画は進み、移転先の土地購入も決まりながらも、女学院側の土地売却が遅れている理由がそこにあることを教えてくれたのは、不動産屋の社長と戦友だという徳沢邦之《とくざわくにゆき》なる男だった。

肥後橋の近くにある不動産屋の事務所で社長の帰りを待っていた熊吾に、夏だというのに合い物の派手な格子柄《こうしがら》の背広を着た徳沢邦之はせわしげに扇子を使いながら話しかけてきて、

「松坂さんは、私のことなんか忘れてしまいはりましたやろなァ」

自分より少し歳下《としした》かと思える徳沢は、削《そ》いだような頬がもともと角張っている顔の骨格をさらに尖《とが》ったものに見せていたが、茶色のロイド眼鏡の奥の細い気弱そうな目が、その顔から険を消す役割を担《にな》って、逆に表情に茶目っ気に似たものをたずさえていた。

熊吾が、思い出せぬまま、痩身《そうしん》の男の顔を見やっていると、

「上海《シャンハイ》でお世話になりました。もう二十年以上も昔のことです」

と言ったのだ。

そう徳沢は言って自分の名刺を熊吾に渡した。

「衆議院議員　愛川民衆私設秘書　徳沢邦之」とあった。

熊吾は、愛川民衆という政治家の名は知っていた。民衆と書いて「たみす」と読むのが本名なのだが、政治家をこころざしてからは「みんしゅう」とあえて名前の部分にふり仮名をつけ、いまや「みんしゅうさん」と投票用紙に書く選挙民も多くなった人物で、次の内閣改造では閣僚入り確実と目されていた。

「上海でお目にかかったことがあるんですか？」

熊吾の言葉に、徳沢は頷《うなず》き返し、冷たいコーヒーでもいかがかと喫茶店に誘い、そこで自分がどういういきさつで松坂熊吾に上海で世話になったのかということはまるで喋《しゃべ》らないまま、F女学院の土地が売れない事情を語ってくれたのだ。

そして、人と逢《あ》う約束があるのでと言って喫茶店から出て行ってしまった。その逃げ

るような出て行き方は、徳沢が松坂熊吾とふたりきりで話をしているのを不動産屋の社長に見られないためだと暗に熊吾に教えていた。

千二百坪の土地をすべて買うための金額が大きいだけでなく、校舎や講堂などを取り壊す費用も買い手に二の足を踏ませていることも徳沢邦之はつけ加えた。そのお陰で、熊吾は精神的に優位な立場で不動産屋との交渉を再開することができたのだ。

女学院側の意向を受けて、不動産屋が熊吾を窓口に、柳田元雄に土地を売ることを決めたのは八月十一日だった。契約書には、校舎と講堂、その他の学校施設の取り壊し費用は柳田元雄が負担するという一項が入れられた。

柳田はその一項に難色を示したが、熊吾の粘り強い説得で受け入れた。

まず土地を手に入れて、大駐車場の準備を本格的に始めることを第一義とすべきであって、解体作業費ごときで大魚を逃《の》がす愚は犯してはならないという熊吾の進言を柳田は呑《の》んだが、駐車場の純益の十パーセントを松坂熊吾に支払うことには首を縦に振らなかった。

柳田は、駐車場が存在する限り、熊吾に純益の一部を支払いつづけるなどという取引きに応じる気はないと明言し、純益の七パーセントを五年間と提示した。

熊吾は、柳田元雄がF女学院の土地を手に入れることができると決まった段階で足元を見て、条件を厳しく絞り込んでくると読んでいたが、「七パーセントを五年間」と出ることは予想していなかった。

五年たったら、俺は放り出されるというわけか。それなら俺はこの計画から降りる。土地だけで、日本では初めてかもしれない大駐車場の経営を軌道に乗せられるものならやってみろ。土地購入に要した金額を取り戻すにはいったい何台の車を預からねばならないか。柳田の頭のなかの算盤《そろばん》ではすでに数字が出ているはずではないか……。

そんな熊吾の言葉に、

「松坂さん、五年間で急場をしのぎなはれ。急場をしのぎながら、松坂さんの次の足場を作りなはれ。私は松坂さんに恩返しをしてるんです」

と柳田元雄は言った。

熊吾はいったん保留という形にして、柳田が経営するシンエー・タクシーの事務所から出ると、西日の差す通天閣の横の商店街を歩いた。

かき氷屋に入りかけて、熊吾は、あの尼崎の蘭月ビルは、いまが最も暑い盛りであろうと思った。

西日は物を腐らせるというが、蘭月ビル全体に照りつける西日の熱のなかで伸仁はいま何をしているのであろう……。

城崎のヨネの家に滞在した三日間のうちの一日は、伸仁と正澄と美恵をつれて海水浴に行った。

伸仁に買った海水パンツは大きすぎたし、正澄のそれは小さすぎた。美恵の女の子用の水着も大きすぎて、丸裸で波と遊んでいるよりも滑稽《こっけい》な三人の姿は、周りの海水浴客たちの笑いを誘っていた。

蘭月ビルの真夏の西日は、十歳の伸仁の心身を腐らせる。伸仁には、あの浜辺の太陽のようなものを与えてやらねばならない。いまはそれを最も必要とする年代なのだ。房江にも人並の「巣」が必要だ。房江という女は自分の「巣」のなかでしか豊麗さや、のびやかさを発揮できないのだ。

そのような巣を奪い、夜遅くまで働かせ、たったひとりの幼い我が子との触れ合いから遠ざけてしまったのはこの俺だ……。

十を得ようとして、転がり込んできた七や六に見向きもしないのは傲慢《ごうまん》というものであろう……。恩返しか……。あの柳田の言葉は本心なのだ。

熊吾は蘭月ビルに充満する汚臭を思い浮かべながら踵《きびす》を返し、シンエー・タクシーの事務所に戻ると、提示された条件を了承する由《よし》を伝えてから、

「私が、昔、お困りだったころの柳田さんにいかほどのことをしてさしあげたのかわかりませんが、私へのありがたい恩返しに私は精一杯お応《こた》えさせていただきます。一年で、千二百坪の土地に車をぎっしり並べてみせましょう」

と柳田元雄に言った。

扇風機からの生温かい風で、最近にわかに増えた白髪を乱しながら、柳田は自慢の猟銃を持って来て、

「英国製のチャーチル二連銃です。やっと手に入れました。目玉が飛び出るほど高かった。夜中に、これを手入れしてるとき、私は自転車に中古部品を積んで売り歩いてた日々を思い出します」

と言った。

そして、すでに用意してあった松坂熊吾とのタイプ打ちの契約書を出した。熊吾はそれに署名し印鑑を捺《お》した。

「千二百坪の土地を一括して買える者がおらんという事情だけやないようです。詳しいことはわかりませんが、女学院側にも入り組んだお家の事情があったようで」

その柳田の言葉に頷き返し、

「大きな土地を手に入れられましたなァ。いつかあの土地は、柳田さんにとって途轍《とてつ》もない財産になるでしょう」

と熊吾は言い、英国製チャーチル二連銃を手に持ち、台尻《だいじり》を肩に当てて構えてみた。

「ええ構えですなァ。そのチャーチルを初めて肩に当てた人とは思えん。すでにその猟銃は松坂さんの手の内に入ってます」

その柳田の驚きを素直にあらわした言葉に、熊吾は笑いながら、

「これでも近衛《このえ》聯隊《れんたい》の龍山《りゅうざん》兵として訓練を受けて出征しましたし、支那《しな》事変では野戦に明け暮れた時代がありますけん」

と言い、まだ一度も生き物に向かって引き金を引いたことがないという柳田の手に猟銃を返した。

シンエー・タクシーの車庫に停めてあったダットサンに乗って梅田まで戻って来ると、熊吾は、銃身の長い英国製の猟銃の重さがまだ自分の腕に感触として残っているのを感じた。熊吾はそれを無機質な魂を持つものの寂しさを代弁しているような気がした。するとふいに、柳田元雄という人間がわかったような気もした。

何かを得るたびに孤独になっていき、その孤独によってさらに何かを得ていく柳田のような男が、敗戦後の日本には無数に登場したのだ。

熊吾には、外見からは決して屈強さを感じさせない柳田の内なる芯《しん》の強さが見えてきた。だがそれは、見えてくるにしたがって、天涯孤独なひとりぼっちの影をひきずる男の姿へと変わった。

大駐車場経営の道筋作りを松坂熊吾にまかせてよかったと柳田元雄に思わせてやるから、安心して待っていろ。

熊吾はそう心のなかで言い、尼崎のタネの住まいに行くのを少し遅らせることにした。

中央郵便局のところで車の方向を変え、桜橋のほうへと行き、交差点を右折して丸尾運送店の事務所の前に車を停めると、三日前から勤めるようになった三十五歳の桜田ヨシ子という女に電話を使わせてくれと頼んだ。

千代麿の妻は、七月末をもって夫の運送店の事務作業から身を引き、戦争未亡人で二人の子がある桜田ヨシ子を雇ったのだ。

「お染」に電話をかけると、女将《おかみ》ではなく房江が出てきたので、熊吾は柳田との話し合いの顚末《てんまつ》を伝え、

「詳しいことは、また夜にちゃんと説明するが、駐車場のオープンに目鼻がつくまでは、わしにはほとんど収入がない。お前にその飲み屋でもうしばらく辛抱してもらわにゃあいけん。わしは来年の四月一日をめどにしちょる」

と言った。

「ああ、よかった。動きだしたんやねェ。来年の四月まで私はここで頑張って働くから、心配せんでええよ」

房江の声には嬉《うれ》しさを抑えきれないといった響きがあった。

「わしはこれからタネのとこへ行って、伸仁に外で飯を食わせてくる。ひょっとしたら、そのまま船津橋のビルにつれて帰るかもしれん」

熊吾は電話を切ると、車に戻り、ダッシュボードのなかに入れてある谷山節子からの手紙を出して、また丸尾運送店の事務所に戻った。節子の手紙には、自分は井草からそ

のような大金は預ってもいないし、貰《もら》ってもいないと書かれてあった。決して嘘《うそ》ではない、と。

「便箋《びんせん》を拝借したいんじゃが」

熊吾の言葉で、四十代半ばとしか見えないほどに生活疲れを漂わせている桜田ヨシ子は、まだ何がどこにあるのかわからないのであろう事務机の引き出しとか、木製の帳簿入れとかを捜した。

「便箋は、その机の下から二段目の引き出しじゃ」

熊吾は笑顔で言い、谷山節子への返事を手短かにしたためた。

七月二十六日に城崎に行ったこと。麻衣子は元気に暮らしていること。この自分が井草に預けた金を、井草が誰に託したのか大方の見当はつくこと……。

それらを書いてから、熊吾は、その金の預り状、もしくはそれを証明するような書状はないか、いま一度捜してみてほしいとつけくわえ、封筒に入れた。

切手代を添えて封筒を桜田ヨシ子に渡し、帰るときでいいからポストに投函《とうかん》しておいてくれと頼んだとき、丸尾千代麿が四トントラックを運転して帰って来た。

「写真ができましたんや」

千代麿はトラックのなかから熊吾に言い、事務所へと走って来た。

「松坂の大将に冷たい麦茶でもお出しせんかいな」

千代麿に言われて、桜田ヨシ子は慌《あわ》てて事務所の奥の台所へと行った。

「とにかく、何かにつけて気が利《き》きまへんのや」

千代麿は耳元でささやいた。

「しょうがあるかや。まだ勤め始めて三日じゃ。だんだんに慣れてきよる」

「そやけど、簿記の学校を出たっちゅうのはほんまでした。売り掛けの計算も伝票の整理も手ぎわがよろしおますねん」

「それが何よりじゃ。そのために雇うたんじゃけん」

「そやけど、やり方が専門的すぎて、肝心の私にようわかりまへんのや」

千代麿は写真屋の紙袋を机に置き、城崎行きのために買ったカメラでフィルム十本分も撮った写真を熊吾に見せた。

「美恵の写真ばっかりやないか。わしの息子はどこにおるんじゃ」

「ここにも。ほれ、ここにもノブちゃんが写ってまんがな」

「中心はみんな美恵やないか。わしの息子は背景か。この美恵の写真のずーっとうしろで西瓜《すいか》を食うちょるように見える男は……、わしか？」

桜田ヨシ子が麦茶を運んで来て、トラックの荷を降ろしている若い従業員にも同じものを持って行ったので、熊吾は谷山節子からの手紙を千代麿に見せた。

「井草はんは、あんな大金を誰に預けよったんです？　生きた金としてこの何倍にもして井草はんに還元するっちゅう約束を交わす人間でっせ。井草はんもその人間を信用したからこそ大金を託したんでっしゃろ」

「わしにはおよその見当がつくが、証拠がない」

「誰です？」

「海老原《えびはら》太一っちゅう男じゃ」

そう言ってから、熊吾は、自分と太一とのいきさつを千代麿に語った。

「あのエビハラ通商の社長でっか？」

「知っちょるのか？」

「名前だけは。去年やったかなァ、エビハラ通商が大証に一部上場したお祝いの会があって、私の得意先の社長がそのパーティーに招かれて、えらいぎょうさんの御祝儀《ごしゅうぎ》を包まされてぼやいてはりました。出入り業者をA・B・Cの三つに分けて、Aは五万円、Bは三万円、Cは一万円。それを帳簿に載せん金で持ってこいっちゅうご命令やったそうで。祝儀も額が大きいと税金がかかるからやって、得意先の社長は言うてはりました。パーティー会場に祝儀を持って行った会社は三百を下らんそうでっせ」

熊吾は、千代麿が撮った写真のなかから、麻衣子が鮮明に写っているのを三枚抜き出し、谷山節子宛《あて》に書いて封に糊《のり》をした封筒を破り、新しい封筒にそれを入れて、また宛名を書き、封をした。

「美恵はどうしちょる。寂しがって泣いたりはしちょらんか？」

と熊吾は話題を変えた。もし海老原が甘言を弄《ろう》して井草からあの大金を騙《だま》し取ったとしたら、などと考え始めると、正常な精神を保てなくなるという気がした。

「へえ、夜になると、お母ちゃんはいつ来るんや、とか、おばあちゃんはどこへ行ったんや、とか……。泣きながらも寝てしまうんです。ここがお互い辛抱のしどころやと家内は言うてます」

その千代麿の言葉に、

「ヨネが、こんなことは美恵が幼ければ幼いほどええっちゅうて、お前の奥さんに託してくれるとは、わしも思いも寄らなんだ。ヨネも、正澄が美恵を探して泣くので困っちょるそうじゃ」

と熊吾は苦笑混じりに言った。

「ノブちゃんに遊びに来てもらえまへんやろか」

と千代麿は真顔で言い、麦茶を飲んだ。

「三日ほど私の家に泊まって、美恵と遊んでやってくれたらありがたいんですけど」

「十歳の男の子が、五歳の女の子の寂しさをまぎらわせられるもんか。それは無理な相談ちゅうもんじゃ。自然の流れにまかせるしかなかろう。いま伸仁の顔を見たら、美恵の里心に火がつくぞ」

「へえ、そうでんなァ……」

「ミヨさんをお母さんと呼ぶことを無理強いせんことじゃ。必ず自然にそう呼ぶようになるときがくるけん」

熊吾は麦茶をもう一杯貰い、それを飲むと丸尾運送店から出て、ダットサンを運転して国道二号線を西に向かった。売れずに困っていた中古車が、いま役に立っているなと熊吾は思った。

蘭月ビルの裏手の、子供たちが遊び場にしている工務店の資材置き場の近くに車を停め、熊吾は手ごろな大きさの石を三つ拾って、それをハンカチに包むようにして持つと、タネの住まいに入って行った。

男がふたり、かき氷を食べていた。

タネは、熊吾を見ると、

「寺田はいてへんで」

と怯《おび》えたように言った。

「寺田に用があって来たんじゃあらせん」

「ほな、そのハンカチで包んでるもんは何やのん？」

「自分の身を守るためのもんじゃ。あの海坊主《うみぼうず》がかかってきよったら、このハンカチと石とで作った武器で、こんどこそ脳天を砕いちゃろうと思うてのお。窮鼠《きゅうそ》、猫を咬《か》む、っちゅうやつじゃ。言うとくが、窮鼠は、このわしじゃぞ」

「熊兄さんのお陰で、あの人、ここにけえへんようになってしもたやんか。顳顬《こめかみ》のところがこんなに腫《は》れて、あれから二日間、左の耳が聞こえへんようになってんで」

本心で兄に抗議しているのであろうが、タネののんびりした口調は、なにかおもしろい話題を語っているようだった。

「私も腰をひどうに打って、きのうまで歩くのがやっとのありさまで……」

「伸仁はどこにおる」

その熊吾の言葉で、かき氷を食べていた男のひとりが、

「ノブちゃんの親父《おやじ》さんでっか？」

と訊《き》いて、椅子《いす》から立ちあがった。熊吾はその男の大きさに驚きながら、自分の顔のところにある男の胸を見た。そして、ドラム缶のような骨格だなと思った。

「俺は津久田といいます。ノブちゃんが、末の娘の面倒をしょっちゅう見てくれるお陰でこのごろはノブちゃんに誘われたら、このアパートの外へ出て行くようになりましてなァ……」

男はそう言って、ビールでもいかがと勧めた。

これが、あのとびきりの美少女の父親なのだろうかと思いながら、熊吾は勧められるままコップを手にして椅子に坐《すわ》った。

たしかこの男は、日本中を廻って、工事現場で肉体労働をする者たちを集めてくることを生業《なりわい》としているのだな。

熊吾は、房江から断片的に聞かされる蘭月ビルの住人たちについての話を思い出して、そう思った。

「娘さんをあんな日の当たらん共同便所の横の階段で一日をすごさせちゃあいけん。目の見えん子供らが通う学校に入れて、将来のための勉強や訓練を受けさせることじゃ。他人様《ひとさま》の子に余計な口出しをするようじゃが、あの子は感受性の強うて、なかなか頭のええ子じゃちゅう気がするけんのお」

その熊吾の言葉に、津久田は笑みを浮かべ、コップにビールをついだ。

「頭、ええんやろか……。何を考えてるのんか、ようわからん子ォでんねん。よっぽど根気ように話しかけてやらんと自分からは滅多に喋《しゃべ》らん子ォやから。目は見えへん、口は重いっちゅうたら、将来なんておまへんで」

津久田が言うと、横に坐っていた若い男が油で黒く汚れた手でスルメの足を口に運び、

「頭がええっちゅうたら、津久田さんの上のお兄ちゃんは、めっちゃくちゃ勉強がようでけるんです。神童っちゅうのは、あの子のためにある言葉やって、教育委員会でも話題になるそうです」

と言った。

工業用の油が爪《つめ》にも指紋にも掌《てのひら》にも深く沁《し》み込んでしまっているが、顔色は白くて、薄い眉《まゆ》の下の細い目に善良そうなものを宿している青年は、熊吾に、自分の名は伊東周一というのだと名乗った。

「ああ、マメの会で伸仁がしょっちゅうご馳走になっちょる伊東さんですか。伸仁がお世話になってありがとうございます」

津久田がついでくれたビールを一気に飲み干してから熊吾は礼を述べた。

「しょっちゅうやなんて……。月に一回だけの、しょうもない宴会です。牛や豚の臓物をうちの子に食わせやがってて怒る親もいてますけど、あれは体が元気になりますねん。育ち盛りの子供には栄養が大事ですよってに」

と伊東は、はにかんだように言った。

「伊東さんは朝鮮のかたですか」

熊吾が訊くと、津久田がまたビールをついでくれながら口を挟んだ。

「こいつら、おんなじ家族のなかで、北鮮人と韓国人とに分かれてまんねん」

「北鮮人なんて言い方はやめてェな。朝鮮人で結構や。ふたつの民族に分かれてるんとちゃうで。思想が分かれてるだけや」

その伊東の言葉に、津久田は侮蔑《ぶべつ》の色をあらわにさせたまま、

「思想かァ……。総連系と民団系の違いが、なんで思想の違いやねん。兄弟がふたつに

分かれて取っ組合いのケンカをせなあかん思想なんか災い以外の何やっちゅうねん」

と太くて低い声で言い返した。

この蘭月ビルというアパートのなかでも、朝鮮総連と韓国民団とに分かれていさかいが始まっているのかと、熊吾はいつぞやの磯辺富雄の話を思い浮かべた。

蘭月ビルと工務店の資材置き場とのあいだにあるアスファルト道にタネが打ち水をしたが、西日で焼かれた道はたちまち乾いて、すでに日は沈んだというのに、かえって蒸し暑さが増してきた。

熊吾がタネに、伸仁はどこにいるのかと訊くと、

「二階の金さんのとこで遊んでましたで」

そう津久田は教えてくれた。

「二階のいちばん南側の部屋ですわ」

熊吾は津久田にビールの礼を言い、タネの家から出ると、洗濯物を取り込んでいるタネに、

「二、三日、伸仁をつれて帰るけん」

と言って、朴家の西側にある階段から二階へとあがった。

二階の廊下に立った瞬間、数匹の太った銀蠅《ぎんばえ》が音をたてて熊吾の顔の周りに飛んで来た。煮えた釜《かま》のなかのような熱が狭い廊下に沈澱《ちんでん》し、牛乳壜《びん》の底にわずかに残った牛乳

が酸《す》っぱい匂《にお》いを放っていた。

首の取れたゴム製の人形が壁に釘《くぎ》で打ちつけられていて、「天地光善」と書いた紙が消えた首のところに巻きつけてあるのを、熊吾は気味悪く感じながら見入った。そのゴム人形の前にある部屋からお経とも呪文《じゅもん》ともつかない意味不明の言葉を唱える声が洩《も》れていた。

熊吾が、まといつく銀蠅を手で払いながら廊下を南へと歩くと、ミシンの音が大きくなり、カタカタカタカタとその音を真似《まね》ている伸仁の声も聞こえた。

「金静子」と書いた小さな紙が貼《は》ってある部屋をノックし、そっとあけると、ミシン台に腰掛けて女物のワンピースらしいものを仕立てている中年の女が振り返った。ミシン台の近くに伸仁と盲目の幼女が坐って、糸巻きを積木代わりに遊んでいる。

「あっ、お父ちゃんや」

その伸仁の言葉で、金静子はミシンを踏むのをやめた。津久田の末娘の片方の耳が獣のそれのように戸口のほうに動くのを熊吾は驚きの目で見つめ、

「息子はお仕事の邪魔をしちょるんじゃありませんかのお」

と金静子に言った。

「邪魔なときもあるけどねェ……」

金静子は言って、タオルで額や首筋の汗を拭《ふ》いた。

部屋の奥にはさまざまな色と柄の洋服用の織物が積みあげてあり、何色もの太さの異なる糸が、糸巻きに巻かれて壁際《ぎわ》の棚に整然と並び、裁ち鋏《ばさみ》や巻尺や、服の仕立てに使う道具類が茶色に褪《あ》せた畳の上に転がっている。

「この子らの話を聞いてたら、気がまぎれるんや」

そう言って、金静子は心持ち受け口の口元を歪《ゆが》めるようにして笑みを浮かべた。

熊吾は伸仁を手招きし、

「銭湯に行くけん、タネおばちゃんのとこへ戻って着換えのパンツを持ってこい。きょうは船津橋のビルに帰るぞ」

と言った。

盲目の幼女は、熊吾の膝《ひざ》のところをすり抜けて廊下へ出ると、壁に手を添えて正確に自分の部屋の前まで歩き、そこで振り返った。

「階段のとこへ戻ったらあかんで」

伸仁がそう言うと、二度、大きく頷《うなず》いて、自分の部屋へと入って行った。熊吾には、そのさまは、まるで伸仁にその言葉をかけてもらいたかったかのように映った。

「香根ちゃんなァ、金おばちゃんのミシンの音を聴くだけで、いまこのくらい縫うたってわかるねん」

伸仁は両の手で長さを示しながら言った。

「縫い方までわかるねん。失敗したことまでわかるねんでェ」

「早ようパンツを持ってこい。わしはもうこの二階の暑さから逃げ出しとうてたまらんのじゃ」

伸仁の首筋の汗を手でぬぐってやりながら、熊吾は伸仁のあとから共同便所の横へとつながる階段を降りた。屋台の支那そば屋は、夏は「わらび餅《もち》」を売り歩くらしく、そのための別の屋台が住まいの前に停めてあった。屋台に取りつけた小さな幟《のぼり》に「冷たい冷たいワラビ餅」と染めてある。

着換えを包んだ風呂敷《ふろしき》を持って戻って来ると、

「銭湯はいまがいちばん混んでるときやねん」

と伸仁は言った。

「銭湯に行くっちゅうのは嘘《うそ》じゃ。またあの洋食屋でビフテキを食うて、それから船津橋のビルに戻って、わしが作ったシャワーを浴びるんじゃ」

「ポタージュスープとアイスクリームも付けてくれる？」

「ライス全部を食べたら、デザートも付けちゃる。米をしっかり食わにゃあ、日本人は力が出んのじゃ」

はしゃいだように交差点を走って渡っていく伸仁を見ながら、熊吾は、井草正之助が金を預けた人物について考えるのは、いまはやめようと決めた。いま自分がやらなければばならないことはひとつだ。モータープールという名の大駐車場を作りあげ、そこを自動車で満杯にすることなのだ。もとより簡単な仕事だとは思っていないが、その覚悟を越えた難儀が待っているかもしれない。

この二、三年で、路上に違法に駐車する者たちへの取締まりは厳しくなってきたが、それでも警察が本腰を入れているとは思えない。警察には警察の事情があるのだろうが、まだまだ駐車違反に関しては見て見ぬふりをしている場合が多い。

自動車業界から政治家を通じて警察庁の官僚への根廻しもあるかもしれない。急速な発展途上にある自動車業界は、自動車を置く場所に困るという理由で購入をしぶる客たちが増えるのは大きな痛手なのだから……。

しかし、いまのまま自動車の生産台数が増え、運転免許証を取得する者たちも増えれば、当然のこととして自動車の販売台数も増えていく。

この狭い日本に自動車が溢《あふ》れかえって、にっちもさっちもいかなくなる時代が到来することは火を見るよりも明らかなのだ。

そのとき、有料の駐車場というものは日本にはなくてはならない必須のものとなるであろう。

「わしの計画に警察も協力させにゃあいけんのお」

熊吾はそうつぶやき、阪神電車の尼崎駅前の手前を右に曲がり、三和商店街へと入った。

洋食屋で伸仁と食事をとると、熊吾は蘭月ビルの近くに停めた車のところへと戻り、伸仁を助手席に乗せてエンジンをかけた。

伸仁が蘭月ビルのほうを見て、ちょっと待っていてくれと熊吾に言い、車から降りて走りだした。

蘭月ビルの裏側にあたる道には街路灯がひとつしかなかったが、住人たちとおぼしき数人の黒い輪郭が、なんとなくただならぬ気配を漂わせて道でうごめいていた。

伸仁の、トンネル状になっている蘭月ビルの一階の南北を貫く通路へと走って消えた姿もまた熊吾にはただならぬものに見えた。

熊吾は車から降りて急ぎ足で蘭月ビルへと向かった。

「何があったんじゃ」

路上に集まって通路の奥を見ている住人たちに訊いた。

「生き物が腐ってるような匂いがしまんねん」

白い仕事着を着た理髪店の主人が言うと、

「唐木さん、もう十日ほど姿を見てへんし、若い嫁はんが出入りするとこも目にしてへんしなァ」

中年の背の低い女がそう応じた。

熊吾は、なぜ伸仁が、その唐木という夫婦の住まいへと走って行ったのだろうと思いながら、共同便所の前にたったひとつだけ吊《つ》り下げられている裸電球の明かりを頼りに通路に入って行った。

蘭月ビルの住人が三人、唐木という夫婦が住む部屋の戸の隙間《すきま》を手で鼻をおさえながら覗《のぞ》き込んでいた。伸仁は、そこにはいなかった。

「わしの息子がいまここに走ってきよったじゃろう。松坂伸仁じゃ。わしの息子はどこへ行った？」

熊吾の問いに、見覚えのある男が無言で二階を指差した。熊吾はその男が、金村という名の二階の住人であることを思い出した。

戸の隙間に鼻を近づけなくても、唐木の家のなかからの腐臭は熊吾にもわかった。

共同便所の横にある階段から伸仁が走り降りて来て、手に持っていた鍵《かぎ》を金村に渡した。

「これ、この家の鍵か？」

と金村は訊き、さてどうしたものかといった表情で熊吾を見つめた。

「ノブちゃん、なんでお前がこの家の鍵を持ってんねん？　二階のどこにあったんや？」

金村の問いに伸仁は答えず、熊吾の手を強く引っ張ると、

「お父ちゃん、行こ！　早よう船津橋へ行こ！」

と言った。それは怯《おび》えた涙声であった。

「車のなかで待っちょれ。どこへも行くんやないぞ。わしが来るまで車のなかでじっとしちょるんやぞ」

熊吾は言って、裏の通りへと出ると、伸仁が車のところへと歩いて行くのを見届け、唐木の住まいの前に戻り、鍵を外してなかへ入れと身振りで金村を促した。

「俺が？　俺はいややで。ややこしいことに巻き込まれたないんや」

「ややこしいことかどうか、なかに入ってみにゃあ、わからんじゃろう」

「いや、堪忍《かんにん》してェな。並河さん、あんたが入ってんか」

金村は、気の強そうな目をした小太りの中年女に鍵を渡した。

「これって、死人の匂いよ。私、なんべんも嗅《か》いだことがあるわ。人間の死体が腐ってる匂いよ。間違いないわよ」

並河という名の女は、歯切れのいい東京言葉で言った。わざとそのような話し方をしているのではないことは熊吾にはわかった。

「私たちが勝手にこの家のなかに入らないほうがいいわよ。警察に来てもらって、なかを調べてもらいましょうよ」

並河は眉根に深い皺《しわ》を作って言った。

蘭月ビルの通路の前に住人が集まっているだけで、なぜ伸仁が慌《あわ》ててそこに走って行ったのかが熊吾は気にかかっていた。

あいつがとった行動は、いわゆる挙動不審というやつだ。まるでこの唐木という家のなかで何が起こっているかを知っていたかのようでもある。そのうえ、この家の鍵のありかも知っていた。鍵は二階のどこにあったのだ……。

熊吾はそう思い、並河の手から鍵を取ると、ハンカチで鼻をふさぎながら鍵を外して戸をあけた。その途端、金村が、うわっと声をあげてあとずさりした。夥《おびただ》しい数の蠅が暗い部屋のなかから通路へと飛んできたからだった。

熊吾は開襟《かいきん》シャツの胸ポケットからマッチ箱を出し、マッチを擦《す》り、部屋のなかを探った。何匹かの蠅が顔に当たり、何かにつまずいて前のめりに倒れかけた。

「電気のスイッチはどこじゃ」

マッチが燃え尽きると、熊吾は通路に立っている金村に訊《き》いた。

「早よう電気をつけんか」

熊吾に怒鳴られて、金村は自分のマッチを擦り、

「部屋の真ん中に電球用の紐《ひも》みたいなもんがおまっせ」

と言った。

熊吾は手さぐりで狭い三和土《たたき》から座敷にあがり、もう一本マッチを擦って、天井のほ

うから垂れ下がっている紐を引いた。

明かりがついた部屋の北側の、押し入れの前に男があお向けに横たわっていた。烈《はげ》しい腐臭が熊吾を咳《せ》きこませた。

「警察を呼べ」

熊吾は言って、唐木の部屋から出ると、急ぎ足で車のところへと戻った。

「あの部屋のなかで人が死んじょった。お前は知っちょったのか?」

熊吾の問いに、伸仁は首を横に振った。

「お前、鍵をどこから持って来たんじゃ」

「二階のあっちゃんとこの牛乳箱のなか」

「なんでそこにあの唐木っちゅう家の鍵があることをお前が知っちょるんじゃ」

伸仁はそれには答えず、唐木のおっちゃんは死んでいたのかと訊いた。

「わしにはあの男が唐木っちゅう人かどうかわからん。しかし、おそらく唐木さんなんじゃろう。警察がすぐに来よる。来たら、お前は警察の人にちゃんと説明せにゃあならんぞ」

熊吾の言葉に、伸仁は困惑とも恐怖ともつかない、妙に無感情にも見える顔を前方に向けたまま、まばたきを繰り返した。

パトカーがやって来るまで熊吾は伸仁と一緒に車のなかにいたが、阪神国道のほうから二台、裏通りから一台のパトカーが到着し、自転車に乗った警官も三人蘭月ビルのなかに入っていくと、伸仁の手を引いてタネの家へと向かった。そのころには、三十人近い野次馬が蘭月ビルの近くに集まっていた。

騒ぎにやっと気づいて奥の座敷から店へと出て来たタネは、何があったのかと熊吾に訊いた。

「このアパートの連中に訊け」

熊吾は、座敷の上がり口に男物の大きな革靴があるのに気づき、タネを睨《にら》みつけながらそう言った。

俺が伸仁をつれて船津橋へ帰ったと思い込み、寺田権次を呼んだのだと知ったからだった。

「おい、寺田の権次親分、隠れちょらんと出てこい。わしの息子の一大事じゃ。出て来て、悪党の知恵を貸せ」

仏像と、その仏像の体を包む薄衣に幾つもの蓮《はす》の花を散らした刺青《いれずみ》を上腕部から肩、肩から背中一面にと彫った寺田権次が、大きなタオルでそれを隠しながら出て来て、短かく刈ったごま塩頭を自分の掌で叩《たた》きながら、

「兄さん、手荒いことは一回きりにしてやっておくれやっしゃ」

と言って笑みを向けた。

その言い方には、もう一度俺に手をあげたら、こんどは俺もやられっぱなしにはなっていないぞという含みがあった。

「お前、この家ではいつもそんな格好か。明彦はもうおとなじゃが、ここには千佐子も伸仁もおるんやぞ。なんぼ暑うても、そのご立派なくりから紋々を隠す服くらいは着ちょれ」

熊吾は寺田にそう言い、何事かと表に出て行ったタネが走り戻って来ると、冷たい麦茶を頼んだ。

長袖のシャツを着ながらタネから騒ぎの理由を聞くと、寺田権次は伸仁に心配しなくてもいいと言って、熊吾の横に坐《すわ》った。

「兄さん、ノブちゃんはまだ十歳でっさかい、少年保護なんとかっちゅう人が付き添うてからでないと、警察は訊問《じんもん》でけまへんのや」

寺田がそう言ったとき、サイレンを鳴らさずにやって来た救急車が裏通りに停まり、警官がふたり店に入って来た。

「またきみかいな」

年長のほうの警官はそう言って、伸仁に鍵を二階のどこから持って来たのかと訊いた。

伸仁がそれに答えると、こんどは、なぜ鍵がそこにあると知っていたのかを訊いた。

伸仁がその質問に答える前に、

「死体は唐木っちゅう人ですか？」

と熊吾は訊き、自分はこの松坂伸仁の父だと言った。

「唐木鉄兵さんですな。このアパートの住人の何人かが確認してくれました。腐敗が進んでて顔も風船みたいに腫《は》れてるけど唐木鉄兵さんに間違いないようです」

そう答えて、警官は伸仁にさっきと同じ質問を繰り返した。

「鍵をかけたら、どっかに捨ててくれって唐木のおっちゃんが言いはってん」

いつもとは明らかに異なるうわずった声でそう言って、助けを求めるように自分を見た伸仁の顔色があまりにも青かったので、熊吾は伸仁の肩を抱き寄せ、心配しなくてもいいから順序立てて話をするようにと耳元でささやいた。

「父さんがついちょるけん、ゆっくりと深呼吸を三回ほどして、この麦茶を飲め」

伸仁は熊吾に言われたとおりにした。

「それは、いつのことや？」

と警官は手帳を出して訊いた。

「千代麿のおっちゃんが明石の水族館につれて行ってくれた次の日」

「ということは八月の五日ですな」

と熊吾は言った。

——その日の夕刻、尼崎駅前の広場で、どんな怪我《けが》でも瞬時に治すという薬を売る男の口上を聴いたあと蘭月ビルに戻って来て、阪神国道側からこのアパートのトンネル状の道に入ると、唐木のおねえさんが出かけるところだった。

唐木のおねえさんは神戸で働いているから、いつも阪神国道を渡って神戸行きのバス停でバスを待つのに、その日は大阪行きのバスがやって来るバス停のところに立った。

きょうは神戸には行かないのかと訊くと、唐木のおねえさんは、郷里《くに》へ帰るのだという。もう帰ってこないのかと訊くと、さあ、どうなるかわからないと答えて、この貧乏長屋にいるとどんな人間も腐ってしまうから、ノブちゃんも早くお父さんとお母さんと一緒に暮らせるようになればいいのにと言って笑みを浮かべた。唐木のおねえさんが笑うのを見たのは初めてだった。

大阪行きのバスに乗る唐木のおねえさんに手を振り、アパートのトンネルの道に戻り、あけたままの唐木さんの部屋のなかを見ると、唐木のおじさんが古い新聞や本を束にして紐で縛りながら、ノブちゃん、外から戸に鍵をして、その鍵をどこか遠くに捨てて来てくれたら五十円やるよと言った。

なぜ戸の鍵を遠くに捨てに行かねばならないのかと訊いたが、唐木のおじさんは笑みを浮かべるだけで何も説明せず、十円玉を五つ掌に載せて、ついでにこの古新聞と本も捨てておいてくれと言って、自分で戸を閉めた。

唐木のおじさんは外に出ないのかと訊くと、早く外から鍵をかけて、それを捨てに行ってくれという。

言われるままにして、古新聞と十数冊の本を屑屋《くずや》の朴さんのところに持って行き、鍵をポケットに入れたまま二階のあっちゃんの部屋で遊んでいるうちに、それを遠くに捨てに行かなければならないことを忘れてしまった。

どうして鍵をあっちゃんのところに配達される牛乳壜《びん》受けのなかにしまったのかわからない……。

仲仁の説明は、順序も脈絡も定かでなかったが、整理して並べると、おおむねそのようなものであった。

それだけのことを話すのに、仲仁は四十分近くかかったが、その間に熊吾は、誰も仲仁の一種異状な挙動に気づいていないのを知った。

停めてあった車のなかから蘭月ビルの裏通りにいる住人たちを見て、なぜあんなにも仲仁が慌てて唐木の部屋へと向かったのか……。まるで仲仁は唐木の部屋のなかで何が起こっているかを知っていたとしか思えない素振りだったのだ……。

熊吾はそう思ったが、そのことは警官には喋《しゃべ》らずにいようと決めた。

確認を取るかのように、警官は手帳に控えたことを見ながら、仲仁に二度三度と同じ質問を繰り返した。

「こんなちっちゃい子ォを訊問するときは、少年保護なんとかっちゅう人が同席せなあかんのとちゃいまんのか」

寺田権次が口を挟むと、

「ぼくはつまり、通りがかりの人に道を訊いてるわけや。道を訊くのに、そんなややこしい手順は必要ないやろ。警官が子供に道を訊いて何が悪い？」

そう言って強い目で警官は寺田を睨みつけた。

ハンカチで鼻をおさえたままやって来た若い警官が、仲仁に質問をしていた警官に何か耳打ちした。

睡眠薬の空壜、百錠入り、県警の鑑識、という言葉が断片的に聞こえた。

「松坂くんが鍵をかけたとき、唐木のおっちゃんはあの部屋のなかにおったんやな」

警官はまた同じことを訊いた。

「つまり、松坂くんは、唐木のおっちゃんに言われたとおりに、唐木のおっちゃんを部屋に残した状態で外から鍵をかけた。そうやな？　唐木のおっちゃんが、そうせえと言うたから」

仲仁が頷《うなず》き返すと、警官も頷き返し、熊吾に目配せをして裏通りへと出た。

熊吾があとをついて行くと、通路の前で、

「もうじき県警の鑑識が来ます。たぶん司法解剖をするでしょうけど、台所に睡眠薬の空壜がありましたし、飲みきれなんだ睡眠薬の錠剤が部屋のなかにちらばってました」

と警官は言った。

「ひょっとしたら、また息子さんに警察のほうに来てもらうことになるかもしれませんが、まあたぶん、そういうふうにはならんでしょう」

「私は息子をつれて帰ってもよろしいか。ちょっと訳あって、いまは私の妹の家に預かってもろうちょりまして。今夜は私と家内が住んじょる家につれて帰るつもりでおりました」

「結構です。いちおうそこの住所をお訊きしときます」

熊吾は、船津橋のビルの住所を教え、タネの住まいの戸口から伸仁を呼んだ。

「さあ、帰るぞ」

熊吾は伸仁と手をつなぎ、さらに増えた野次馬をかきわけて車に戻ると、阪神国道を東へと向かった。

杭瀬《くいせ》を過ぎたあたりで、

「お前は、あの部屋で何かが起こっちょるっちゅうことを知っとったじゃろう」

と熊吾は黙りこくっている伸仁に訊いた。

伸仁は当惑顔で、車を運転している熊吾を見つめたが、何も答えなかった。

「知らんまでも、何か胸騒ぎがしたんじゃ。それはなんでじゃ？」

理由はたしかにあるのだが、それをうまく言葉にして父に説明することができない……。

仲仁の表情からそう推測して、

「お前はもう十歳になったんじゃぞ。心のなかにあることをちゃんと言葉にでけんでどうするんじゃ」

熊吾が少し苛立《いらだ》って言うと、仲仁はうなだれたまま声を殺して泣き始めた。

「思うちょることを言葉にでけんからっちゅうて泣くのは、頭の悪い女のやることじゃ。胸騒ぎの理由を言葉で説明せえ！」

そう怒鳴って、熊吾は仲仁の頭を掌で強く叩いた。仲仁の泣き声は次第に悲痛なものへと変わったが、それでも仲仁は口を開かなかった。

まだ十時だったが、房江は勤め先から帰っていて、シャワーを浴びたばかりだった。「お染」の三軒隣の居酒屋の二階でボヤ騒ぎがあり、消防署があの近辺を通行禁止にしたために、仕方なく今夜は早々に店仕舞いということになったのだという。

房江は仲仁の顔を見て、何があったのかと熊吾に訊《き》いた。

熊吾の説明を聞き終えると、

「そんな、まだ十歳の子ォに、胸騒ぎの理由なんてちゃんと言葉にして説明することなんか無理やわ。なんでそんなことで仲仁を叩いたりするの」

と房江は珍しく気色ばんで熊吾をなじった。

「おとなでも、言葉にはでけへんことがいっぱいあるのに……」

たしかにそのとおりだなと思いながら、熊吾は蠟燭《ろうそく》を手に伸仁と一緒に二階へ降り、シャワーで伸仁の体を洗ってやった。

冷たい、冷たいと身を縮めながら、熊吾に石鹼《せっけん》を泡立てたタオルで背や尻《しり》を洗ってもらいながら、

「唐木のおっちゃんは、ぼくが外から鍵《かぎ》をかけたとき、ぼくに戸のとこに耳をあてがえって言いはってん」

といつもの口調を取り戻して言った。

熊吾はホースの先に取り付けた如雨露《じょうろ》を床に置き、

「耳をあてがえ？」

と訊《き》き返した。

「お前が戸に耳をあてごうたら、唐木のおっちゃんは部屋のなかから何て言いなはったんじゃ？」

伸仁は頭から伝い流れてくる石鹼の泡が目に入らないように額のところに両手で堰《せき》を作り、

「ぼくが最後に見る人間の顔がノブちゃんやとはなァって言いはってん」

シャワーの飛沫《しぶき》で消えてしまわないようにと遠くに立てた蠟燭の灯りが、あばら骨一

本一本をかぞえられるほどに痩《や》せている伸仁の体にさらに陰影を刻んでいた。熊吾は、石鹼の泡にまみれた自分の体をゆっくりと床に沈ませるようにして坐り、

「なんでそのことをあの警官に言わんかったんじゃ」

と訊いた。

「唐木のおっちゃんが、きょうのことはみんな内緒やで、誰にも言うたらあかんで、ぼくはこれからウジ虫に食われて腐っていくんやから、知らんふりしといてや、誰にも言わんといてや、って頼みはってん」

熊吾は、床にあぐらをかいたまま、そのあぐらのなかに伸仁を坐らせ、シャワーの水で石鹼の泡を洗い流してやりながら、

「まあ、たしかに約束は守らにゃあいけんがのお……」

と溜息《ためいき》混じりに言った。

「さっき、頭を叩いたりしたのは、わしが悪かった。誠に申し訳なかった。この無礼な父親をなにとぞ許してやんなはれ」

伸仁に頭を下げて謝まり、熊吾は、来年の春には一緒に暮らせるようになるから、それまでもう少しの辛抱だと言った。

伸仁が胸騒ぎの理由について説明できるのは、いまはこれが精一杯なのであろう。まだまだいわく言い難い何かを、伸仁は唐木の部屋の戸の鍵をかけて、そこから離れて行

くときに感じたのであろう、と熊吾は思った。

シャワーを浴びている時間があまりに長いのを心配したらしい房江の手に持つ蠟燭の光が近づいて来た。

「ウジ虫みたいな人間が、ウジ虫に食われていくのは当然やなァって、唐木のおっちゃんは言いはってん」

そう伸仁は小声で言い、熊吾のあぐらのなかから立ち上がり、寒い、寒いと叫びながら房江の体にしがみついていった。

ビリヤード場「ラッキー」の、いつも坂田康代が坐っている受付の椅子《いす》に陣取って、熊吾はぶあつい職業別電話帳を頼りに、大阪市内にある有料駐車場に電話をかけまくり、駐車料金をつぶさに調べた。

有料駐車場を経営する者はさほど多くはなかったので、料金設定の相場というものは半日もたたないうちにわかってきたが、自分の大事な車を代金を払って預けようという客の多くに、車を屋根の下に置きたがる傾向があるということは熊吾の考えのなかにはなかったので、屋根のあるなしで料金に差があると知って、校舎の失くなった千二百坪の土地の、頭のなかに描いていた図面の変更を余儀なくされた。

このことは、おそらく柳田元雄にとっても計算外であろうと思い、熊吾は車種や車の大きさによって異なる料金表を作成し、月極《つきぎめ》契約と時間制による一時預りの二種類に分けて、さらに細かい料金設定を考えてから、屋根付きとそうでない場所による料金について自分なりに差をつけてみた。

「算盤《そろばん》、でけるんですか？」

二組の客が帰って一息ついている上野栄吉が、青いチョークのこびりついた指を洗いながら話しかけてきた。

「わしらが子供のころに習うたのは五つ玉の算盤でのお、最近の四つ玉の算盤はやり方が違うけん、きのうの夜、康代に教えてもろうたんじゃ。やっと慣れてきたが、肩が凝るのお」

と熊吾は算盤から目を離し、両腕を大きく廻しながら言った。

「紙に数字を書いて計算したほうがよっぽど早いんやないですか？」

「いや、わしらの世代は、やっぱり使い慣れてくると算盤のほうが早いのお。子供のころに覚えたものは、やり方さえ思い出したら、指が勝手に動くようになってくれよる」

「松坂の大将と算盤とは、なんやしらん違和感がおますなァ」

上野がそう言って笑ったので、

「似合わんはずじゃ。わしは丼《どんぶり》勘定しかでけん男じゃけん」

と熊吾は笑い返し、百円札を二枚、帳場の台に置いて、便所掃除をしている十七歳の

坂田康代に、

「電話代をここに置いちょくぞ。十八軒の駐車場にかけたけん」

そう言って受付の椅子から立ちあがった。

「大将、二十円のお釣りを出します」

濡《ぬ》れた手をタオルで拭《ふ》きながら康代が走って来た。熊吾はさらにもう一枚百円札を置き、これで映画でも観《み》に行けと康代に言って、冷たい麦茶を頼んだ。

もうじき昼の十二時だった。

「おととい、見て来ました。松坂の大将が気圧《けお》されるほどの美少女を」

と上野は言い、壁際《ぎわ》の長椅子に腰を降ろして煙草に火をつけた。

「あの子を見るために、わざわざ尼崎まで行ったのか？」

熊吾の問いに、上野栄吉は首を横に振り、友人が阪神電車の尼崎駅の近くにビリヤード場を開店したので、そのお祝いに顔を出し、ふと松坂の大将の言葉を思い出して、阪神国道沿いの蘭月ビルを探したのだと説明した。

「ノブちゃんにみつからんようにするのがひと苦労でした。あのアパートは、どこにどんな出入口があるんです？　国道沿いの階段から駈《か》け降りて来たノブちゃんが、たしかに蘭月ビルの西のほうにと走って行ったのに、二、三分のうちに真ん中の通路から走り出て来て、こんどは東側の路地に消えたかと思うと、またすぐ国道沿いの階段からあらわれるんです。こらあかん、ここに立っとったら、そのうちノブちゃんにみつかると思て、あのボロアパートの裏に廻ったら、さっき路地に消えたはずのノブちゃんが、裏通りに面した階段から走り降りて来ましたんや。神出鬼没っちゅうのは、あのことですなァ……。結局、ノブちゃんにみつかってしもて……」

「みつかったのか」

「はい、姿を隠すつもりで真ん中の通路を国道のほうへと急ぎ足で抜けようとしたら、途中にある階段から降りて来たノブちゃんとばったりと……。あっ、上野プロや！　って大きな声で……。あそこにはいったいどこになんぼほどの階段があるんです？」

「わしの息子は、お前のことを上野プロと呼ぶのか？」

「このおかたはビリヤードの名人で、有名なコーチなのだから、ちゃんと上野プロと呼ぶようにってノブちゃんに言うたのは大将ですよ」

上野は人差し指すべてと中指の第二関節から先がないほうの右手で器用に煙草《たばこ》を揉《も》み消しながら苦笑した。

「それからどうしたんじゃ」

「上野プロは、なんでここにいてるのかって訊くから、とびきりの美少女っちゅうのを見に来たんやって正直に言うてしまいまして……」

「そしたら？」

「そしたら、見せてあげるからちょっと待っときやっちゅうて階段をのぼって行って、咲子っちゅうその美少女の手を引っ張って、私の前につれて来てくれたんです」

津久田咲子は、いったい何事かという表情で伸仁と階段を降りて来たが、すぐに怒ったような顔で伸仁の頭を叩《たた》いて自分の住まいへと戻ってしまった。

上野栄吉はそう言って笑った。

「この人は上野プロやねん。ビリヤードの王様やねん、て紹介してくれまして……」

今後あの蘭月ビルのなかをうろうろしてはならないとあれほど言って聞かせたのに、親父《おやじ》の言葉などあいつの脳味噌《のうみそ》にはまったく刻まれていないのだ。熊吾はあきれながらそう思い、

「あの美少女を見ての感想をぜひ上野プロからお訊きしたいもんじゃ」

と言った。

上野は黒い蝶《ちょう》ネクタイの歪《ゆが》みを直しながら、しばらく考えてから、

「神さまのいたずらの産物ですね」

と言ったきり口をつぐんでしまった。津久田咲子という十四歳の少女についてのさらなる感想をどう言葉にしようかと頭をめぐらせているようだったが、上野は新しい煙草をくわえ、話題を変えた。

「大将はこの阪神裏の道路の『蠟燭の女』をご存知ですか？」

「なんじゃ、それは」

「一ヵ月くらい前から、そこの四つ辻《つじ》の角に立つようになった女で、『蠟燭』っちゅう詩集を売ってるんです。ガリ版刷りのぺらぺらの薄い詩集ですけど、一冊百円で、もう百円払うたらおまけがつくんです」

上野はほのかに笑みを浮かべ、いつのまにか蠟燭の女と呼ばれるようになったが、誰もが見惚《みと》れるほどの美人なのだと言った。

「日本人離れした彫りの深い顔で、体つきも西洋人みたいです。私は白系ロシアの血が四分の一入ってるんとちゃうかと思てるんです」

「もう百円追加したら付けてくれるおまけっちゅうのは何じゃ？」

およその見当はついたが、熊吾は自分が作った暫定《ざんてい》的な料金表を折り畳んで開襟《かいきん》シャツの胸ポケットに入れながら訊いた。

「その女はスカートの下には何にも穿《は》いてませんねん。もう百円払うたら、マッチ箱とマッチの軸を一本渡してくれて、スカートのなかに頭を突っ込ませてくれるんです。マッチの火が燃え尽きるまで、あそこを眺めさせてくれるっちゅうわけです。詩集を買わずに、百円だけであそこを拝むっちゅうのはあかんそうで」

上野はそう言い、ちょっとここがおかしいのかと詩集だけを買って読んでみたが、狂人の書いた詩とは思えなかったとつづけた。

「歳《とし》は幾つくらいじゃ」

「さあ、三十前後でしょう。夜の十時くらいから三時間ほど、そこの電柱のとこに立ちます。見事なくらい無表情で、どんな言葉をかけても表情を変えません。ちょっと怒ってるような表情でねェ。それが、あの蘭月ビルの美少女とよう似てるんです。歳の離れた姉妹かと思うほどです」

受付の電話が鳴り、応対した康代が熊吾を呼んだ。

「徳沢って人からですけど」

ああ、あの衆議院議員の私設秘書とかいう男だなと思いながら、熊吾は受話器を康代から受け取った。康代は淡い赤のマニキュアを塗っていた。

「そちらに電話をしたら松坂さんに連絡がつくと不動産屋の社長に教えてもらいまして」

と徳沢邦之は言った。

熊吾は、F女学院に関する情報が役に立ったことの礼を述べた。

「昼飯でもご一緒にいかがかと思いまして。私にご馳走させていただけませんか」

「お礼をせにゃあいけんのは私のほうです。いまどちらにいらっしゃいますか」

熊吾の問いに、徳沢は桜橋の南西の角にある公衆電話から電話をかけていると答えた。歩いて一、二分のところに、うまい鶏すきを食わせる店があるという。

「昼の鶏すきは量も少なめにしてありまして、私が最近贔屓《ひいき》にしてる店なんです」

桜橋の交差点までは歩いてすぐなので、二、三分お待ちいただきたいと言って電話を切り、熊吾は「ラッキー」を出ると徳沢が待っている場所へと歩きだした。

「ラッキー」の隣にある古着屋の夫婦がまたケンカをしていた。ハンガーが飛び、裁ち鋏《ばさみ》が飛んでいた。

「本気でそんなもんを女房に投げたら大怪我《おおけが》をさせるぞ」

熊吾の言葉に、古着屋の主人は、

「素手でやり合うたら、わしが半殺しにされまんがな」

と目を吊《つ》りあげて言った。

「お前も手加減せえ。亭主に手加減してやれる女はこの世で女房だけじゃぞ」

熊吾は古着屋の女房の手から金属製の大きな灰皿を奪い取りながら笑顔で言った。

「きょうというきょうは、もう辛抱でけへんわ」

顔を真っ赤にさせた女房は熊吾よりも頑丈そうな上半身を震わせて言った。

「お前が本気でぶん殴ったら、このか弱い亭主の首なんか簡単に折れっしまうぞ。わしに免じて、きょうは腕一本くらいにしちょいちゃれ」

取りあげた灰皿を店の入口に置き、熊吾は阪神裏の入り組んだ路地から四つ橋筋へと出た。あしたから九月だったが、真昼の太陽はまったく衰えていなかった。

大きな格子柄《こうしがら》の上着を手に持った徳沢邦之がもう片方の手でパナマ帽を振った。

徳沢は予約してあったらしく、「とり門」という店の二階の座敷に熊吾を案内した。八畳の座敷にある南北の窓は明けられ、そこから肥後橋のところに建つビルの屋上が見えた。

徳沢は熊吾にビールを勧めながら、

「あの不動産屋の事務所で、松坂さんの話し声が聞こえた瞬間、あっ、あの松坂熊吾さんやとすぐにわかりました。二十年以上前に一度お逢《あ》いしただけやのに、松坂さんの声と南予のお国訛《なま》りは、私の記憶から消えてませんでしたんや」

と浅黒い顔を皺《しわ》だらけにして笑った。

「誠に申し訳ないことじゃが、わしは徳沢さんと上海《シャンハイ》のどこでお逢いしたのか、まったく思い出せんのです」

「海州園ていう茶館を覚えてはりますか？　西隣はフランスの新聞社の上海支局で、東隣は支那服の仕立屋でした。上海で百二十年つづいてるっちゅう格式のある仕立屋で、そこの若旦那《わかだんな》が海州園でお茶を飲みながらしょっちゅうブリッジっちゅうトランプのゲームをやって遊んでました」

熊吾は徳沢の言葉で、錦江湾に近い人通りの絶えないアカシアの並木のつづく長い街路を思い出した。

「海州園……。春には庭にぎょうさんの見事な牡丹《ぼたん》の花が咲く茶館でしたな。牡丹園の前には大きな池があって、いろんな色の大きな鯉《こい》が泳いじょって……」

「そうです、そうです、あの海州園です」

「海州園で、私は徳沢さんとお逢いしたわけですか？」

「一回、お逢いしました。私はあのころは三十三歳でした。いまみたいに禿《は》げ頭とちがいますし、もっと太ってました。あのころの自分の写真を見ると、これがほんまに俺かいなとびっくりします。三年前の秋に胃潰瘍《いかいよう》の手術をして四貫も痩《や》せてしまいまして」

当時の上海には、多くの外国人が居住していた。とりわけロシア人とフランス人が多かったが、日本人もそれに匹敵するほどで、まるでここは自分の国だと言わんばかりに中国人の商売に割り込んで、あこぎな所行を平気で重ねる者は多かった。

海州園の歴史は長く、開店は清王朝の初期に遡《さかのぼ》る。客に供する茶も上質で種類も多かったが、菓子はあまたの上海の茶館のなかでも随一と評されていて、創業時から海州園の菓子を造る職人は羅《ら》一族と決まっていた。

初代の羅承志《しょうし》の跡を息子の志乙《しおつ》が継ぎ、その跡を娘婿《むすめむこ》の慶供《けいきょう》が継ぎ、というふうにして、海州園の経営者の鄭《てい》一族と、菓子部門を担当する羅一族は一心同体のように一軒の茶館のなかで共存していた。

その羅一族に、海州園を超える新しい茶館の創設をそそのかしたのは当時の日本軍の上層部に取り入って傍若無人な商いを拡《ひろ》げていた日本人で、彼の目的は茶館というたかが小商いではなく、羅一族の親戚《しんせき》が数世代も前からその販売権を持つ塩にあった。塩を扱う商売は、羅一族の長兄の家系で代々引き継いでいて、海州園で菓子造りに励む一族は、塩の販売にはまったく関わっていなかった。けれども、当時の政治状況と、羅一族の身内同士の些細《ささい》ないざこざ、そして跡を継ぐべき後継者の、自分の道一筋という志の翳《かげ》りが、欲深い日本人の甘言の付け入る隙《すき》を作ったのだ。

熊吾はそれを思い出して、

「羅家の塩騒動ですか」

と言った。

「そうです。あの塩騒動ですよ」

徳沢は言って、運ばれて来た鶏すきを勧めた。鶏すきは小さな土鍋《どなべ》のなかで音をたてて煮えていた。

「ここの主人の兄さんが丹波で鶏を飼《こ》うてまして……。飼うというても、山の斜面に数十羽を放し飼いにしてるだけですが、どういう育て方をしてるのか、肉は柔こうて、味がええんです」

徳沢は、自分は胃が普通の人の半分しかないので、いっぺんにたくさんは食べられないのだと言いながら、熊吾の取り鉢に鶏すきを入れてくれた。

「あの軍部とつるんでた丸谷っちゅう男が上海から消えたお陰で、鄭家も羅家も争い事に巻き込まれることもなく、両家のアホ息子も自分らの欲ぼけから目が醒《さ》めただけやおまへん。私の妹も、三人の小さな子をつれて、敗戦間近の時期に日本へ帰る船に乗ることができたんです。あの丸谷を上海におれんようにしたのは、誰が何と言おうと、私は松坂熊吾さんやと信じとるのです」

熊吾は二十年以上前の上海の街並や、まだ三十八歳になったばかりだった自分や、懇意になった中国人たちの顔々を思い浮かべながら、

「鄭家も羅家も大家族で、使用人も入れると十七、八人の老若男女が、海州園の近くの一軒の家に住んじょりました。あれだけの大家族ともなると、ひとりやふたりは困ったやつがおるもんじゃが、そんなのはひとりもおらん。みな欲のない善人で、それぞれが上質の趣味人で、わしはあの鄭家と羅家の人々から家柄の底力っちゅうものを学びました。たしか鄭家のふたりの娘はロンドンに留学しちょりましたし、劉っちゅう大番頭はフランス留学の経験があってフランス語が堪能《たんのう》で、六十を過ぎてからバイオリンを習いだして、休みの日には自分の部屋で日がな一日、バイオリンの稽古《けいこ》をしちょった。誠に穏かな人物で、留学時代に覚えたフランス料理をわしにふるもうてくれたことがあります。そんな鄭家と羅家の善人たちを陥《おとしい》れようとしちょる丸谷は、どういうわけかこのわ

しを目の敵にするようになりまして……」

熊吾はそう言いながら、自分は塩の利権などどうでもよかったのだと思った。莫大《ばくだい》な富を築いていた塩商人たちのなかにあって、羅家の長兄一族が握っていた塩の売買の権利は全体の一割にも満たなかったが、それでも家の敷地のなかには小型の船が行き来できる河が流れていて、川べりには柳やプラタナスの並木があり、部屋数が二十幾つもある豪壮な屋敷を構えていた。

塩商人の結束は強く、掟《おきて》は厳しくて、外国人、とりわけ日本人にそれを侵されることを極端に警戒していた。

日本は、日露戦争の最中に、一国家としての限界を越えた戦費を賄《まかな》うために、塩の製造から販売までをすべて国家の専有事業としたため、個人の商売は成り立ちようがなかったのだ。

丸谷という男の本当の目的がどこにあったのかわからない。正体不明の、何のために上海に居を定めたのか判然としない怪しい日本人が、当時の上海には跳梁跋扈《ちょうりょうばっこ》していたのだ……。

「わしは、丸谷っちゅう男が嫌いじゃったのです。虫が好かんというか……。日本の軍属の尊大な連中も嫌いじゃったし、領事館の武官連中の、中国人への狼藉《ろうぜき》も、おんなじ日本人として我慢がなりませんでした。しかし、わしとおんなじように、あいつらをなんとかしてこらしめてやりたいと思うちょる日本人もぎょうさんおった。わしはそういう日本人たちと結託して、丸谷が中国におる日本の軍属や外交官や民間人にとって必ず禍《わざわい》になるっちゅう風説を日本に流しつづけただけです。風説というのはデマっちゅうことを意味しますが、わしが流したのはデマやあらせん。五の悪事を七か八に膨らませただけのことで」

「どんな風説です？」

と徳沢は訊《き》いたが、熊吾は笑って答えなかった。

「強大な組織をうしろだてにしてふんぞり返っちょるやつが最も恐れるのは、自分がよるべとするその組織そのものです。組織にとって禍となりそうだと警戒されたり、うとんじられたら、遅かれ早かれ、左遷《させん》が待っちょる。あのころは、日本は対中国政策に極めてデリケートな舵取《かじと》りをせにゃあならん時期でした」

熊吾は、丸谷という男が日本に逃げ帰った真の理由を語らなかった。

丸谷が上海から姿を消したのは、この自分のいささか小狡《こずる》い計略のせいだけではない。丸谷が梅毒にかかったからだ。

熊吾はそう思っていた。

医者の見立てでは、丸谷は梅毒にかかってすでに十年は経過していた。東京に残していた妻は五年前に子を産んでいる。

自分が十年前から梅毒に冒されていたことを上海の日本人医師によって宣告された丸谷は、すべてを捨てて日本に帰るしかなかった。自分だけでなく、妻にも子にも梅毒の累《るい》が及んでいるのは疑いようがなかったからだ。

「私の妹は、亭主と一緒に上海に渡ったんですが、事情があって亭主だけ日本に帰りまして、そのまま離婚しました。妹が三人の子供と一緒に上海に残ったのは、弟が中国人の経営する貿易会社で働いてて、そこで日本式の簿記ができる人間を求めてたからです。妹は簿記の一級免状を持ってましたから、住みやすい上海で子供を育てようと決めたんです」

と徳沢は言った。

「その妹が弟と一緒に借りた家が、鄭家の持ち物で、それでいつのまにか、鄭家の末っ子一家と仲良うなりまして……。その鄭家の末っ子の口からしょっちゅう松坂さんのお名前が出たそうです。そのころは、松坂さんはもう上海の会社を手放して、日本に帰ってしもてました」

話せば長いことなので割愛するが、日本の敗色が濃厚になり、一刻も早く日本へ帰る船に乗らなければならない事態が迫ったとき、鄭家と羅家の人々は、妹たち一家の中国脱出に尽力してくれた。彼等一族の連携がなければ、妹たち一家はおそらく日本に帰ることはできなかったはずだ……。

そう言ってから、

「周栄文という人をご存知ですか？」

と徳沢は訊いた。

熊吾は鶏肉を頰張ったまま驚いて徳沢の眼鏡の奥の小粒な目を見た。

「周はわしの親友です。親友というものは、わしには周栄文以外にはおらんでしょう」

「周栄文さんは若いころ、鄭家の末っ子のフランス語の家庭教師やったんです。日中戦争の勃発《ぼっぱつ》で日本から上海に帰って来た周さんは、ほんの三週間ほど鄭家に身を寄せてました。そのとき、周さんは、絶対に他言しないでくれと断わってから、自分が日本で日本人の女と結婚したこと、その妻とのあいだに女の子が生まれたことを話して聞かせたそうでして、周さんの口から松坂熊吾という名前が出たんです。鄭家の連中はびっくりしました。塩の利権を盗もうとした丸谷っちゅう男を上海から消したお方やったからです」

海州園という歴史ある茶館につれて行ってくれたのは周栄文だったし、彼のフランス語の発音は完璧《かんぺき》だと評する人もいたが、鄭家の末っ子の家庭教師だったということは周はひとことも語らなかった……。

熊吾はそう思いながら、名状しがたい深い思いのなかにひきずり込まれていった。

徳沢は、どれもこれも妹から聞いた話なので不正確なところもあるかもしれないが、鄭家の人々も羅家の人々も、そして妹も、松坂熊吾という人物に深い感謝の思いを抱いているのだと言った。

「共産主義が、鄭家と羅家のあの仲のええ一族をどんなふうにしてしもたことやら」

徳沢はご飯茶碗《ちゃわん》のなかの飯を半分も食べずに、小さく切って皿に載せてある西瓜《すいか》を口に運びながら言った。

海州園の年代物の柱や牡丹の庭。そこに集ってトランプゲームに興じたり、中国将棋の盤を囲む客たち。凝った鳥籠《とりかご》のなかのうぐいすの鳴き声を競い合っている老人たち。艶《つや》やかな弁髪の上に絹の丸い帽子を載せた鄭家の長老。菓子を運ぶ羅家の嫁。深い茶の香り。使い込んだ中国の茶道具……。

そこに、やっと手に入れた英国製のソフトをかぶった三十八歳の自分を置いてみると、熊吾は、もし隠された功徳《くどく》というものが実在するならば、それはこの自分にではなく、仲仁や、あるいは仲仁の子や、さらにその未来に生を受ける者たちに降り注ぐのではないのかという気がした。

「私はこれから親分の地元に戻らにゃあいけません」

徳沢は言って茶を飲んだ。親分とは、愛川民衆という衆議院議員のことであるらしい。

「徳沢さんの親分は、たしか愛知が地盤でしたな」

熊吾の言葉に、

「日本全国に県人会っちゅうのがあります。全国っちゅうても、大都会に限られるんですが、大阪や東京に住む愛知県出身者、それも私の親分の地盤の出身者を集めて、年に一回、温泉に招待するんですす。松坂さんとお逢いしたあの不動産屋の社長は、その県人会の幹事でして」

と徳沢は説明した。

「そうやって、こまめに票をかき集めていくわけですな」

「そうです。県人会、遺族会、医師会、老人会、町内会、同窓会。あそこは十五票、こっちは二十二票、あっちは十三票……。この積み重ねが選挙の勝敗を決めます。私の夢は、親分を大臣にすることとです」

「夢ですか……。わしはそれが徳沢さんのお仕事かと思うちょりました」

「私は秘書としての給料は貰《もら》っとりません」

「そうすると、どうやって生計を立てておられるんですか」

「私の収入ですか？　それはまた折に触れてご説明しますよ」

徳沢は笑い、熊吾が西瓜を食べ終えるのを待って立ち上がったが、狭い急な階段を降りながら、

「私の収入は、親分公認のピンハネです。ピンハネで足らんときは、親分に小遣いを無心します。機嫌のええときは二、三十万、ぽんと机の上に置いてくれますが、悪いとき

は十万くらい。それに正月の餅代《もちだい》と称して、年末に五万ほど」

と言った。

「親分が大臣になった暁には、ピンハネの額も大きくなるわけですか」

「さあ、どうですやろ……。まだいっぺんも大臣になってないから、私にはわかりませんのや」

徳沢は笑い、またご連絡してお食事にお誘いしてもいいかと訊いた。

「こんどはわしがお返しをしたいのですが、とにかくいまは零落して尾羽打ち枯らした状態で、電気も水道もない家に侘《わ》び住まいのありさまでして、仕事のための運転資金に事欠いちょります」

と熊吾は笑顔で正直に言った。

すると、徳沢は少し顔をしかめて熊吾を見つめ、大きな鰐革《わにがわ》の財布から千円札の束を出すと、それを熊吾のズボンのポケットに素早くねじ込んだ。

「お礼です、二十数年前の」

熊吾がその札束を返そうと跡を追うと、徳沢はタクシーを停め、

「あのときのご恩返しにしては申し訳なさすぎる額ですが」

と言い、大阪駅の方へと去って行った。

熊吾は、ふたつに折り畳んだ千円札の束を持ったまま、しばらく日盛りの交差点に立

っていた。それから千円札の枚数をかぞえた。五十枚あった。

真新しい小さな三輪自動車に乗った男が信号待ちをしながら熊吾の手のなかの札束を見ていた。

ああ、これがいま爆発的に売れているという新型の三輪自動車なのだなと思い、

「これはミゼットっちゅうやつですか」

と男に訊いた。男は頷《うなず》き返し、まだ乗り始めて三日目だと言った。

ダイハツ工業が八月に売り出したミゼットというひとり乗りの軽三輪トラックは、軽免許で運転できるし、荷台にはかなりの量の荷物が載せられて、しかも小回りがきくということで、おそらく空前のヒット商品になるだろうと噂《うわさ》されていた。

「もはや戦後ではない、か……」

去年の暮れあたりから巷《ちまた》で謳《うた》い文句になっている言葉をつぶやきながら、熊吾は自分の車を停めてある丸尾運送店には寄らず、そのまま国道二号線を西へと歩いてF女学院へと向かった。

日中貿易協定締結交渉のための通商使節団が羽田空港から出発したという新聞記事を読み終えると、熊吾は「出陣じゃ」と房江に言って、船津橋のビルを出た。

堂島川に沿って東へ歩き、堂島大橋を北へ渡ると、古い倉庫跡を事務所として使って

いる製薬会社の受付で名刺を出し、来年、福島西通りの交差点に大型の駐車場を開業することになったので、そのご説明にうかがったと言った。

受付の前の椅子《いす》に坐《すわ》って待っていると、総務担当の若い社員がやって来た。

「うちでは営業用の軽自動車がいま五台あります。ことし中にもう三台増える予定でして、ここから歩いて十二、三分のところに駐車場ができるのはありがたいですが、八台まとめての月極料金を考えていただけませんか」

と担当者は言い、さらに、それらの車に薬を積んで近畿一円の薬屋を廻る営業担当者は帰って来るのが遅い日もあり、大事な薬のサンプルを車内に置いたままにする場合が多いので、それが盗まれたりするような駐車場では困るのだとつけくわえた。

「駐車場の営業は、朝の八時から夜の十時までで、それ以外は頑丈な門を閉めて鍵《かぎ》をかけますし、夜は管理人が泊まりこむようにするつもりです」

そう答えながら、車のなかのものにまで責任を持つことはできないなと思い、正直に自分の意見を述べた。

「しかし、お預りした車には責任を持ちますが、車のなかや荷台に積まれた品がもし外部の者に盗まれても補償はできかねます。駐車場は代金を頂戴《ちょうだい》して車をお預りするのが仕事ですので」

「それはおかしな話ですね」

と担当者は言った。

「外部の者の侵入を許したということは駐車場の管理に手落ちがあったのですから」

なるほど、これから多くの会社や商店と交渉するにあたっては、この問題は避けて通れないのだなと熊吾は思った。

理詰めで話をするのが好きそうな青年に、熊吾は穏かに微笑《ほほえ》みながら、

「御社の方々ともご相談下さい。開業は来年の四月一日ですので」

と言い、どんな薬品を販売なさっているのかと話題を変えた。

「まだ会社は若いんです。二年前に創業して、ドイツの科学者の指導のもとに痔疾《じしつ》治療の軟膏《なんこう》と坐薬《ざやく》の販売を始めましたが、いま新しい画期的な栄養剤を開発中です」

「画期的な栄養剤……。どんな栄養剤ですか。子供にも効きめがありますか」

熊吾の問いに、担当者は、まだ公《おおやけ》にはできないのだがと前置きし、

「ニンニクの有効成分を抽出して、そこから有毒なものや臭みを除去したものです。ニンニクの滋養強壮の力は古今東西折紙付きですから、育ち盛りの子供の体にもええことは間違いないです」

若い担当者の言葉には、自社が開発中だという薬への誇りが感じられた。

「ほとんど完成してまして、あとは厚生省の認可が降りるのを待つだけです。ニンニクから抽出したものは液体ですので、それを家庭や職場でどうやったら簡単に服用できる

か。いまはその案を実際にいろいろと工夫して試してる段階です」

いわば会社の機密事項をうっかりと喋《しゃべ》ってしまったと思ったらしく、担当者は熊吾が持参した駐車場の料金表を持つと、上司と相談して検討しておくと言って、自分の持ち場へと帰って行った。

熊吾は、通りをさらに北へと渡り、塗料販売店に入り、次にボイラー会社を訪ねた。

そうやって、自動車を持つ会社や商店で一軒一軒説明しているうちに、F女学院の前に辿《たど》り着いた。

ちょうど昼の休み時間らしく、二階建ての木造校舎の窓辺でも校庭でも、女子高生たちが賑《にぎ》やかに喋ったり、バドミントンに興じたりしていた。

千二百坪というと広いように思うが、校舎が建ち並び、校庭に女子高生たちが溢《あふ》れていると、いやにこぢんまりとした学校だという感じがした。

熊吾は校門から校庭へと入り、その真ん中に立って、あらためてF女学院の全体を眺めてみた。学校はすべて塀で囲まれているが、その塀の周りには民家が密集している。

校門の南隣には歯科医院、梱包《こんぽう》用品店、仕舞屋《しもたや》、それにポンプの販売店がある。北隣には薬店、カメラ店、印章店、洋服店が並び、学校の北側は細い路地を挟んで、文具店、メリヤス卸業店、自動車部品販売店、段ボール製品業店が軒をつらねていた。

校門を入ってすぐの南側は校舎でその校舎と向き合うように東側に講堂がある。校門の北側にはL字形の校舎がつづき、その東側は校庭用地で建物はなかった。

熊吾は、講堂を見て、これは使えるのではないかと考えた。四方の壁をぶち抜いて、屋根と柱だけ残せば、立派な屋根付きの駐車場となる。

校門の南側の校舎の一階は用務員室らしいが、そこを駐車場の受付兼事務所にして、その隣の職員室も残せば、駐車場の管理人の住まいに使えるではないか。

「なにも高い金をかけて校舎の全部を取り壊すことはないんじゃ」

午後からの授業開始をしらせるベルが鳴り、女子高生たちがそれぞれの教室へ戻って行ったので、熊吾も女学院から出て通りを渡り、きょうのいちばんの目的であった弁当業者の事務所のドアをあけた。

その弁当業者は、いかにも才覚のありそうな四十代半ばの男で、弁当だけでなく、幾つかの学校の食堂も請け負う仕事にも手を拡《ひろ》げていた。

前日に約束してあったので、社長は熊吾を待っていて、近くの喫茶店に誘った。

「けさ、ここで七十匹の塩鮭《しおざけ》を焼きましたから魚臭いですやろ」

社長は事務所の奥の大きな調理場を指差して言った。その富士乃屋《ふじのや》という社名の弁当屋は業務用の車を十二台所有して、それは毎日一台も休むことなく稼動《かどう》していた。

喫茶店の窓は、市電の走る道を隔ててF女学院の校門と向かい合っていた。

富士乃屋の社長は、熊吾から受け取った「シンエー・モータープール月極《つきぎめ》契約価格表」に目を通すと、十二台一括でひと月の代金をこれだけにしてくれるならばいますぐにでも契約すると言って、メモ用紙に数字を書いた。

歯切れのいい低音と精悍《せいかん》な顔つきは、一介の弁当屋で終わりそうにない勢いも感じさせて、熊吾は谷という名のその男が、上海の海州園の常連だった孟賢達《もうけんたつ》と声も容姿も、たたずまいも似ていると思った。

孟もまた忘れ難い男だ。生きていればいま七十二、三歳であろう。手広く茶の卸し業を営んでいたが、当時の上海の維新派の旗頭として当局から常に行動を監視される存在だった。

海州園の北側には胡同《フートン》様式の集合住宅が密集する地域があり、そこに住む子供たちは孟賢達を孟大老と呼んで慕っていた。

その孟が、あるとき、海州園で茶を飲んでいたフランスの若い外交官と烈《はげ》しい口論をしたことがある。

口論の原因が何だったのかわからないが、孟は自分の部下に紙と筆を持って来させて、そこに短い文章を書き、その紙に糊《のり》を塗り、フランス人外交官の額に貼《は》った。

フランス人も血気盛んな若者で、その紙を丸めて孟に放り投げ、決闘を申し入れた。それが本気であることは、近くの席にいた熊吾にはわかったし、孟が受けて立つ男であることも知っていたので、仕方なく仲裁に入った。

「この中国人の無礼を許してやってほしい。ここはあなたの国ではない。あなたの国の騎士道では、決闘は勇者の証《あかし》だが、中国には騎士道も武士道もなく、それはただの殺し合いにすぎない。ならず者のやることなのだ」

熊吾はそんな意味のことを言い、それを日本語が堪能《たんのう》な者に訳させた。

するとこんどは孟が目をすぼませて熊吾を見すえ、俺は騎士道や武士道などを超えたものを心に持っていると言った。

外交官という己の立場に立ち還《かえ》り、心を鎮《しず》めたらしく、フランス人は茶代をテーブルに置いて出て行った。

憤懣《ふんまん》のおさまらない孟は、さっきフランス人の額に貼った紙をひろげて、それを熊吾の額に貼りつけた。

怒りに駆られた粗暴な行為なのに、孟の表情には熊吾への挑発も侮蔑《ぶべつ》もなかった。海州園の前の道に集まってなりゆきを見守っている中国人たちへの芝居なのだと熊吾は気づき、額の紙を取らないまま椅子に坐って茶を飲んだ。そのなかには、私服の刑事も数人いたのだ。

野次馬から笑い声が起こり、溜飲《りゅういん》を下げたように熊吾に何か声をかける者もいた。

騒ぎがおさまると、孟は熊吾と向かい合って坐り、額の紙を取ってくれて、礼を述べた。熊吾は、紙に書かれてある言葉の意味を訊《き》いた。

――他人の国で王となるなかれ。

ここから西に千里も離れた、我々とは異なる民族の国の言葉だと孟は言った。

十日ほどたって、熊吾の住まいに、上質の絹の男性用の支那服が届いた。孟賢達からで、まるで熊吾の体を隈《くま》なく計ったかのように寸法が合っていた。

それからまた何日かたって、孟賢達の使用人が船遊びの招待状を持って訪ねて来たが、熊吾は外せない所用のために招待に応じられなかった。

船上に美女たちを侍《はべ》らせて豪華な料理を味わうその孟主催の船遊びに参加した日本人の口から、その日、孟が迎えに来た小舟で船から去ったあと姿をくらましたことを教えられた。

熊吾は、その後一度も孟と再会することなく日本に帰国したのだ。

富士乃屋の谷に支那服を着せたら、そっくりそのまま孟賢達になりそうだと熊吾は思いながら、谷の要求を受け入れた。

「この価格にすると、十二台の車を預かって十台分の代金を戴くことになりますな。つまり二台分はただということです」

熊吾は笑顔で言った。

富士乃屋の社長は、ジュースを飲むと、喫茶店の代金を払おうとしたので、

「これは私が」

と熊吾は制した。

「この女学院が移転して、そのあとにモータープールなんて大駐車場ができるなんてねエ……。プールができるっちゅうので、うちの従業員のなかにはもう海水パンツを買《こ》うた慌《あわ》て者がいてます」

富士乃屋の社長は、笑いながら言って喫茶店から出て行った。

熊吾は残っているジュースを飲みながら煙草《たばこ》を吸い、久しぶりによく歩いて疲れた脚を休めるために革靴を脱いで、体全体を椅子に凭《もた》れさせた。そうやって、F女学院の校門を見つめているうちに、上海の海州園に集う常連客の顔や、古風な茶館独特の静かな喧騒《けんそう》が甦《よみがえ》ってきた。

悪辣《あくらつ》な女衒《ぜげん》もいたな。郭忠南《かくちゅうなん》という男だ。あいつは日本人の娼婦《しょうふ》も食い物にしていた。異国で生き直そうとして上海にやって来た女たちは、生き直すどころか、日本よりももっと劣悪な娼窟《しょうくつ》に身を落とすしかなかった。女衒の郭は、そんな日本人の女で儲《もう》けていた。

崔《さい》という占い師がいたな。あいつの占いは脅しによって成り立っていた。まず顔を見るなり、「内臓に問題がありますよ」と言う。内臓に病気があるとは言わないのだ。そして、商売のこと、家庭のこと、未来のこと等々の占いをしてから、結託している医者を紹介する。医者は、崔から紹介されてやって来た者を診察し、膵臓《すいぞう》に炎症があるとか、脾臓《ひぞう》が未発達だとかいい加減なことを言って治療代を稼ぎ、そのあがりの何割かを崔に払う。

要するにキック・バックというやつだ。

崔は占い師のくせに、強い蟋蟀《こおろぎ》を飼育することが下手だったし、蟋蟀を闘かわせる勝負では負けてばかりだった。

うずらを売る行商人の丁阿《ちょうあ》は、一日の儲けの大半を茶代に使ってしまっていた。丁が飲む茶は、雲南のなんとかという山岳地帯にだけ自生する高価な茶で、まるでそれを飲むために早朝からうずらを売り歩いているようなものだった。

丁が茶を飲んでいると、店の入口に置いた籠《かご》のなかからうずらたちが出て来て店のなかに入って来る。鄭家の嫁は、そのうずらを盗もうとする者に目を光らせたり、店のなかで糞《ふん》をするうずらを追いかけたりと忙しかった。

いつも専門の人体組織学なるものの文献を読みふけっているフランス人もいた。上海の医科大学で教鞭《きょうべん》を執っていた中年の学者だ。あの学者は、男色家の小乙こと王乙龍に執着して上海から離れられなかった。

その王乙龍が最も惹《ひ》かれていたのは、妻子のある仕立屋の呂祖慈《ろそじ》だ。呂が自分の強い男色傾向に気づいたのは結婚して妻が身ごもってからだという。腕のいい仕立屋らしく、いつも上等の背広を着て蝶《ちょう》ネクタイをしていた。

王乙龍と呂祖慈が海州園でわざと離れた席に坐って、そっと見つめ合う目に、俺はしばしば見惚《みと》れたものだ……。

熊吾は、なぜこんなにも上海時代のことが鮮明に思い出されてくるのかと薄気味悪さを感じた。

塩の利権に事寄せて、何かもっと他のことを目論《もくろ》んでいた丸谷を上海から消そうとしたのは、義憤に駆られたわけでもなく、正義の使者たらんと考えたわけでもない。丸谷がこの松坂熊吾という三十八歳の若造に敵意を持っていたからだ。

その丸谷の敵意が、何に依《よ》って生じていたのかわからない。ただ単に虫が好かなかっただけということはおおいに有り得る。そして、俺の工作がどれほどの影響があったのかもはなはだこころもとない。

俺にしては、いやにしつこく丸谷の上海での風評を意図的に流しつづけたが、それはいかほどの功も奏しなかったはずだ。

それなのに、鄭家も羅家も、この俺に深い感謝の思いを抱きつづけていたという。

徳沢邦之から、ほんのお礼だと言って渡された五万円は、じつにありがたかった。徳沢からそのようにして金を恵んでもらうことは潔《いさぎよ》しとするところではないが、モータープール開業のために動き廻るには金が要る。天からの恵みのような金だと言うしかあるまい……。

「恩か……」

熊吾は、胸のなかでそうつぶやき、海州園から上海の長い街路へと出て行くときにいつもそうしたように、ことさら胸を張って、指で口髭《くちひげ》を撫《な》でつけた。

この人間社会には、いつか必ず恩を返そうとする人が確かにいるのだ、ということがいまの自分に活力をもたらしていると熊吾は思った。

第四章

伸仁が尼崎市立難波小学校に転校してからこれまでに二度、父兄の学級参観と担任教師との懇談会があったのだが、房江も熊吾も行くことができなかった。房江は「お染」での勤めを休めなかったし、熊吾もその日にかぎってモータープール開業のための大事な用事があったのだ。

しかし、冬休みを前にした十二月中旬に行なわれる懇談会のお知らせには、担任の教師の達筆な字で、伸仁君についてどうしてもお話ししなければならないことがあるので必ずお越しいただきたいと書かれてあった。

伸仁はそのガリ版刷りのお知らせを届けるために、先週の日曜日に船津橋のビルにやって来たが、すぐにまたひとりで市電とバスを乗り継いで尼崎へと帰って行った。

あんなに父と母の住む船津橋のビルで一緒に暮らしたがっている伸仁が、用事を済ませるとなぜ母親が引き留めるのも無視して帰ってしまったのか、房江はその理由がわかっていた。

自分が十月の半ばあたりから、勤めを終えて帰って来ると酒を飲むようになったからで、休みの日曜日でも、昼から酒を飲み始め、夫がいないときは夕刻にはひどく酔っ払って蒲団《ふとん》にもぐり込み、何をする気力もなく寝ている。

伸仁はそんな母親を嫌って避けているのだ、と。

熊吾も、いったいお前に何があったのかと訊《き》くが、房江が答えないでいると、お前はとりわけ胃が丈夫ではないのだから、翌日に残るほどは飲むなと言うだけで怒りはしなかった。

妻を、底意地の悪い女主人の営む小料理屋とは名ばかりの酒場で賄《まかな》い婦をさせていることへの申し訳なさが、短気な夫の怒りをいまは抑えさせているのだと房江は知っていた。

しかしそれも時間の問題であろう。私が酒に酔うことを夫がどれほど嫌っているかは、私がいちばんよく知っている。そう遠くないうちに、私の酒を諫《いさ》める思いと、自分の怒りとが重なって、私を殴るときが来る。

房江はそう思いながらも、毎日の酒をやめることができなくなっていた。

仕事の疲れもあったし、電気も水道もないお化け屋敷に似たビルでの生活は、潔癖性の房江には神経が苛立《いらだ》つことだらけであったが、房江の心を最も苦しめているのは、九月に入ったあたりから週に一、二度「お染」にやって来る元新町芸者の千代鶴こと島津育代の執拗《しつよう》な蔑《さげす》みの言葉であった。

島津育代は、あきらかにこの私と熊吾を侮蔑《ぶべつ》するために「お染」の客となったのだと思うしかなかった。

――この人のご亭主はなァ、戦前戦中にかけて、飛ぶ鳥を落とす勢いやってんけどなァ。

――新町の「まち川」の時代、まあ言うたら女将《おかみ》の代理を務めてたころの房江さんは、売れっ子の若い芸者よりもはるかに人気があったんや。

――神戸の御影《みかげ》のお屋敷に、子守りを兼ねた女中まで置いて、あの終戦直後の物のないときに、そらもう贅沢《ぜいたく》な生活をしてはったそうやねん。

――私、空襲のある半年ほど前、私のお客さんと有馬温泉に行った帰りに、豪壮な松坂邸を見るためにわざわざ前を通ったことがあるねん。庭だけでもいったい何坪あったやろ。そのとき一緒やったお客さんをお座敷で子供扱いしたのが、この人のご亭主や。大会社の社長をぎょうさんの人の前で子供扱いするなんて下品で身の程も知らん成り上がりやもん、そらまあ、落ちぶれだしたら底無しやわ。

店に来るたびに、周りの客たちにも聞こえるような声で島津育代は「お染」の女主人にそう話しかける。そんな島津育代の言葉に「お染」の女主人も一緒になって、へぇ、そうですかァ、浮き沈みは世の常っちゅう言葉はほんまやねんねぇと笑ったりする。

初めのうちは、この人は松坂熊吾という客を本気で好きだったのだな。だとすれば、この人の口から出る言葉はことごとく嫉妬《しっと》によるものなのだ。私を辱《はずかし》めることで、私に男を奪われた恨みを晴らしているつもりなのだ。黙って聞き流していれば、そのうち来なくなるだろう。

房江はそう思っていたが、十月に入ると、島津育代の「お染」へ来る回数は増えた。このしつこさは、いったい何であろう。もはや病的というしかない。房江は、新町の売れっ子芸者であったころの千代鶴を思い浮かべてみたが、甦《よみがえ》ってくる千代鶴は、芸者のくせに芸事が嫌いな、その我儘《わがまま》さを天真爛漫《らんまん》さに変じる機知と愛嬌《あいきょう》に富んだ美貌《びぼう》の女であった。

朋輩《ほうばい》をいじめることもなかったし、出入りの呉服屋や履物屋などに邪険な態度をとったりもしない。置き屋の十四、五歳の女中の境遇に同情して、そっとお小遣いを渡したりもする優しさも持っていて、房江はあまたの新町芸者のなかでは千代鶴に最も好感を抱いていたのだ。

房江は、また今夜も島津育代が来るだろうかと思うだけで恐怖を感じるようになり、いっそ「お染」を辞めて別の働き口を捜そうと考えてみたが、自分を雇ってくれそうなところはどこも「お染」よりも給金が少なかった。

ひるむ気持を奮い立たせて船津橋のビルを出て市電の停留所に行きかけた房江は、島津育代が店に来たら女主人に内緒で酒を飲んでみようと思った。酒を飲むと、自分はつかのま気が大きくなる。些細《ささい》なことなどどうでもよくなる。矢でも鉄砲でも持ってこいといった心持になる。

そうすれば、島津育代の陰湿な言葉など右から左へと聞き流し、たしかに人には浮き沈みがある、私たち一家はいまは沈んでいるが、それはいわば世を忍ぶ仮の姿だ、いずれ夫はかつての勢いと運とを取り戻し、どんなにお金があろうとも、たかが酒場のマダムではないか、と笑い返すときが来るのを楽しみに待っていようという思いで元芸者と向き合えるのではないか。

房江はそう考えて、黒門市場の近くの酒屋でウィスキーの小壜《こびん》を買った。それが発端だったのだ。

酒は効きめがあった。島津育代が何を言おうが、房江は恥かしさも怒りも感じないいま、まったく無視するか、ときには微笑を返す程度でやりすごすことができた。房江が気をつけなければならないのは、感情を顔に出して言い返すことだけだった。

島津育代が店にやって来ると、調理場の奥に置いてあるハンドバッグのなかのウィスキーの小壜の蓋《ふた》をそそくさとあけて、三分の一ほどを一気に胃に流し込み、その倍ほどの水を飲む。

北新地の自分の店に行かねばならない島津育代は、七時ごろやって来て、八時には必ずタクシーを呼んでくれと頼み、どんなに遅くとも八時半には「お染」から出て行くのだ。その一時間ほどの一種の拷問《ごうもん》のような時間は、小壜に三分の一のウィスキーが苦痛を消してくれる。

だが、酔いが醒《さ》め、ときに最後の市電に乗り遅れて夜中の御堂筋を歩いて帰る道すがら、酒の残滓《ざんし》は房江の心に、着物を着た白骨死体を浮かびあがらせてくる。

熊吾が自分の母の死を事実として認め、たとえ遺骨はなくとも、郷里の一本松村の父・亀造の墓に、母・ヒサの名を刻むことを決めたのは、徳島県と香川県の境にある村の駐在所まで出向いてくれた中村音吉からの手紙によってであった。

その村の北の入り口ともいうべき地点で、愛媛県南宇和郡の城辺《じょうへん》というところへ行くにはここからどっちの方向へ行けばいいかと杖《つえ》をついた老婆《ろうば》に訊かれた男がいたことを音吉は知り、その男と面談した。

男の記憶もおぼろになってはいたが、その老婆の口から出た城辺という地名だけで充分だと思う。音吉の手紙にはそう書かれてあった。

熊吾は断を下すと、中村音吉に礼状をしたため、亀造の墓にヒサの名を刻んでくれるよう頼んだのだ。死亡した日は刻まず、享年《きょうねん》だけを彫った。

いったい音吉は、南宇和の城辺からどんな道筋を辿《たど》って、徳島県と香川県の境にある小さな村へと行ってくれたのであろう。

四国の南西部から北東部まで斜めに山深い道を行くはずはあるまい。バスで宇和島市まで行き、そこから列車で松山に出て、さらに香川か徳島まで行き、そこからはバス以外に乗り物があるとは思えない。バスから降りても、徒歩でかなりの道のりを行かねば県境の小さな村には辿り着かないはずだ。

音吉からの手紙には、自分の労にはまったく触れず、おととし、マラリアの新しい特効薬が発明され、アメリカ製のそれを約一ヵ月服用して以来、にわかに体に活力を感じるようになったので、復員後、忘れたころに襲ってくるあの恐しい高熱の元凶と縁が切れたのだと確信できるようになったとしたためられていた。

富山にいたころは夕刻になるとヒサの亡霊とでも言っていいようなものが心を占めて、ヒサへの申し訳なさが房江に酒を求めさせたが、いまは島津育代のことで再発した酒癖が夜中にはヒサの着物を着た白骨体の無惨《むざん》さからの逃避という形で深まりつつあった。

「とにかく、伸仁くんは、つまり要注意人物です」

と峰山文一郎という名の担任教師は言った。

「宿題は何ひとつやってきませんし、授業では私の話なんかほとんど聞いてません。落ち着きがなくて、なにやかやと教室の秩序を乱します。乱暴なことをするわけやないんですが、伸仁くんがこのクラスに転校してきてから何かがはっきりと崩れました。とくに成績のええ子たちには迷惑な存在なんです」

「迷惑って、具体的にどんな迷惑なことをするんですか？」

房江の問いに、色の浅黒い、ロイド眼鏡の、四十代半ばとおぼしき教師は、困ったような笑みを向け、

「具体的に何かをするというのではないんです。伸仁くんの存在が、成績のええ子たちの邪魔をしてるというのか……」

と言った。

房江は峰山教師が何を言いたいのか、伸仁の母親に何を要求しているのか、よくわからなかった。

落ち着きがない。教師の話をよく聞いていない。我儘だ。

それは伸仁が小学生になったときから、大阪の曾根崎《そねざき》小学校でも、富山の八人町小学校でも、つねに担任の教師から指摘されつづけてきたが、伸仁の存在そのものがクラスの秩序を乱していると言われたのは初めてであった。

房江は、現在の自分たち一家の状況を説明し、親の目が届かず、そのために宿題をしなかったり、落ち着きがなかったりするのであろうから、その点に関してはよくよく注意しておくが、このようなことをするのでクラスの秩序を乱すとか、成績のいい生徒の邪魔になると具体的に指摘してもらわなければ、親としては注意の仕様がないと言い、

「授業中に騒ぐとか、誰かをいじめるとか、授業がいやで勝手に教室から出て行くとか、そんなようなことをするんでしょうか」

と訊いた。

「いえ、そんなことはしません。しませんが、私が担任してたこのクラスは、仲仁くんが転校してきてから、はっきりと変わりました。なんとなく騒々しくなったといいますか、クラス全体に落ち着きがなくなったといいますか……」

峰山教師はそのあと、

「剽軽《ひょうきん》なおもしろいことを言うたり、やってみせたりして、クラスのみんなをよう笑わせてます。漫才がうまいんです。おんなじクラスの土井っちゅう生徒と組んで即興で漫才をやるんですが、即興とは思えんくらい上手で、おもしろいんです」

と、まあひとつくらいは褒めておこうといった口調でつけくわえた。

担任の教師との懇談を終えると、銀杏《いちょう》の裸木が塀の内側にまばらに植えられている校庭に出て、房江は、あと四ヵ月の辛抱だと思った。あと四ヵ月たてば、親子三人で暮らせるようになる。

柳田元雄は、「シンエー・モータープール」が開業すれば、どうしても管理人が必要で、しかもその管理人にはモータープール内に居住してもらわなければならないと夫に言ったという。

自分としては、モータープールの設立に一から取り組んだ人がその役に最も適していると考えている。なぜなら、預かった車の所有者のことをよく把握していて、車がその所有者の仕事にどのように使われるかも知っているので、モータープール内のどこに駐車させておけばいいかもわかるからだ。もし松坂さんの奥さんが承諾してくれるなら、松坂夫妻に管理人として居住してもらえないだろうか。無論、給料も支払うし、居住に必要な光熱費も水道代も無料ということになるがどうだろうか。

そう熊吾に打診したのだ。

房江にとっては願ってもない話だったが、熊吾は、俺に管理人までやれというのかと機嫌が悪かった。

しかし、心は多少動いている。たとえ借金をしてでも、伸仁を私立の中学に入学させたいと思っている夫には、柳田元雄の好意はありがたいはずなのだ。

いまのところ、夫はそれを好意とは受け取っていない。夫には夫の誇りがあって、柳田元雄の会社の社員として使われたくはないという思いがあるのだ。けれども、夫はいざとなれば、つまらぬ自尊心などいつでも捨てることができる人だということは私がいちばんよく知っている。私たち一家は、来年の四月にはシンエー・モータープールの敷地内で管理人として再出発することになるであろう。

電気、ガス、水道代も払わなくていいどころか家賃も要らず、そのうえ給料まで貰《もら》える。

いまの船津橋のビルでの生活を思えば何の不足があろう。なによりも伸仁をあの蘭月ビルという名の迷路のような貧民窟《くつ》から、私たち夫婦のところへと帰してやることができるのだ。

貧民窟……。世の中にはもっともっとその名にふさわしいところが存在するであろうが、あの蘭月ビルは、私が知るかぎりにおいては貧民窟というしかないのだ。

房江はそう思いながら校門を出るとき、何気なく体操用の鉄棒が並んでいるところに目をやった。男の子がひとりで鉄棒に腕と腹と片方の脚を器用に巻きつけ、まるで木の枝に蛇が絡《から》まるような格好のまま回転しつづけていた。

房江はその見事な回転ぶりに感心し、いったいいつまでつづけるのかと見入った少年はやがて回転をやめて鉄棒から降りると、地面に坐《すわ》り込んでポケットから太い釘《くぎ》を出し、それで校庭の土に何かを描き始めた。

ああ、あの子は蘭月ビルに住んでいる子だと房江は気づいた。たしか伸仁と同じクラスの、夜になると夕刊を売り歩いている子だ、と。

少年も自分を見ている女の視線を感じたらしく、校庭に坐り込んだまま房江を見つめた。

「ノブちゃんのお母さんやろ？」

そう訊《き》きながら、少年は走って来た。房江は少年の名を思い出せないまま、

「きょうの懇談会にお母さんは来はったん?」

と訊いた。

「ぼくのお母ちゃんは仕事やからこられへんねん」

そう答えて、少年は校門の前にある小学生相手の小さな文具屋を指差し、さっきまでノブちゃんはここにいたのだと教えてくれた。

大勢の男の子たちが文具店のなかで騒いでいた。

切手を集めるのが流行《はや》っていて、きょう新しい外国の切手が入ったのだと少年は言った。

「ごっつう高いねん。飛行機の絵が描いてある切手がいちばん人気があるねん」

蘭月ビルの裏側へとつづく一本道を東へと歩きながら、房江は少年の名を訊いた。月村敏夫だと少年は答えた。

「ノブちゃん、たぶん給食のパンをぼくの妹に持って行ったんや。ぼくがぼくの分を全部食べてしもたから」

「妹さんのために、いっつもパンを半分残すのん?」

「うん。そやけど、きのうは夕刊がひとつも売れへんかったから、たこ焼き、買われへんかってん」

ってきた。

房江はその月村敏夫の言葉で、たこ焼きを買うために夕刊売りをしていることを知った。そして、話をしているうちに、そのたこ焼きが兄妹の翌日の朝食になることもわかってきた。

粗末な民家に混じって、住居も兼ねている町工場が点々とつづく道には、浮浪者がねぐらにしているらしい空地もあった。寒風がその空地につむじ風を生じさせた。

朝刊は七円、夕刊は五円。自分は朝刊の配達をしたいのだが、新聞配達店には志望者が多く、小学五年生の自分よりも、中学生や高校生が優先的に雇われるので、夕刊を売り歩くしかないのだ……。

月村敏夫は、まだ十歳にしては粗暴に見える顔のなかの、幾分やぶにらみのきつい目を地面に落としたまま、そんな意味のことを聞き取りにくい声で言った。その喋《しゃべ》り方は、伸仁とおない歳《どし》とはとても思えなかった。

五円の夕刊を一部売ったら、新聞配達店の主人から報酬として一円貰える。たこ焼きは六つ入りの舟箱が十円だから、一晩にどうしても十部の夕刊を売らなくてはならない。一時間ほどで十部売れる日もあるが、夕方の六時から夜中の十二時まで居酒屋の酔っ払いやパチンコに興じている人や通行人に「夕刊いりませんか」と声をかけつづけても一部も売れない日もある……。

「きのうは、そんないいんけつな日やってん」

敏夫はおとなびた言葉遣いでそう説明してから、尼崎で最も勢力を持つという暴力団の組の名を口にした。

「きのう、あいつらがぎょうさんうろうろしとったから、夕刊、売れへんかってん」

蘭月ビルが見えてきたあたりに四つ辻《つじ》があり、その北側にたこ焼きを売る屋台が出ていた。

房江は、私が敏夫ちゃんと妹さんにたこ焼きを買ってあげようと言い、その屋台のほうに足を向けると、敏夫が止めた。

「あそこのたこ焼きのたこは小さいねん。そやのに六つで十五円もすんねん。駅の近くのたこ焼きのほうが安うてうまいで」

房江は十円玉を二つ敏夫の掌《てのひら》に載せ、蘭月ビルのタネの住まいに行った。敏夫は大声で何回もありがとうと繰り返しながら、朴一家の住まいの西側の階段から蘭月ビルの二階へと駈《か》けのぼっていった。

「ノブちゃん、ちょっと熱があるねん」

タネは、お好み焼き用のキャベツを刻みながら言い、台所の横の四畳半の間を見やった。

そこは千佐子の部屋だった。千佐子は自分の部屋に伸仁が入るのを嫌うと聞いていたので、房江は、壁に凭《もた》れて坐り、立てた両膝《りょうひざ》の上に顎《あご》を載せたまま、目だけで母親を見ている伸仁に、熱があるのなら自分の蒲団《ふとん》で寝るようにと言った。

房江は、見る間に伸仁の顔に生気が戻るさまに驚き、この子は私が酒を飲んでいるかいないかが瞬時にわかるのだと知った。

コップに半分であろうが三杯であろうが、その酒量でわかるのではない。酒による私の微細な変化を決して見逃がさないのだ。一滴でも酒が入ると、いったい私の何が変わるのであろう……。

房江はそう思いながら、一日中日の射《さ》し込むことのない四畳半の間にあがり、自分の掌を伸仁の額にあてがった。三十八度あるかないかだなと思った。

「咳《せき》もせえへんし、鼻をぐずぐずさせるわけでもないし、喉《のど》も痛うないて言うし……」

タネの言葉に、房江は、父や母と一緒に暮らせないことへの寂しさが限界に達しつつあるのだろうと思った。富山での自分の喘息《ぜんそく》と同じなのだ、と。

「きょうはお母ちゃんはこれから仕事に行かなあかんけど、こんどの日曜日に一緒に映画を観《み》に行こな。それから不二家でケーキを食べよ」

房江が耳許《みみもと》で囁《ささや》くと、

「光子ちゃん、死んでまうわ」

そう伸仁は言った。

「光子ちゃんて、誰や？」

「敏夫ちゃんの妹や」

伸仁は、きのうの夜中に光子ちゃんは母親にひどく殴られてひきつけを起こし、さっきパンを持って行ったが食べようとしないのだと言った。

五歳の子が殴られてひきつけを起こした？　それは尋常なことではない。房江はそう思い、慌《あわ》ててタネの住まいから出ると、阪神国道側へと抜ける通路にある共同便所の横の階段をのぼった。

果物の腐ったような匂《にお》いが二階の狭い廊下に満ちていて、ミシンの音が聞こえた。

月村一家の部屋へは右に行けばいいのか左になのか、房江は一瞬わからなくなり、右に行きかけてすぐにそこが突き当たりだと気づくと方向を変え、廊下を国道の方向へと歩き、建物の壁に沿って左に曲がった。すると、伸仁が立っていた。

小さく驚きの声をあげ、どこから来たのかと訊くと、伸仁は廊下の右側を指差した。タネの住まいと映画館とに挟まれた人ひとり通れるほどの隙間《すきま》にも階段があったことを思い出して、房江は伸仁に、熱があるのだから寝ているようにと言いながらも、伸仁に先導されるかたちで月村親子の部屋の前に行った。ドアはあいていた。

簞笥《たんす》と卓袱台《ちゃぶだい》があるだけの六畳ほどの部屋に、紫色の縮緬《ちりめん》の着物が袖《そで》を拡《ひろ》げて立っていた。花魁《おいらん》の道中着のような着物を身にまとった女がいると錯覚したのだが、それは衣《え》文《もん》掛《か》けに丁寧に掛けられた着物だった。

五歳の光子は、箪笥に体の右側を凭せかけて、くの字の形になって房江を見つめた。敏夫は自堕落を装《よそ》おうならず者のように爪楊枝《つまようじ》をくわえたまま、二センチ程にまで短かくなってもう使えそうもない鉛筆にナイフで何かを彫っていた。

「光子ちゃん、どこか具合が悪いのん？　立たれへんのん？　お医者さんに行こうか？」

房江が訊くと、光子は恥しそうに正坐《せいざ》したが、何も応じ返さなかった。火の気のない部屋のなかで、光子の手は冷たかった。

頭が痛いとか、吐き気がするとか、どこかが痺《しび》れるとか、何かいつもと違うところはないかと訊いても、五歳の光子は答えなかった。

「お母さんを呼んでこられへんのん？　働いてはるとこはここから遠いのん？」

房江は敏夫に訊いた。敏夫は困ったような顔をして、

「光子は腹が空いてるねん。あんまり空き過ぎて、パンも食べられへんようになってしもたんやと思うねん。お母ちゃんに殴られたからとちゃうでェ」

と言い、こんなことはしょっちゅうあるのだとおとなびた口調でつけくわえた。

「お母さんは、なんでそんなにきつうに光子ちゃんを殴りはったん？　光子ちゃんはまだ五つやで」

房江の問いに敏夫が何か答えようとしたとき、

「よその家のことにあんまり余計な口出しせんほうがよろしおまっせ」

という男の声がして振り返ると、下着のシャツの上から黒い革ジャンパーを羽織った張本のアニイが立っていた。

「口を出すなら金も出せ、っちゅうやっちゃ。奥さん、金要りまへんか？　いつでも貸しまっせ」

そう言ってから、いまのは冗談だと張本のアニイは笑みを浮かべて伸仁の頭を撫《な》でた。

「この子らのおかはんは、毎晩、体を張って生きてまんねん。それもまた切った張ったの世界でっせ。俺の親父《おやじ》が生きてたときは、この子らが飯を食うてないなァと気づいたら、何やかやと食うもんを運んでやってましたんや。死ぬ二日ほど前に、敏夫も光子も、わしが半分育てたようなもんやて言いよった。俺は、ひょっとしたら、あれが親父の遺言かなァって考えるようになってしもて……」

もうバスに乗らなければ黒門市場で買い物をすることができないと気は焦《あせ》るのだが、光子の何日も洗っていないような顔と、瘦《や》せた手足、そして怯《おび》えた表情を見ていると、房江は涙がこみあげてきて立ち去りがたかった。

手足の細さに比して、妙に豊かな光子の頰が、母親に殴られたためだとやっと気づいたとき、房江は幼いころに奉公先の女中頭に何度も平手で殴打された日のことを思い出した。

七つか八つのときだったので、自分がいかなる失態を犯したのか忘れてしまったが、怖さや悲しさをはるかに超えた底無しの絶望というしかない思いが全身を金縛りにさせていたことだけは覚えている。

帰る家もない。抱きしめて慰めてくれる人もいない。自分は命じられたことを命じられたようにやるしか生きる術《すべ》はないのだ。

言葉にすればそのような覚悟を、七つか八つの私は心に定めるしかなかった。

叱《しか》られて殴られることが怖くて、人の顔色ばかり窺《うかが》っていた幼い自分を、いま私は光子のなかに見ているのだと房江は思った。

タネの住まいの横にある階段をのぼって来る足音がして、張本のアニイが首を廻して階段のほうを見た。熊吾だった。

房江は船津橋のビルを出るとき、学級懇談会に出席し、タネの家に寄ってから「お染」へ行くと書いた紙を卓袱台の上に残しておいたのだが、夫がそれを読んだのかどうかわからなかった。

熊吾は無言で張本のアニイを押しのけ、月村親子の部屋にあがると、光子の顔を両手で挟んで右に左にと動かし、次にあおむけに寝させて腹部のあちこちを押さえたあと、股関節《こかんせつ》や膝《ひね》を曲げたり伸ばしたりした。光子が痛そうに顔を歪《ゆが》めた。

「ここを捻ったんじゃ」

と熊吾は光子の股関節を撫でながら言った。

「他は大丈夫じゃ。頬っぺたが腫《は》れちょるが、たいしたことはありゃせん」

「おっさん、医者か？」

張本のアニイが真顔で訊いた。

「貧乏人の生血を吸う町の金貸しに、おっさん呼ばわりされる筋合はないがのお」

熊吾のその言葉で、張本のアニイの顔から血の気が引いたのを見て、房江はなんとかこの場をとりなそうと、

「敏夫ちゃん、光子ちゃんにたこ焼きを食べさせてあげ」

と言った。

「たこ焼きやったら食べるやろ？」

敏夫は緩慢な動作で立ちあがった。

「爪楊枝をくわえたまま歩くっちゅうような下品なことはするな。お前もこいつみたいなおとなになる気か」

熊吾は言って、敏夫の口から爪楊枝を抜き取り、それを廊下に投げ捨てた。張本のアニイは表情を緩め、それから笑みを浮かべて、

「松坂のおやっさん、あんた医者か？」

と再び訊いた。

「おっさんに『や』を付けただけか……」

熊吾も笑い、

「昔、医者じゃった。城崎に近いいなかで贋《にせ》医者をして食うちょった時代がある。しかし、目に見えんところで大事に至る怪我《けが》をしちょるかどうかの見当をつける術は戦場で覚えたんじゃ」

と言った。

「贋医者？」

そう訊き返してから、張本のアニイは身をのけぞらせて笑い、

「ほなこれから松坂先生と呼ばしてもらうで」

と言って階段を降りていった。

房江は、敏夫がたこ焼きを買って帰って来るまで光子の傍にいてやりたかったが、伸仁の熱も気になり、親子三人でタネの住まいに戻った。

夜、急に人と逢《あ》わなくてはならなくなり、服を背広とネクタイ姿に着換えようと船津橋のビルに戻ったらお前のメモがあった。今夜逢う人は、福島西通りと浄正橋の中間あたりにトヨタ自動車の販売代理店を経営していて、主に二トントラックを扱っている。その人の住まいが尼崎市の武庫川沿いで、ここから車で十五分くらいなので、まだお前がいるかもしれないと思い、タネの家に寄ったのだ。

房江は、そんな熊吾の説明を聞きながら、きょうは勤めを休もうと決めた。もう随分長く伸仁と一緒に食事をしていない。熱がさほど高くなければ、またあの三和商店街の食堂の鰻《うなぎ》の蒲焼《かばや》きを食べさせてやろう。伸仁に元気を取り戻させるにはそれがいちばんなのだ……。

房江はそんな自分の考えを熊吾に伝え、「お染」に電話をかけるために阪神国道を横切って煙草《たばこ》屋の店先に置いてある公衆電話のところへ行った。

「休むなら休むと前の晩に言うといてェな。急に言われたら困ることくらい、あんたにはわかるやろ」

女主人はよほど腹が立ったのか、それが地の金切り声をあげた。

「あんたの代わりなんて掃いて捨てるほどいてるんやで」

息子が原因不明の高熱を出し、これから病院につれて行かなければならないのだと言いながら、房江は、私の代わり？　そんな女がおいそれとみつかるとでも思っているのかと胸の内でつぶやいた。

電話を切ったとき、房江は「お染」の女主人の、島津育代に媚《こ》びるかのように一緒になって松坂熊吾と房江の凋落《ちょうらく》を笑い物にする口調を思った。

あの女は、自分の店で身を粉にして働いている使用人をかばうどころか、見たこともない私の夫を侮蔑《ぶべつ》し、来るたびにお釣りは要らないと気前良く現金で払う羽振りのいい北新地の酒場のママに調子を合わせている。

私の代わりは掃いて捨てるほどいるだと？　「お染」の売り上げが増えた理由を知らないはずはあるまい。私が「お染」の客においしい料理を出すようになったからだ。看板の「お染」を「料理バー」と変えたらどうかと本気で言う客もいる。私が勤める前と後との月々の売り上げを比較してみるがいい。盛りをとうに過ぎた女の自分を売り物にするなら、もう少しおつむを磨くことだ。まさか、自分の色気が客を呼んでいると思い違いをしているのではあるまいな……。

房江はタネの住まいに戻りながら、私が辞めたら店をやっていかれなくしてやろうと、いたずらを企《たくら》む子供のように計略を練り始めた。私の料理で、あの垢抜《あかぬ》けないバーを連日満席にしてから辞めてやると決めたのだ。

房江の推測どおり、伸仁の熱は日が落ちるころには下がってしまった。

熊吾が車を運転して武庫川のほうへと向かったあと、房江は伸仁と鰻重を食べ、そのあと喫茶店で自分はコーヒーを飲み、伸仁にはアイスクリームを食べさせて九時過ぎにタネの住まいに戻った。寺田権次が仕事で姫路へ出向いていて十日ほど帰って来ないと知ったからだった。

油まみれの作業着を着た男たちが、お好み焼き台を取り囲んでビールや日本酒を飲んでいた。用意しておいた刻みキャベツが足りなくなったのだと気づき、房江は台所でキャベツを刻んだ。

「せっかく勤めを休んだのに、うちの店の手伝いをさせてごめんな」

そうタネは言い、

「人工衛星て何？」

と訊《き》いた。

「私にもわかれへんねん。お店でもよう話題になるねんけど……」

房江はそう答えると、刻み終えたキャベツを容器に移し、十月にソ連が打ち上げに成功した人工衛星なるものが「スプートニク」という名で呼ばれていることしか知らないのだとタネに言った。

「二階の光子ちゃん、もうちょっとで股《また》の関節を脱臼《だっきゅう》するとこやったらしいわ。張本のアニイが病院につれて行ってくれてん」

とタネは言い、コップに日本酒を注いで客のところに運んだ。

「お母ちゃん、お酒が目の前にあっても、もう飲まれへんなァ」

と伸仁が嬉《うれ》しそうに言った。

私が物を食べるともうそのあと一滴の酒も欲しくなくなることをこの子はよく知っているのだと感心しながら、あしたは小さなハンバーグにじゃが芋のサラダを添えて「お染」の客に出そうと思った。ソースに少し工夫をしよう。サラダに使うじゃが芋のために自分でマヨネーズを作ろう。肉はミンチ肉を使わず、塊肉を包丁の刃で細く叩《たた》くのだ。「お染」でなければ食べられないとびっきりのハンバーグだ。洋食の名店にもひけをとらないハンバーグ……。

そう考えながら手を洗っているうちに、房江は、張本のアニイの言葉の深意に気づいた。

伸仁がその死を看取《みと》った張尚哲老人は、月村敏夫と光子がひもじい思いをしているときに食べ物を持って行ったという。

あの子たちは、半分自分が育てたようなものだというのが父親の遺言だったのではないかと考えるようになった張本のアニイは、口にこそしなかったが、これからは、死んだ父親がしたことを自分が代わってするつもりだという含みを込めて伝えたのだ。そうにちがいない。そうでなければあのような男が、松坂熊吾の、ケンカを売るのに似た言葉を笑いでおさめるはずがない。

房江は、どんな人間の内にも眠っているという善性なるものに触れた心地がして、体の奥が温まってくるのを感じたが、すぐに、いやあの男はきょうの治療代も、これから亡父に替わって運びつづける食べ物代も、兄妹が大きくなってから法外な金利を上乗せして支払わせるつもりなのかもしれないという不安に駈《か》られた。

火鉢のある六畳の間に移ったとばかり思っていた伸仁がそこにもいないので、房江は、

「ノブはどこに行ったん？」

とタネに訊いた。

「さあ……、月村さんとこに行ったんとちゃうやろか」

房江はタネの住まいから出て、蘭月ビルの北東側の急な階段をのぼった。昼間、仕事をしていたのなら、夜になって兄妹の母親が帰っているかもしれないと思った。房江は、どんな女なのか見てみたかった。けれども、伸仁の声は月村親子の部屋からではなく、新しく設けられた国道沿いの階段近くで響いていた。

「裏切られた観音寺のケンは、明智小五郎への復讐《ふくしゅう》を固く誓った。白鳥に乗った光子姫とともに観音寺のケンは……」

あの子は何を言っているのか……。房江は聞き耳をたてながら足音を忍ばせて廊下を歩いて行き、表札のかかっていないドアの前で歩を止めた。

「このままノブちゃんに物語を作らせてたら、怪人二十面相の出番は永遠にないではないか」

男の言葉と、何人かの子供たちの笑い声が部屋から聞こえた。

そういえば、いつぞや伸仁が、ここは怪人二十面相の部屋なのだと言ったなと思いながら、房江はドアをノックしようかどうか迷った。

「脚を負傷している光子姫に、時速二百キロで空を飛びながら、白鳥の桃太郎は『姫、しっかり拙者につかまっていないとダイヤの耳飾りが落ちますぞ』と言った」

「ノブちゃん、時速二百キロでは、三十分でアマゾンの奥地の秘境にあるベロンベロン城まで行かれへんで。それに、白鳥に桃太郎ちゅうのはなァ……。もうちょっと速そうなスマートな名前がええなァ」

「スマートな名前かァ……。ダルタニアンは『三銃士』やし、セドリックは『小公子』やし。ぼく、外国人の名前ってすぐに思い浮かべへんねん」

どうやら怪人二十面相と探偵・明智小五郎を主人公にした物語を、自分たちで思いつくままに想像して、それとはまったく別の物語を創《つく》っているらしいと房江は知り、せっかく盛り上がっているのに母親が顔を出すのは水を差すことになると思った。

けれども、もうそろそろ自分もバスに乗って船津橋に帰らなければならない。途中、夜遅くまであいている野田阪神の商店街に寄って、伸仁に防寒用のジャンパーを買いたい。

房江がどうしようかと迷っていると、壁を左手で触れながら、盲目の幼女が廊下を曲がってきた。房江は息を殺して少しずつあとずさりし、津久田香根の進路をあけた。

香根は手さぐりでドアの把手《とって》を廻した。ドアがあくと、何足かのズック靴が乱雑に散らばっていて、三つに折り畳んだ蒲団《ふとん》の上に伸仁と光子が坐《すわ》っていた。廊下が暗いので、伸仁からは母親が見えないようだった。五、六人の子供たちの動く影が部屋の壁に映った。

「あっちゃん、香根ちゃんに怪人二十面相のキャラメルをあげてんか」

男はそう言いながら、香根の手を引いて自分の部屋の奥へと導いた。ドアはすぐに閉められたが、こざっぱりとした四十過ぎの男の油っ気のない頭髪と、日本人離れした高い鼻が見えた。

蘭月ビルの住人たちから「怪人二十面相」と呼ばれているのだから、どんな怪し気で奇異な男なのだろうと思っていたが、子供たちに慕われる気さくな人なのだ。

房江はそう思い、階段を降りかけて、ふいになぜか津久田咲子を見たくなった。四十六歳の女の自分に、その美しさをまた見たいと思わせる十四歳の少女が放っていたのは、ただとび抜けて器量がいいだけではなく、近寄り難い高貴さといったものであった。その印象は、咲子を初めて見たときよりも、日を経るごとに強くなっている。しかし、もう一度見たら、なんだただの美貌《びぼう》の少女ではないかと印象が変わるかもしれない……。

房江はそう思い、廊下を戻ると、子供たちの笑い声が響く怪人二十面相の部屋の前を通り過ぎ、蘭月ビルの二階の西側へと廻った。そして津久田一家のドアをノックした。

背の高い坊主頭の高校生らしき少年がドアをあけた。部屋は意外に広くて、カーテンの向こうでミカンを食べている咲子が畳の上に横坐りしたまま房江を見た。自分は松坂伸仁の母親だが、伸仁はお邪魔していないだろうかと房江は咲子の兄に訊いた。

「ノブちゃんは、恩田さんとこやと思います」

と咲子は言い、立ちあがってドアのところまで来た。

「恩田さんのお部屋は一階ですか二階ですか？」

「二階です」

そう言って、咲子は怪人二十面相の部屋のほうを指差したが、サンダルを履くと、案内しますというふうに廊下を歩きだした。

「伸仁は、津久田さんのとこにも、しょっちゅうお邪魔してるみたいで……。ご迷惑なときは遠慮せずに追い返して下さい」

房江は、咲子を自分のほうに振り向かせるためにそう言ってみた。咲子は、廊下の突き当たりを左に曲がったところで歩を止めて振り返り、

「ノブちゃんは、遊びに来ても、お兄ちゃんが勉強してたら、部屋にはあがらんとすぐに帰るんです」

と言って笑みを浮かべた。そしてその笑みを深くさせて、

「ノブちゃんは香根の恋人やから……」

そう小声でつづけて、次の言葉をすぐには口にしなかった。

「恋人やから?」

房江も微笑《ほほえ》み、言葉を待つように少し首をかしげた。

銭湯から帰って来たばかりらしく、咲子の体から石鹸《せっけん》の匂《にお》いがして、髪はまだ乾き切っていなかった。

「お兄ちゃんは、自分が勉強中でも、ノブちゃんが来てもうるさがったりせえへんのです」

「伸仁と香根ちゃんが恋人同士?」

房江はわざと楽しそうな表情を作って咲子を見つめた。

「香根の片思い」

と咲子は言った。

「いまも、恩田さんのとこにノブちゃんがいてることがわかったから、自分のほうから逢《あ》いに行ったんです」

「香根ちゃんがそう言いはったん?」

「素振りでわかります」

「まあ伸仁は光栄なこと」

剽軽《ひょうきん》な言い方で咲子の言葉に合わせながら、房江は、この子は相手によってどんな芝居でもできるのだと思った。

咲子が廊下を左に曲がり、ひとつめの部屋を指差したとき、咲子の兄の声がした。

「春木先生のとこに行ってくるわ」

咲子は、はーいと返事してから恩田の部屋をノックした。子供のひとりがドアをあけた。

房江は、自分は松坂伸仁の母であると恩田に自己紹介してから、伸仁がしょっちゅうお邪魔をして遊ばせてもらっていることへの礼を述べた。

「いやァ、遊んでもろてるのは、このぼくのほうでして」

と恩田は笑顔で言った。

部屋には、六人の子供がいたが、月村敏夫はいなかった。光子は折り畳んだ蒲団の上に両脚を投げ出して坐ったまま菓子を食べていた。蒲団は、股関節《こかんせつ》を痛めた光子が坐りやすいように、そこに置かれたらしかった。

房江は伸仁にこれから帰ると伝え、こんどの日曜日の昼ごろに船津橋のビルに来るようにと言ってドアを閉めた。津久田咲子は、国道側の階段のところで立っていた。

咲子にも礼を言い、房江が階段を降りると、咲子もついて来てバス停の前に立った。

寒風が音をたてていた。

「ノブちゃんのお父さんが、こないだ私のお兄ちゃんに、そんなに勉強がよくできるんなら医者になれって言うたんです。日本でいちばん難しい大学の医学部をめざせ、って」

「へえ、うちの主人が？」

「医学部といえば阪大やけど、いちばん難しいというたら東大やなァって、お兄ちゃん、悩んでました」

「悩むって、何を？」

「東京でひとり暮らしをする自信がないんです。自信がないていうのは、つまりお金がないってことですけど……」

それから咲子は、成績が図抜けて優秀な学生だけに与えられる奨学金制度があるそうで、その奨学金で東京大学を卒業して判事になった人がこの近くに住んでいて、兄はいまその人に逢うために出かけたのだと説明した。

「お兄ちゃん、医者になるって決めたんです。ノブちゃんのお父さんに、そう伝えて下さい」

房江は必ず伝えると約束し、湯冷めしてしまうからもうおうちに帰ってくれと言った。

咲子も師走《しわす》の国道を吹き過ぎる寒風に耐えられなくなったかのように、蘭月ビルの階段を駈けのぼって行った。

夫に将来の進路を助言されてそのとおりにした人は必ずうまくいくのだと房江は思っ

た。

夫は、貧しい若者には公務員になることを勧めるのが常で、倒産がなく、世の中の景気に左右されず、退職後の年金が一般企業のそれよりもはるかに優遇されているからだというのが理由だった。

「気が利《き》かんでも、馬鹿《ばか》でも、愚直に勤めたら定年までは給料が貰《もら》えるけんのお」

と夫は、昔、誰かが自分の助言どおり警察官になったとき、苦笑混じりに言ったことがある。

しかし、夫が、日本で最も入学試験の難しい大学の医学部に進めと助言したのは、私の知るかぎり、津久田家の長男だけではあるまいか、と房江は思った。夫は津久田家の長男に、勉学の優秀さ以外の何かを感じたのだ。

「自分の進路は行き当たりばったりのくせに」

と胸のなかでつぶやき、房江はやって来たバスに乗った。

バスは動きだしてすぐに、映画館横の交差点の信号で止まった。交差点を南に渡る道は真っすぐに阪神電車の尼崎駅へとつづいていて、その周辺の明るさがバスの窓から見えた。

若い女車掌がバスから降りた。信号が青に変わってもバスは動きださず、運転手の舌打ちが聞こえた。

バスの行く手をさえぎるかのように泥酔した男が坐り込んでいた。

「あんたが行ってやらな、女の車掌ひとりではらちがあけへんで」

乗客のひとりにそう促され、運転手もバスから降りた。

房江は何気なく視線を国道の南側に向けた。月村敏夫が、たこ焼きの入っている舟形の容器を持って駅のほうから小走りでやって来るのが見えた。

ああ、今夜は夕刊がよく売れたのだなと房江は思い、信号機の下に立っている敏夫を見ていると、うしろから走って来た十五、六歳の少年三人が敏夫の腰のあたりを蹴《け》った。敏夫は体の半分を国道に突き出すようにしてうつ伏せに倒れ、持っていたたこ焼きが車道に転がった。

少年たちは口々に敏夫に何か言ったが、その声は房江には聞こえなかった。少年のひとりがさらに敏夫に馬乗りになり、顔を拳《こぶし》で数回殴ってから、国道を西へと走り逃げて行った。

運転手と車掌が戻って来て、バスは動きだした。敏夫の姿が視界から消えたので、房江は後部坐席へと移り、バスのうしろの窓に顔を付けるようにして敏夫を捜した。敏夫は車道に身を屈《かが》めて、散らばったたこ焼きを拾い集めていた。

野田阪神の商店街で伸仁のジャンパーを買って船津橋のビルに帰り着いた房江は、蠟《ろう》燭《そく》の明かりを頼りに三階までの階段を注意深くのぼった。部屋に入り、手に持つ細い蠟燭の火を部屋の太い蠟燭に移したとき、着崩れの直らない紫色の縮緬《ちりめん》の着物がその明かりのなかに浮かび出た。

驚いて声をあげそうになりながら房江がそれに見入ると、安治川をのぼって来るポンポン船の投光機の強い光が、部屋のガラス窓に虹に似た色の縞《しま》を生じさせていた。

「お染」の営業は年内は十二月二十八日で終わり、仕事始めは正月の五日からだった。

その仕事納めの日、二人の常連客を店の外まで見送りに出た女将《おかみ》・田嶋カツ代の、

「どうぞええお年を」

という声が聞こえたとき、やはり古くからの常連客のひとりである呉服屋の主人が、

足元に置いてあった大きな鞄《かばん》のなかから魔法壜《びん》を出すと、

「この鶏《とり》のスープ、ここに入れてくれへんか」

そう小声で言って、封筒を房江のエプロンのポケットにねじ込んだ。

房江は、店先で媚《こ》びた話し方で客と立ち話をしている女将の隙《すき》を見て調理場に行き、自分が作った鶏スープを魔法壜に入れ、それを呉服屋の主人に渡した。

そのとき、五人の客をつれた島津育代が店に入って来た。かなり酔っているようで、きれいにセットされた髪の裾《すそ》が乱れていた。

きょうは来ないであろうと思っていたので、房江は慌《あわ》てて調理場へ行き、ハンドバッ

グに隠したウィスキーのポケット壜を出したが、それはほとんど空に近かった。

自分の勤務時間はすでに過ぎている。「お染」の営業時間も、あと少しで終わりだ。今夜は女将もひどく酔ってしまっているから、自分は片づけを終えたらすぐに帰ろう。房江はそう思いながら、呉服屋の主人に渡された封筒の中身を見た。百円札が二十枚入っていた。

これは返さなければならぬと房江は思った。鶏スープは自分が作ったものだが、「お染」の商売物で、鶏も鍋《なべ》もガスの火も、すべて女将がその代金を支払っているのだ。自分のものと他人のものとを決して混同してはならない、ということは若いころから徹して守りつづけてきた自分の生き方の重要事なのだから……。

房江は、呉服屋の主人である財津章矢が店を出たら、あとを追いかけて、このこころづけを返そうと思いながら、皿や小鉢を洗った。

「私の店は三十日までやねん」

という島津育代の声に、

「うちはきょうまでですねん」

と応じ返す女将の声が聞こえた。

「送ってくれんでええ。ええお年を」

そう言って財津が店を出たので、

「あっ、財津さん」

と呼びながら、房江は調理場を出た。

「なんやのん？　こちらのお客さんへのご挨拶《あいさつ》が先やろ？」

女将の言葉に、房江は、財津さんが忘れ物をしはりましてん、と答え、小走りで外に出た。

忘年会の二次会か三次会か、勤め人風の男たちが数組、凍てつく宗右衛門町筋で大声をあげていた。

房江は戎橋の手前で財津に追いつくと、封筒を返しながら、お心遣いはありがたいが、このスープは店のものなので、私がお金を頂戴《ちょうだい》するわけにはいかないと言った。

「ことし、さんざんおいしいもんを食べさせてもろたことへのチップやと思てんか。女将には黙っとったらええがな」

財津は頑として封筒を受け取らなかった。そして、法善寺の近くに馴染《なじ》みの喫茶店がある。自分が頼めば夜中の一時くらいまでは店をあけていてくれる。仕事を済ませたらそこに来てくれないか。帰りはタクシーに乗ればいい。勿論《もちろん》、タクシー代は自分が払う、と言った。

「この鶏スープの作り方を教えてほしいんや。作り方を教えてもろたら、わしにも作れるやろか」

「財津さんが作りはるんですか？」

「女房が、もう食べ物を受けつけんようになってしもてなァ……。病院で死にとうないいうて、さっき家に帰って来たんや。りんごの絞り汁とか、そういうもんやったら、おいしそうに飲みよる。この鶏のスープ、喜んで飲みよると思うねん」

房江は了承し、喫茶店の場所を訊《き》くと、急ぎ足で店に戻った。島津育代は鼻血を出して泣き叫び、田嶋カツ代は眉《まゆ》の横から血を流しながら、灰皿で育代を殴ろうとしていた。そんなふたりの女を、五人の客がうしろからはがいじめにして離れさせようとしている。

「このアマ、このままで済むと思いなや。この傷、どうしてくれんねん！」

田嶋カツ代はそう叫んで灰皿を投げたが、止めに入っている客に腕を押さえられているので、それは島津育代には当たらず、床に叩《たた》きつけられて割れた。

「安物の飲み屋の女が、この私をどうできるっちゅうねん。私の周りにはなァ、お前みたいな女の十人や二十人、ミンチ肉に混ぜて売りさばいてくれる連中がいてくれるんや。ほんまにそうされたいんなら、もう一回、私を殴りやがれ！」

そう言い返した島津育代は、男の手を振りほどいて、平手で田嶋カツ代の口のあたりを殴った。カツ代の唇の横に深い傷ができて、血が飛んだ。育代の右の指にはめている指輪が、「お染」の女将の顔の肉を裂いたのだ。

いったい何が原因で女ふたりの修羅場となったのか、房江には見当もつかなかった。

客のひとりが、店の前を通りかかったタクシーを止め、半狂乱になって悪態をつきつづけている島津育代を力ずくで乗せて去って行った。

残った男は、「お染」の女将をカウンターの椅子《いす》に坐《すわ》らせ、血を拭《ふ》くものを持って来てくれと房江に頼んだ。

「警察に訴えたる。女の顔に傷をつけやがって。あの淫売女《いんばいおんな》、豚箱に放り込んだる。房江さん、警察を呼んで来てんか」

カツ代は叫び、カウンターに並んでいた徳利や皿を壁に投げつけた。

房江は、カツ代の顔の二箇所の傷が、刃物によるものではないだけにかえって厄介だと思い、薬とガーゼと包帯で応急処置をしなければならないと調理場に行ったが、薬箱には、ひびやあかぎれ用の軟膏《なんこう》と絆創膏《ばんそうこう》しか入っていなかった。

太左衛門《たざえもん》橋を左に曲がったところに、夜中までやっている薬屋があることを思い出し、房江は店を出た。

客のひとりが追って来て、

「警察は呼ばんときや。女の酔っ払い同士の言い争いが、はずみであんなことになっただけや。ミナミでもキタでも、ようあることや」

と言って、自分の顔の前で両の掌《てのひら》を合わせた。

もとより房江も警官を呼ぶ気などなかったので、無言で頷《うなず》き返し、薬屋に行った。

「避妊用滑らかゴム、各種あります」と赤い筆文字で書かれた大きな紙が貼《は》ってある薬屋のドアをあけ、房江は応急処置に必要なものを買いながら、これで、かつての新町芸者・千代鶴は二度と「お染」には来ないと思った。

店に帰り、最終の市電に乗り遅れたら帰れなくなるのでと言い、房江は女将を残った客たちにまかせて法善寺へと向かった。

さっきとは別の男が追って来て、房江に百円札を数十枚握らせた。

「最終の市電に乗り遅れたら、これでタクシーに乗ってんか」

「これは多すぎます。タクシーに乗ったら、私の住んでるとこまで二枚ほどです」

「ええねん、ええねん。取っといてんか」

男は言って、苦笑しながら大きく溜息《ためいき》をついた。

「宝石の部分やないんや。指輪の輪のほうが当たったんや。それでもあんなに肉を切るもんなんやなァ。突然、ののしり合いを始めて……。止める暇なんかあらへんがな」

戎橋の中程に立ち止まったまま、男が「お染」へと戻らずに、ひとりでタクシーに乗るのを見ながら、

「これは口止め料やから貰てもええねん」

そう自分に言い聞かせ、ふたりの女ののしり合いを思い出して、

「目くそ鼻くそを笑う、やわ」

と房江はつぶやいた。百円札は三十枚あった。

ひと晩で五千円のチップ。一流銀行の大学卒の社員の初任給が一万二千円なのだ。このお正月は三段の重箱を夫や伸仁の好きなおせち料理で一杯にしてやれる。

房江は嬉《うれ》しくて、師走の二十八日の深夜だというのにまだジングル・ベルのレコードを繰り返し流しているキャバレーの前を通り過ぎたが、財津の二千円のところづけは別として、島津育代がつれて来た五人の男たちの態度に不審なものを感じ始めた。

三千円もの口止め料を、使用人である私に握らせたとしても、「お染」の女将が、殴られて顔に切り傷を負ったと警察に訴え出れば、三千円はまったくの無駄金だということになる。それでもなお、使用人の私の口を封じるために三千円を渡したのはなぜだろう……。

もし「お染」の女将が事を荒立てようとしてもそれを治める方法は幾らでもあるが、使用人の口から表沙汰《おもてざた》になることはまずい。

男たちはそう考えたのであろうか。

この三千円を受け取ったのは失敗だったのではあるまいか……。

房江は次第に不安になってきたが、島津育代はもう二度と「お染」に来なくなるという思いのほうが強くて、足取りは軽かった。

それにしても、あのかつてのおきゃんで美貌《びぼう》の若い人気芸者・千代鶴の変わり様は、いったいいかなることなのであろう。

千代鶴を最後に見たのは昭和十六年の秋だ。千代鶴は電鉄会社の社長に身受けされ、芸者をやめて、こぎれいな一軒家を買ってもらい、小森伝三の妾《めかけ》としての生活に入った。その小森が終戦の翌年の昭和二十一年に死んだことは新聞の記事で知ったのだ。敗色が濃くなり、都会に住む人々が疎開《そかい》を始めたころ、小森伝三も若い妾の家に入りびたっているどころではなくなった筈《はず》で、小森の性格から推測すれば、おそらくその機を潮に島津育代との関係を清算したであろう。充分な手切れ金を与えて、島津育代という女を自由にさせてやったはずだ。小森伝三はそんな男だった。

かりに、昭和十八、九年に小森と別れたとして、それから十三、四年。わずか十三、四年のあいだに、あの我儘《わがまま》で駄々っ子のようでありながら、新町一の芸者としての矜持《きょうじ》と、豊麗で、高貴ささえもたずさえていた千代鶴が、大阪の北新地のクラブのママとなり、かつての美徳のすべてを失って、ただの下卑た水商売の女へとなりはてた。彼女を変化させたものは何だろう。

とりわけ今夜の島津育代は、まるでならず者の情婦のようだった……。

房江は、新町芸者だったころの千代鶴を思い浮かべながら法善寺前の道を南に曲がった。道はところどころ凍っていて、二、三度滑りそうになったが、財津が教えてくれた喫茶店はすぐにみつかった。

「お待たせしてしまいまして」

〈本日は閉店いたしました〉と書かれた札がドアに掛けられ、入口の明かりも窓のカーテンも閉じられていたが、喫茶店は財津のためにだけ営業をつづけていた。

「店が終わる直前に、ぎょうさんのお客さんが入って来はって……」

そう言って房江が椅子に坐ると、財津は、もうこんな時間なのでコーヒーしか作ってもらえないがと言い、同じ年頃の主人を呼んだ。

「幼馴染でなァ。子供のころ、ようここらを走り廻って遊んだもんや。道頓堀川の南側に住む子供らと、北側に住む子供らとは陣地が別でなァ、なにかにつけて、ようケンカをしたもんや。子供にも縄張りがあって……。ぼくは北側の子ォで、こいつは南側の子ォやけど、仲が良かったんや」

それから財津は、

「店で、えらい騒ぎが起こったらしいなァ」

と言った。

房江はそれにはあえて何の反応も示さず、鶏のスープの作り方を教え始めた。

「あの北新地のクラブのママがつれて来た客は警察のえらいさんや。警察も『ごっつぁんです』の世界や。ときどき若い女給の尻《しり》を撫《な》でながら、あのママの店でただ酒をごっつぁんになってるんやろ」

と財津は笑みを浮かべながら言った。その言葉で、房江は三千円という法外な口止め料の意味が理解できた。

財津の妻は若いころから体が丈夫ではなく、戦争中に丹波に疎開したころ肺結核にかかった。

戦後、ストレプトマイシンという特効薬が発売されたお陰で病気の進行は止まったが、右肺の上部にできた三個のうずらの卵大の空洞はいっこうに埋まらず、崩落した壁のような肺の組織の一部は静脈を浸潤して、大量の喀血《かっけつ》を起こさせた。

それを止めるには手術で右肺の上部を摘出するしかないと医者に言われ、ことしの秋に意を決して手術を受けた。だが、結核の退治はほぼ終えたが、体力が戻らない。

財津はそう説明した。

「あの鶏のスープは、台湾から来た料理人に教えてもろたんです。きれいに澄んだスープを取るには手間暇がかかりますけど、奥さんのお体をきっと丈夫にすると思います」

房江は紙と鉛筆を用意してくれと財津に言った。

鶏は一羽丸ごと使う。ガラのスープは所詮《しょせん》ガラにすぎないのだ。一羽丸ごとといっても内臓は使わない。

まず鍋で湯を沸かす。湯が沸くあいだに、鶏の首と胴体を切り離し、手羽を切り離し、身を縦にふたつに切る。脚も一本ずつ切り離す。手羽も脚も胴体も、さらに半分に骨ごと切る。

「それを全部熱湯で五分ほど湯掻《ゆが》きます。鶏は首の部分がいちばんおいしくて滋養があるんです。そやから、熱湯から上げたら、首の部分はとくに丁寧に冷水で洗うて、脂《あぶら》や小さな筋を取るんです。タワシで軽くこすったら余分なものが取れやすいんです」

財津は房江の喋《しゃべ》ることをすべて丁寧に手帳に書き写した。

「他の部分も冷水できれいに洗うたら、大鍋に水を入れて、そこに鶏の身も骨も入れて、弱火で八時間煮込みます」

「八時間？」

財津は驚いたように訊き返した。

「はい、一日仕事ですよ。スープを取るための大鍋はアルミのを使うたらあきません。呉という台湾の料理人さんは大きな銅鍋を使うてました。こつは、絶対に湯を沸騰《ふっとう》させへんことです。あくを取りながら、鍋の表面がちょっと波立つ程度の火力を守ることです」

八時間たったら、火を消し、粗熱を取って、スープを三つに折り畳んだ晒《さら》し木綿で漉《こ》す。もし脂が取り切れなかったら、もう一度、同じやり方で漉す。

「これで出来あがりです。一日に一度、弱火で殺菌してたら、夏でも三週間は腐りません。大変でしょうけど、大きなぶ厚い鍋を手に入れはって、一羽といわず三羽分くらいのスープをお作りになって、夜、必ず一度火を入れはったら、奥さんおひとりならそれで三週間、栄養満点のスープを飲ませてあげられます。そのスープでいろんな野菜をとこと煮て、それをミキサーにかけたら、おいしい野菜スープになりますし、お米を入れて、ことこと炊《た》いて、最後にとき玉子を流し込んだら、鶏スープのおじやになります。工夫したら、もっといろんなお料理に使えるはずです」

「こら大仕事やなァ。ぼくら夫婦には子供がおらんし、雇うてる女中は、もひとつ頭が良うない。うちの女中には無理やなァ。料理っちゅうのは頭が悪いやつにはでけん業《わざ》や。そうかァ、ぼくが作らなあかんのやなァ……」

財津はそう言って笑った。そして、一度お手本を見せてくれたら、それ以後は自分でも作れると思うが、我が家に来て作ってくれないかと頼んだ。

「大鍋と丸鶏三羽とミキサーを買うとくさかいに」

それは房江にとってはさして難しいことではなかった。あしたから七日間の正月休みで、そのうちの一日を財津の妻のために費す労力を厭《いと》う気はない。

けれども、房江は、親戚《しんせき》に預けているひとり息子と正月をすごしたいし、夫の仕事の手伝いをする予定になっていると言って断わった。

「私がいま言うたことを守りながら、試しに丸鶏一羽でスープを作ってみて下さい。ちゃんとおいしいスープが出来あがります」

もしそれでもうまく出来なかったら、そのときは目の前で作り方をお見せしましょう……。

房江はそう言って、喫茶店の壁に掛かっている柱時計を見た。十二時半だった。

喫茶店の主人が音を小さくさせて聴いているラジオから「有楽町で逢《あ》いましょう」という歌謡曲が流れていた。フランク永井という歌手がきれいな低音で歌う曲は、いま「空前の大ヒット」で、夜、キャバレーでトランペット吹きとしてアルバイトをしている明彦は、家に帰って来ると深夜までこの曲を練習していると伸仁から聞いていた。

トランペットの先を押し入れの蒲団《ふとん》に押し付けて音を殺してはいても、その響きは二階の床を伝わっていくらしく、タネの家の真上にあたる金村盛男と知姫子夫婦の部屋だけでなく、その隣の猿橋一家の部屋や怪人二十面相こと恩田哲政の部屋にも伝わる。

文句を言ってこないのは月村一家と恩田だけで、変人扱いされている新井勝正という京都大学出の三十代の男は、気が狂いそうになるからやめてくれと半泣きの表情で体を震わせて抗議してくるという。

房江は千日前でタクシーに乗り帰路についたが、運転手は船津橋の近くに来るまでずっと小声で「有楽町で逢いましょう」を歌いつづけた。

——あなたを待てば雨が降る。濡《ぬ》れて来ぬかと気にかかる。

房江は運転手の音程の外れた歌に聴き入っていたわけではないのに、歌詞の出だしだけは覚えてしまった。

夫は蒲団にくるまって寝息をたてていた。房江は掛け蒲団と敷蒲団のあいだに手を入れて夫の足元をさぐった。湯タンポはなかった。寒がりの夫がこんなに寒い夜に湯タンポを入れずに蒲団にもぐり込むのは、きっとかなりの酒を飲んだからだろうと思いながら、房江は夫と自分のための湯タンポ用の湯を沸かした。

その間に、押し入れの奥に隠してある日本酒の一升壜《びん》を出し、それを湯呑《ゆの》み茶碗《ぢやわん》に注ぐと、ガスコンロのところに戻り、立ったままそれを飲んだ。

十数年間、結核で苦しんできて、肺の一部の切除手術を受け、体力が回復しないまま臥《ふ》しているという財津の妻のために、丸鶏のスープの取り方を見せてやってもいいなと考えたが、やはりそれはやめたほうがいいと思い直した。

おそらく財津の妻は、疎開中に肺結核にかかって以来、夫のために料理を作るどころか、洗濯や掃除なども満足に出来ないまま闘病生活をつづけてきたことであろう。

そんな妻が臥している家に、女中以外の女が上がりこんで、スープの作り方などを伝授すべきではないのだ……。

そう思いながら、房江が湯タンポに湯を入れ、それを大きなタオルで包んでいると、

「遅かったのぉ」

という熊吾の声が聞こえた。

「寒すぎるから目が醒《さ》めてしまうんやわ。いま湯タンポの用意をしたから」

慌《あわ》てて残っている酒を飲み干し、房江はふたつの湯タンポを持って部屋に戻った。熊吾は掛け蒲団で自分の体をくるみ、火鉢に炭を足してから、卓袱台《ちゃぶだい》の上に置いてある一枚の名刺を人差し指の先でつついた。

「きょう、井草の女房が金沢から大阪に出て来て、わしを捜して千代麿の事務所を訪ねて来よった。とんでもないものがみつかったっちゅうてな」

房江は名刺を見た。「亜細亜商会　取締役社長　海老原太一」と印刷されていた。

「問題は裏じゃ」

熊吾の言葉で、房江は名刺の裏にインキで書かれた文字を見た。

「金五拾萬円也　右金額確かに御預かり致しました　昭和弐拾弐年九月拾参日　海老原太一」

そして海老原の印鑑が捺《お》してあった。

「これは、井草がわしから盗んだ金じゃ。戦争中、わしが俵木徳三と姫路の八木沢に融通してやった金の一部を、井草はわしに内緒で取り立てて、それを持って金沢へ逃げたんじゃ。そそのかしたのは太一じゃとわかっちょったが、まさかあの金のほとんどを海老原太一に預けちょったとはのお。わしはそのことは、井草の女房には黙っちょった。しかし、これを持って、金沢から上阪した井草の女房に、この預り書の意味を納得させるためには、亭主が十年前にやったことを説明するしかなかった」

「これがあったら、海老原さんは預かった五十万円という大金を返さなあかんねんやろ？」

房江は、胸が弾むとはこのような心持をいうのかと思いながら、そう訊《き》いた。だが、熊吾は海老原の名刺を見つめて、

「この五十万円が松坂熊吾のものじゃという証《あか》しにはならん。それに、井草正之助は死んでしもうた。海老原が、この金はすでに井草に返したと言い張ったら、どうなる？」

と言った。

「返したんやったら、この預り書が井草さんの手元に残ってるはずはないやんか」

「裁判になるのお。訴えるのは、わしやのうて井草の女房じゃ」

そう言ってから、熊吾は、なぜ井草の妻がこの一枚の名刺をみつけたかを説明した。

十二月初旬に、奇妙な男が井草の妻に逢うために金沢にやって来た。物腰の柔かい、丁寧な口調の、仕立てのいい背広を着た四十代の男だという。

男は、井草さんが戦前、松坂商会に勤めていたころにとてもお世話になった者だと自己紹介し、つい最近、井草さんが金沢で六年前にお亡《な》くなりになったことを知り、たまたま仕事で金沢に来たので、お墓にお線香の一本でもと思い、訪ねた次第だと言った。

井草の妻が、墓は井草家の菩提寺《ぼだいじ》である岐阜の徳源寺にあると教えると、男は、自分

も下手ながらも俳句をひねる趣味があって、戦前、井草さんも所属していた俳句結社「青桐の会」の会員で、その会誌に発表された句のなかでとりわけ秀逸なものを纏《まと》めて、記念の一冊を作ろうということになったと言った。

しかし、戦争中のどさくさに会誌の多くは散逸してしまい、井草さんの句が掲載されているものがどうしてもみつからない。井草さんの遺品のなかにそれがあるなら、お借りしたいのだが、と。

井草の妻は、夫の死後、遺品を整理し、遺《のこ》しておいても意味がないと思えるものは処分したが、夫が大事に保管していた「青桐の会」の会誌や、手帳や雑記帳類は柳行李《やなぎごうり》にしまってあったので、それを出して来て男に見せ、自分は茶を淹《い》れるために席を立った。

茶以外、何もてなすものがなく、井草の妻は近くの和菓子屋で菓子を買ってこようと思い、十分ほど留守をするが、その間、どうかご自由に柳行李のなかの会誌をご覧になっていてくれと言うために部屋に戻った。

そのとき、井草の妻は男の挙動に不審なものを感じた。男は会誌のページを繰っていたが、それは井草正之助の句を捜して読み返すという態度ではなく、活版印刷の薄い会誌のなかに何かが挟まっていないかと懸命に捜している手つきに感じられたのだ。

井草の妻が菓子を買って帰って来て、茶とそれとを盆に載せて男のいる部屋に運ぶと、男は、井草さんが生前保管していた名刺はどうしたかと訊いた。

自分も空襲ですべてを失い、「青桐の会」で親交のあった人たちの名刺も一枚残らず焼けてしまった。記念の句集を発刊するにあたって、その人たちとも連絡を取らなくてはならないので、名刺が残っているとありがたいのだが、と。

井草の妻は、名刺はすべて処分したと言った。実際、そうしたのだ。

すると男は、人から貰《もら》った名刺にも大事なものとそうでないものとがある、大事な名刺を奥さんは預かっていないかと訊いた。その瞬間の男の目は、うってかわって、何か背筋が冷たくなるような凄《すご》みがあった。

そんなものを私は預かった記憶がない。とにかく、名刺はすべて処分したのだ、と井草の妻が言うと、男は出された茶にも菓子にも手をつけず手ぶらで帰って行った。それが目的のはずだった会誌は柳行李に戻されたままだった。

そこまで話すと、熊吾は勢いよくおこってきた炭の火に両手をかざし、

「井草の女房はなァ、その男のことが気になって気になって、しばらく胸騒ぎがして仕様がのうなって、そのうち、男の目的は名刺かもしれんと考えるようになって、あらためて亭主が遺したもんを捜してみたんじゃ。遺しとこうと思うたもんは全部その柳行李に入れたつもりじゃったが、本が三冊、押し入れの天袋のなかにあった。三冊とも俳句の本じゃった。その一冊のなかに、この名刺が挟んであったんじゃ」

夫が昭和二十二年の九月に五十万円もの大金を海老原太一に預けただと？　五十万円

……。昭和二十二年のときの五十万円……。この預り書がここにあるということは、海老原太一に預けた金は、預けたままになっているということではないか……。そして、あの奇妙な男は、この名刺を取り戻したかったのだ。井草の妻はそう考えたが、いったいどうすればいいのかわからなかった。このようなことを相談できるのは松坂熊吾以外にはいない……。

「それで、この年の瀬に、金沢からわざわざ来てくれたっちゅうわけじゃ」

熊吾は、火箸《ひばし》で炭をつかみ、それで煙草《たばこ》に火をつけると、

「太一は墓穴を掘りよった」

と言った。

「いまの太一にとったら、五十万なんてたいした金やあらせんはずじゃ。かくかくしかじかの事情で井草正之助氏から五十万円をお預りしていたが、やっと返せるときが来たっちゅうて、井草の女房に五十万円を渡したら、それで済む話じゃ。その金が井草のものか松坂熊吾のものか、そんなことは当方とは関わりのないことじゃっちゅうたら、それはそれで済む話なんじゃ」

「なんで、そうせえへんかったんやろ」

と房江は訊いたが、熊吾は何かを考え込みながら無言で火鉢のなかの炭火を見つめつづけた。

そんな夫の姿を見ていると、「太一は墓穴を掘りよった」という言葉には、自分が思っているよりも深い意味が込められているような気がしてきたが、それには触れず、房江は一緒に少しお酒を飲まないかと誘った。夫が酒気を帯びていないことを知ったからだった。

うん、と生返事をしてから、

「糖尿病がまた悪いときに戻っちょるんやないかと思うんじゃ」

と言った。そういう気がしたのと、きのうからあちこちで飲酒運転を取り締まる検問が行なわれているので、今夜は酒を飲んでいない。熊吾は、半ば別のことを考えているような口調で説明した。

「お前は飲んだらええ。この一年、疲れたことじゃろう。今夜で仕事納めなんじゃ。この寒いのに冷酒はいかん。燗《かん》をして飲まんと腹をこわすぞ」

房江は、湯タンポのために沸かした湯の残りで酒の燗をした。

「わしは歩くのが好きで、それがわしの糖尿病の悪化を防いじょるんじゃと小谷先生が言いなはったことがある。ところがこの春あたりから自分で車を運転してあちこちへ出向くようになって、歩く量がえろう減ってしもうた。ほんの近くにでも自動車を使う癖がついた。わしの体には良うないが、自動車はらくじゃし便利じゃし、ついつい使うてしまうんじゃ」

房江は、加減のいい熱さの酒をゆっくりと味わって飲み、井草の妻は、いま金沢でどんな生活をしているのかと訊いた。

「五年前から文具店を営んじょるそうじゃ。親が岐阜に先祖代々からの檜《ひのき》の植林山を持っちょって、それを売って弟と分けた金で始めたらしい。小学校と中学校が近所にあるから、女ひとり、食うには困らんだけの商いはできちょると言うちょった」

それから熊吾は、あしたはどうするのかと訊いた。

伸仁を迎えに行き、そのあと野田の市場で正月用の買い物をして、おせち料理作りに取りかかるつもりだと房江は答え、

「お餅《もち》、サゴシ、昆布巻、里芋、にんじん、百合根《ゆりね》、鶏肉……」

そうつぶやきながら、市場で買うものを指を折って数えた。

「サゴシのきずし、昆布巻、小芋の煮物、わしはこれがありゃあ、もう他には何にも要らんぞ」

熊吾は、やっと笑みを浮かべた。

鰆《さわら》と呼ばれる前のサゴシという名の魚で作るきずしは、熊吾だけでなく伸仁も好物だった。魚嫌いの伸仁も、サゴシのきずしなら喜んで食べる。そしてそれは、松坂家のおせちには欠くべからざる料理なのだ。

千代鶴のことも、伸仁が担任の教師から「要注意人物」と烙印《らくいん》を捺《お》されたことも、夫

には言わずにおこうと房江はあらためて自分の胸に言い聞かせた。担任教師からそう思われているということを、誰よりも伸仁こそ知ってはならない、と。

十二月三十日は親子三人で角座の寄席に行き、そのあと千日前のふぐ料理屋でてっちり鍋《なべ》を囲み、大晦日《おおみそか》は、終日、おせち料理作りをして新しい年を迎え、元日は丸尾千代麿の家に年始の挨拶《あいさつ》をしてから、房江と伸仁だけで梅田で映画を観《み》た。熊吾と千代麿は夜遅くまで碁盤を挟んで向かい合っていたという。

正月の二日目、熊吾は伸仁を伴なってＦ女学院の近くにある「丸宗」という雀荘《ジャンそう》で見知らぬ客たちと卓を囲み、六千五百円勝って帰って来た。そして翌日の三日の昼に、伸仁はひとりで尼崎のタネの住まいに戻って行った。冬休みの宿題をしていかなかったら、一ヵ月間放課後に便所掃除をさせられることになったからだという。

そうやって昭和三十三年が始まったが、年が明けるとすぐに、房江の体に異常なほどの不快感が生じて、ときにはその場にうずくまってしまいたくなるほどの眩暈《めまい》に襲われるようになった。

仕事始めの五日の昼前に、房江は熊吾の運転する自動車に乗って、小谷医院で診察を受けた。

「絵に描いたような典型的な更年期障害ですなァ」

小谷医師は笑いながら言って、効く人には劇的に効くが、効かない人にはほとんど効果がないと断わってから、一度聞いても覚えられない名のホルモンを注射してくれた。診察代を払ったとき、房江は、小谷医師の信念は信念として、自分たち一家も早く健康保険に加入しなければならないと思った。

その注射は、房江には「劇的に効いた」ように思えたが、その効果は十日程しかもたなかった。

一月十六日の昼ごろにまた烈《はげ》しい眩暈と動悸《どうき》で歩けなくなり、船津橋の欄干に手を添えながら、やっとの思いで公衆電話のところまで行き、事情を説明して「お染」の女将に勤めを休ませてもらいたいと話すと、女将《おかみ》は予想に反して、

「更年期障害っちゅうのは、人によってはほんまに苦しいもんやそうやねェ」

そうねぎらう言葉で応じたあと、

「あの女、お金を包んで謝りに来よったでェ」

と言った。

「金で済まそうっちゅうんかいな、って言うてやってんけど、顔の傷も、ほとんど跡の残らん治り方をしたしなァ……、私も警察沙汰《ざた》にするほど暇な身やないし……」

島津育代は「お染」の女将の期待を越えた金を包んできたのだなと思いながら電話を切り、また橋の欄干で体を支えるようにして戻ってくると、安治川のほうから強い風が

吹き始めた。

その風は堂島川と土佐堀川の流れを逆流させているかに錯覚させるほどの強さで、窓ガラスが割れるのではないかと案じながら、房江は夕刻まで蒲団《ふとん》のなかで臥《ふ》していた。

少しうとうとして目を醒《さ》ますと五時だった。

日は落ちてしまっていたが、安治川の上流のもっと向こうには朱色が残っている。強風はつづいていた。

眩暈も動悸もおさまったので、房江は銭湯に行こうかと思ったが、湯につかって体を洗う自信はなかった。

階段をのぼって来る足音が聞こえた。それは伸仁のそれに似ていた。元気のいいときは、いつも二段跳ばしで気分良く拍子を取ってのぼってくるし、体の具合の悪い場合や、友だちとケンカをしてしょんぼりしているときは、すねたように一段のぼっては足を止め、そこでひと休みしてまたのぼるというようにするのだ。

足音は後者のほうだった。

「ノブか？　どないしたん？　何かあったん？」

房江は蒲団を畳み、それを押し入れにしまってから部屋を出て階段を見おろした。伸仁が水洗便所の前の壁に背を凭《もた》せかけて、ズボンのポケットに両手を突っ込んだまま、

「ぼく、野良犬《のらいぬ》やねん」

と言った。

「野良犬？」

意味がわからないまま、房江は、そこは寒いから早く部屋に入るよう促したが、伸仁はうなだれたまま動こうとはしなかった。

房江は階段を降り、伸仁に手を差し出した。伸仁がやっとそれを握り返したとき、また誰かの足音がした。熊吾だった。

熊吾は不審そうに、

「どうしたんじゃ。伸仁、お前、いつ来たんじゃ」

と訊いた。

「いま」

「学校が終わってからか？」

「うん、きょうは掃除当番の日やったから、教室の掃除をしてからバスに乗ってん」

熊吾にも促されて、伸仁は階段をのぼり、部屋に入ると、火鉢の火で手を暖めながら、きのう、学校からの帰りに、いつも時計屋の前につながれている小犬に給食のパンの残りをやっていると峰山先生が通りかかったのだと言った。

「そのときは、何にも言わんと行ってしまいはったのに、きょうの一時間目が始まるとき、みんなにぼくのことを『ああ、この子は野良犬みたいな子ォやねんなァと思いました。みんなもそう思といたらええんです』って言いはってん。ぼくは、時計屋さんが飼うてる小犬にパンをやっただけやのに、それがなんで野良犬みたいやのん？」

伸仁に問われ、熊吾は、目の光を強くさせて房江を見やった。それから、

「お前は野良犬なんかじゃあらせん。松坂熊吾と房江の子じゃ。人間のなかでも、なかなか上等の部類の人間じゃと親は思うちょる」

と言った。

熊吾は手帳を忘れたので取りに戻ったのだと房江に言った。

「麻衣子の母親に、もういっぺん手紙で問い合わせたいことがあって手紙を書いたんじゃが、住所を記した手帳を持たんと出てしもうた」

熊吾は手帳をひらき、封筒に谷山節子の住所と氏名を書くと封をした。そのとき、堂島川の上流のほうからサイレンの音が聞こえた。

サイレンには鐘の音も混じっていたので、消防車であることはすぐにわかった。それは一台だけではなかった。北のほうからも南のほうからも、あとからあとから何台もの消防車がひとつの場所へとめざしていた。

「近くじゃのお」

その熊吾の言葉で、伸仁は部屋から駈《か》け出て屋上へのドアをあけた。熊吾もそれにつづいた。

房江は、この船津橋のビルに帰っても、父も母も不在だと承知のうえで伸仁はバスに乗ったのだと、やっと気づいた。

伸仁は、それでもいい、火の気のない、電灯もないビルの三階の部屋で、父か母かが帰って来るのを待とうと思ったのだ。

担任の教師のひとことが、寂しさやよるべなさに耐えてきた伸仁の心のなかの芯棒《しんぼう》を折ったのだ。

私の子を野良犬だと？

房江は怒りで指が震えた。その指をエプロンで隠しながら、房江も屋上への鉄製の階段をのぼって行った。

熊吾が降りて来て、火の手がＦ女学院のすぐ近くであがっていると言った。

「ひょっとしたら、女学院が燃えちょるのかもしれん」

その言葉で房江は屋上の東側へと走った。いっこうに衰えない強風が伸仁を吹き飛ばしそうな気がして、房江はうしろから両腕で伸仁を抱きしめた。

そこからは電電公社の建物に遮《さえぎ》られて堂島大橋は見えなかったが、炎が西から東へと飛んでいるさまが鮮明に夜空のなかに見えた。

「ごっつい火事やなァ。ぼく、こんなごっつい火事、初めて見たわ」

と伸仁が言った。

熊吾の運転する車が堂島川沿いの道を東へと走って行った。消防車のサイレンはさらに数を増し、四方から火事現場へと次から次へと集結していた。房江には、まるで大阪中のすべての消防車と救急車が、船津橋のビルの北東にあたる一点をめざしているかに思えた。

夫は、燃えているのはF女学院かもしれないと言ったが、現場に行ってみれば火事は案外そこからは離れた場所で起こっているのではないかと房江は考えながらも、真っ赤になっている北東の方向の夜空の、その炎の幅がひろがりつづけるさまに不安を感じた。

もし、F女学院が燃えてしまったら、モータープール開業の計画はどうなるのであろう。開業そのものに支障はないとしても、四月一日という開業予定日は大幅に遅れるのではないのか……。

万一そのような事態となっても、私は三月末で「お染」をやめる。そして伸仁と一緒に暮らすのだ。そうなればそうなったときのことだ……。

「いつまでもここで見てても火事が消えるわけやあらへん。こんなに強うて冷たい風に長いこと吹かれてたら風邪をひいてしまうで」

房江は伸仁を促し、その手をつかんで階段を降りかけた。鍋焼きうどんの屋台を引く男が堂島川の畔《ほとり》を東から西へとやって来るのが見えた。

「鍋焼きうどん、食べよか」

房江は伸仁にそう言い、屋上から屋台を引く男を呼んだ。強い西風が声まで吹き飛ばしてしまうらしく、屋台の男は川口町のほうからやって来た二台の消防車を避けるように船津橋を北へと渡り始めた。

房江はもう一度、声をかぎりに呼んだ。伸仁も両手を振りながら、眼下に向かって声を張りあげた。屋台の男はやっと気づいた。

夫の分も買っておこうと房江は思い、鍋を持った。伸仁に蠟燭《ろうそく》の火で足元を照らしてもらいながら、ビルから出て船津橋のたもとに行くと、

「ごっつい火事でっせ。何軒の家が燃えてるのか煙でよう見えまへんのや」

と屋台の男は言った。

「火事は、どこですのん？」

「福島西通りの角ですわ」

「えっ？　F女学院？」

「女学院にも火が燃え移っとったなァ。とにかく消防の連中が堂島大橋の北側から向こうを立ち入り禁止にしよったさかい、わしも橋のたもとまで追い払われたんやけど、交差点の角の家が三軒か四軒、火に包まれてました。女学院の校舎も燃え始めてたように見えましたで」

風があまりにも強くて、消防士の持つホースからの水が目標のところに届かないのだ

と男は言った。

そこからは夜空に向かって噴きあがるような炎がはっきりと見えた。いつのまにこれほどの人間が集まったのかと驚くほどの数の野次馬が船津橋の上にひしめいていた。鍋のなかに三人分の鍋焼きうどんを入れてもらい、房江は伸仁とビルの三階の部屋に戻ると、熊吾の分だけ、うどんと汁を別にして残し、もう冷めかけている鍋焼きうどんを火鉢の炭火で温めた。

「女学院が燃えてしもたら、お父ちゃんの仕事はどうなるのん？」

と伸仁が心配そうに訊いた。

「どうせ校舎は壊してしまうつもりやってんから、お父ちゃんのお仕事がこれでどうなるということとなんかあれへんわ」

伸仁を安心させるために言ったのだが、房江はその自分の言葉で不安が解消されたような気がした。そのとおりではないかと思ったのだ。

温かい鍋焼きうどんを食べながら、あしたは学校を休んでもいいと房江は笑顔で言った。

「お母ちゃんが、朝、学校に電話しといたげる。風邪で熱があるので休ませますって」

そして、自分の碗《わん》のなかの玉子を伸仁の碗に入れ、お前は決して野良犬のような子ではないと言った。

「我儘《わがまま》で神経質で、勉強が嫌いで、おちょけで、しょっちゅう病気をするけど、ええとこがいっぱいある子や。お母ちゃんもお父ちゃんも、お前のことでは、体のこと以外は何の心配もしてへん。もっと小さいときから、人間として大切なことはこれでもかっていうくらい教えてきたんや。右の耳から左の耳へ抜けていってるようでも、大事なことはノブの心のなかにちゃんと残ってるもんや。ノブには、ええとこがいっぱいあるねんで」

「ぼくのええとこて何？」

と伸仁は嬉《うれ》しそうに訊いた。

「ぎょうさんありすぎて、すぐには出てけえへん」

と房江は笑った。それなら、ひとつだけ教えてくれと言いながら、伸仁は二度大きなくしゃみをして洟汁《はなじる》を伝わせた。

「これは、ほんまのくしゃみやで」

その伸仁の言葉が気にかかり、房江はなぜそう言ったのかを訊いた。

「光子ちゃんが、夜中に嘘《うそ》のくしゃみをするねん」

と伸仁は答えた。

何度も何度も嘘のくしゃみをつづけるので、隣の部屋の新井さんが薄い壁越しに怒鳴ると、光子ちゃんは嘘のくしゃみをやめるが、またしばらくすると同じことを繰り返す。

その嘘のくしゃみで、幼い月村兄妹の母親が帰っていることがわかるのだという。けれども、そんな小さなくしゃみの繰り返しくらいでは目を醒まさないほどに、兄妹の母親は酔いつぶれている……。

房江は、鍋《なべ》焼きうどんを食べる箸《はし》を置き、溢《あふ》れ出てきた涙をエプロンで拭《ふ》いた。

嘘のくしゃみ……。私も八歳のとき、同じことをした。だから私には、なぜ光子が嘘のくしゃみを繰り返すのかがわかる。母親に自分のほうを向いてもらいたいのだ。どうしたのか。風邪をひいたのではないのか、と額に掌《てのひら》をあてがってもらいたいのだ。

私も同じことをした。私は赤ん坊のときに母を亡《な》くしたので、嘘のくしゃみをするのは周りの誰かに優しい言葉をかけてもらいたいからだった。

だが、誰もそんな言葉をかけてくれるどころか、奉公先の先輩の女中たちに「うるさい」と怒鳴られ、ときには平手で殴られたりもした。わざとくしゃみを繰り返して、人の気をひこうなどとは、なんとこざかしい子だと罵《ば》倒《とう》され、真っ暗な押し入れに閉じ込められたときもあった。

房江は、みぞおちのあたりに冷たく重い何かが詰まっているような感覚を抱いたまま、涙を止めることができなかった。

「ごめんな、ごめんな。ぼく、嘘のくしゃみも、ほんまのくしゃみも、もうせえへんから」

伸仁は、母親の突然の涙を自分のせいだと思ったらしく、房江の顔をのぞき込んで謝まりつづけた。

そんな伸仁に、お前のせいで泣いたのではないと笑顔で言い、鍋焼きうどんを食べ終えると、房江は伸仁と一緒に再び野次馬の数のいっこうに減らない船津橋の上に行った。

火勢はこころもち衰えたようだった。

熊吾が帰って来たのは、伸仁が寝てしまってからだった。

火元は市電の通りを隔てた福島西通りの南西にある自動車部品販売店らしいと熊吾は言った。

「そこからの火が、風で女学院と並んじょる薬屋とカメラ屋と印鑑屋と洋服屋に移って、F女学院まで焼いてしもうた。その火元から女学院までは、市電の通る広い道があるんじゃぞ。火元の家と通りのあいだにはビルもある。なんぼ風が強かったっちゅうても、ちょっと距離がありすぎる。強風の吹くときの火事は恐しいっちゅうが……」

そう言ってから、熊吾は、房江が温めなおした鍋焼きうどんを食べ、

「柳田元雄は運のええ男じゃ」

とつぶやいた。

房江は夫の言葉で、火事がモータープールの開業に支障をきたさないことを知ったが、なぜ柳田を運のいい男だと言ったのか、その真の意味はわからなかった。

第五章

強風下の大火の火元である自動車部品販売店は、自動車の修理業も請け負っていた。若い修理工が自動車のバルブコックを修理中、寒いので付近にコンロを持ち込んだために、こぼれたガソリンに引火したのだ。

木造モルタル張り三階建ての店舗兼住居は、火の回りが早く、二階にいた店主の妻と幼い娘が逃げ遅れて焼死した。

風速十メートルの風は、火元から広い道を隔てた東南側に炎を飛ばし、F女学院の講堂と職員室、そして四教室を除く十三教室の木造瓦《かわら》ぶき二階建て一棟二百五坪を全焼するとともに、女学院と隣接する五軒の二階建ての家も全焼した。

軽い火傷《やけど》を負った者はいたが、これほどの大火で死者が二名だけだったのは、出火時刻が夕方の五時半ごろで、どの家もちょうど夕飯の支度時であったため、迅速に避難できたからだ。

女学院でも学生のほとんどは帰ってしまい、クラブ活動で学内に残っていた者はわずかだったので、混乱なく近くの小学校に避難することができた。

数紙の新聞はおおむねそのような記事を載せていた。

熊吾は、警察と消防による現場検証が行われて、女学院の敷地内には立入り禁止となっていた二日間、四月一日の開業と同時に自動車を預かることになっている契約者たちに、予定どおりに開業できることを説明して廻った。

現場検証も終わり、全焼した五軒の住人たちが焼け跡の前に戻って来て、女学院の教職員たちも、焼け残ったものを取り出す作業にかかったのを見はからって、熊吾は柳田元雄とともに女学院の敷地内に入った。

春の卒業式までは校舎を使うつもりだったが、こんな事態となっては、しばらく休校してから、いま西淀川区に建築中の新校舎で授業を行なうしかないと教頭は言った。

「女学院は、焼け太りやなァ」

まだきな臭さが消えていない、屋根からも天井のあちこちからも消防車の放水による水が流れ落ちてくる講堂のなかで、柳田は小声で言った。

「日を改めて、学校に火事見舞いを届けましょう。五万ほど包んで下さい」

と熊吾は言い、持って来た傘をひろげた。

「五万？　そんなに要らんやろ。学校側にはぎょうさんの火災保険が支払われるんや」

「壊さにゃあいけんかった建物が全焼して、壊さずに使うつもりじゃったこの講堂も南側の校舎もほとんど無傷で残ったんですから、五万円なんて安いもんでしょう」

これで解体業者に頼まなくても、腕のいい大工の棟梁《とうりよう》にまかせるだけで済む状態になった。焼け落ちた天井も柱も壁も、十人程度の大工と人足たちとで処理できる。解体業者が提示した見積り額の五分の一で済むではないか。

その熊吾の言葉に、柳田は、見舞金は三万円でいいと答え、

「これやったら、モータープールの開業を一ヵ月早められるなァ」

と言いながら、講堂と二階建ての校舎をつなぐ石畳の通路に出た。一階と二階には六教室があり、その南側には職員用の便所と用務員室がつづいている。

二階の教室の一部は焼け焦《こ》げていたが、太い柱にゆるみはなく、屋根と天井を少し修復すれば充分に使用に耐えられそうだった。

「この教室からじゃと、正門が見えます。壁は焼けちょるけん、修繕しましょう。正門をモータープールの車や人の出入口にするんですから、管理人にはいつも正門が見えちょらにゃあいけません。私と家内と息子は、この教室に住むのがいちばんええと思いますが……」

柳田は教室の天井を見あげ、

「焼けてるで。ここに住めまっか？」

と訊《き》いた。

熊吾は頷《うなず》き返し、この教室の真下の教室をモータープールの事務所にするというのはいかがかと提案した。柳田に異論はなさそうだったが、火事の被害を受けなかった一階の三教室のうちの二つは、柳田商会の支店として使いたいと言った。支店といっても、中古車をここに運んで、使える部品とそうでないものを分類し、使える部品を洗浄したり、多少の修理を施せば使えるものは修理する作業場だという。

「この近所に、刈田っちゅう大工がおります。私が解体業者をどこにしようかと捜しちょったとき、自分にもその一部を請け負わせてくれと頼んできよりました。そのときは、私は大きな解体業者のことしか頭になかったんじゃが、そのうちあちこちから、その刈田っちゅう大工の評判が耳に入って来まして……。腕のええ、骨惜しみをせん、誠実な仕事ぶりやそうです。これから、残った校舎を生かして使うとなると、ここに水道をひきたいとか、この床の板を厚うせにゃいかんとか、とにかくあとからあとから手を入れにゃあならんことが出てくるでしょう。刈田っちゅう大工にまかせてみたいんですが」

その熊吾の提案にも柳田は異論はなさそうだった。

「わしらがうろちょろしとると、この人らの邪魔になりそうですな」

熊吾は、類焼をまぬがれた校舎の教室に残っている机や椅子《いす》を運び出す作業にかかった教職員たちが階段をのぼって来たので、そう言って柳田と一緒に女学院の敷地内から出た。

市電の停留所の近くに、トヨタ自動車が生産するクラウンという名の乗用車の新車が停まっていて、柳田を待っていた。運転手は、柳田が車に近づくと運転席から降り、後部座席のドアをあけた。

「これはお幾らでしたか」

と熊吾は訊いた。

「百二十万ほどやった。このトヨペット・クラウンと日産のダットサンとどっちにしようかと迷たんやけど、こっちのほうが排気量が多うて乗り心地がええと勧められてなァ。それにこっちなら、わしが使わんようになっても、タクシーに使えるがな。トヨタがこの乗用車を最初に売り出したのはさきおととしや。戦後十年で、日本もこんな乗用車が製造できるようになったんかと、まあ言うたら万感胸に迫るっちゅう思いに駆られて買《こ》うたんや」

柳田元雄が外套《がいとう》を着たままその新車の後部座席に乗ると、熊吾は柳田に一礼して市電の通りを渡り、玉川町へと国道二号線沿いの道を歩きだした。

火元である自動車部品屋の焼け跡には、まだ警察と消防の者たちがいた。

女学院の片づけが終わるには一週間はかかるだろうと熊吾は思った。

まず、シンエー・モータープールの電話をつけなくてはならない。講堂の木の床は、何十台もの自動車の重さに耐えられないであろうから、全部張り替えなければならない。

正門の北側の、すべて燃えてしまった校舎の跡に、屋根付きのガレージを設ける。その屋根をどのようなものにするか……。

だが何よりも先に、さっき柳田と入った二階の教室を、自分たち一家の住まいとするために、どのように改修すればいいのかを刈田と相談しなければならない……。

玉川町の市電の停留所の手前を左に折れ、仕舞屋《しもたや》が並ぶ路地に入ると、熊吾は一度行ったきりの刈田喜久夫の家を捜した。

飼っている十姉妹《じゆうしまつ》が増えて困っていると言って、熊吾とおない歳《どし》ぐらいの、鹿児島出身だという寡黙《かもく》な大工の棟梁は、家のなかに収まりきれなくなった鳥籠《とりかご》を軒先に吊《つ》るしていたが、それが目印だなと思い、似たような家々の玄関を見ながら歩いた。

孵《かえ》ったばかりの雛《ひな》が鳥籠のなかの巣から顔を出して餌《えさ》をせがんでいた。

熊吾は気持良さそうに冬の陽光を浴びている二羽の親鳥に、

「また産んだのか」

と笑顔で言って、刈田の家の戸を叩《たた》いた。

十人だろうが二十人だろうが、要るだけの大工も人足も集められると刈田は皺深《しわぶか》い顔に喜色をたたえて言った。

「細かい見積書だけは出してくれ。わしが刈田さんからピンハネをしちょるなんて嫌疑はかけられとうないけんのお」

熊吾の言葉に、刈田喜久夫は隣の部屋で作業衣に着替えながら、これまで三度、火事で焼けた建物の解体と片づけを請け負ったことがあるので、あらかたの要領はつかんでいると言った。そして、熊吾と一緒に家を出ると、女学院へと向かった。

「あの大火事を見るために集まった野次馬の数は二、三千人やそうですなァ。新聞に書いてありました。大阪駅方面に行く市電もバスも自動車も停まってしもて、このあたりも、にっちもさっちもいかんくらい混んでました」

と刈田は年代物らしい型の崩れたソフト帽をかぶりながら言った。

「火事は恐しい。あの強風下で、死者が二人で済んだのは不幸中の幸いじゃ。燃え移って家を失《な》くした人らは、ちゃんと火災保険に入っちょったかのお。いまの火災保険がどういう仕組みになっちょるのか、わしにはわからんが、火元の自動車部品屋が他の家の建て替え費も出さにゃあいけんのかのお」

熊吾の問いに、火災保険には、類焼させた家の分は含まれてはいないはずだと刈田は答えた。

「あの女学院の経営者は、いっそ校舎が全部焼けてくれたほうがありがたかったでしょう。保険会社は焼け残った校舎に対しては保険金を払いよりませんから。全焼と半焼とでは、保険金額にえらい差がおますよってに」

熊吾は、見積りの概算だけでも早く出してくれと頼み、火事になる前に決定していた解体業者の見積り額を正直に刈田に教えた。

「火事で、この解体業者との話はご破算じゃが、刈田さんが十分の一の費用でやってくれるなら、何もかもあんたにまかせるがのお」

「十分の一は、ちょっときついですなァ。五分の一やったら、松坂さん一家の住む部屋も含めて、いろいろと勉強させてもらいまっせ」

「よし、決まった。それでやってくれ」

福島西通りの手前の路地のところで刈田と別れ、熊吾は停めてあった自分の車に乗って天王寺のシンエー・タクシーの本社へと向かった。電話で済む話ではあったが、あちこちの業者にまた新たな見積り書を出させていたら、自分たち一家が三月一日にモータープール内に引っ越せなくなると思った。

いまはF女学院の土地はシンエー・タクシーの所有となっているが、柳田はいずれは株式会社シンエー・モータープールを設立し、土地の所有もそこに移すつもりでいる。けれども、それまでは、モータープール開業に関する費用はすべてシンエー・タクシーの常務の裁量を仰がねばならなかった。

経理担当のその常務は、ただ判を捺《お》すだけで、決定権は柳田がいつも握っているのだが、熊吾と柳田が金銭に関して直接話をするのを極端にいやがるのだ。必ず自分を通させようとする。自分に頭を下げなければ、お前の意思は社長には届かないぞ、という暗黙の信号を送ってくる。

それもまたいわば一種の権力の誇示であることは熊吾にはわかっていたし、大小に拘《かか》わらず、どんな組織にも必ず生じる仕組みではあったが、その常務を通していたら、たった十分で済む話が十日かかるのだ。

熊吾の提案や報告を、そっくりそのまま伝えてくれるなら、少々時間がかかっても、常務には常務の立場があるのだろうと思うことで済むのだが、そこに常務の個人的見解を混ぜ合わせて社長につなぐので、話がややこしくなるのだ。

熊吾はこれまで何度も、

「私が『あいうえお』と言うたら、松坂は『あいうえお』と言っておりましたと社長に伝えて下さい。そこで『あ』を抜いたり『か』を加えたりせんようにして下さい」

とその常務に言ったが、それは逆効果だった。熊吾の言葉を根に持った常務は『あいうえお』を『かきくけこ』と伝えるようになっていることを熊吾はすぐに知ったのだ。

シンエー・タクシーの本社に着くと、柳田元雄は運転手付きの車でどこか別のところに向かったらしく、まだ帰っていなかった。

「昼までにはこっちへ帰るってことでしたけど……」

と根岸という常務は言い、新しく造った広いこぎれいな応接室に熊吾を案内した。

「私は、きのうの夕方、現場に行ってみましたが、まだ立入り禁止でした」

根岸は三つ揃《ぞろ》いの背広から煙草《たばこ》を出し、それを熊吾に勧めながら言った。熊吾はその煙草をくわえて火をつけ、刈田という大工の棟梁のことを根岸に伝えた。

「解体業者の見積りの五分の一の金額でいっさいがっさいを請け負うてくれました。その刈田さんにまかせることに決めたとお伝え下さい。さっき、現場で、社長からは松坂にまかせると仰《おつしや》っていただいたんですが、詳しい見積りが出るまでちょっと時間がかかるでしょうから、とりあえず刈田という大工に決めたことだけをご報告しとこうと思いまして」

熊吾が言うと、

「他の大工にもあたってみはりましたか？」

根岸は笑みを浮かべて訊いた。

この男は、いついかなるときも自分が話す段になるとまず笑みを作るが、それも時と場合によりけりなのだということがわかっていないらしい、と熊吾は思いながら、

「五分の一の金額で、よくもまあ引き受けてくれたもんです」

と言った。

「世間は広いですよ。もっと安うに請け負う大工を捜してみて下さい」

いやならこの仕事から手を引いてくれてもいいのだぞ……。根岸の薄笑いにはそんな言葉が隠されているのを感じた。

「わかりました。そうしましょう。社長はモータープールの開業を三月一日に変更されましたので、私も急いでしまいまして」

「三月一日に？」

「お聞きになっておりませんでしたか？」

「そういえば、火事のあくる日、そんなことを言うてはったような……」

「火事のあくる日にですか。現場も見ずに？　さすがに頭の回転が早いですなァ」

熊吾は、煙草を吸い終えるとソファから立ちあがりながら何気なく壁に掛けられている大判の写真に目をやった。七、八人の男たちがそれぞれ猟銃を持って立ち、戦利品である三頭の猪《いのしし》と五羽の雉《きじ》、それに三羽のヤマドリを地面に並べて得意そうに笑っていた。写真の下には「関西猟人倶楽部《クラブ》　昭和三十二年十二月六日　大峯《おおみね》山中にて」と白抜き文字が入っていた。

右から二人目が柳田元雄だった。熊吾は中央にいる小柄な男の顔を確かめるために壁に近づき、額縁に収められた写真に見入った。

片手に猟銃を持ち、片手でポインター種の犬の頭を撫《な》でているその小柄な男は海老原太一だった。

熊吾の横に立って、長身の根岸も額のなかの写真を見上げた。その顔が額のガラスに映っていた。熊吾は何かに似ているなと思いながらガラスに映っている根岸の顔を見つめた。

山羊《やぎ》に似ているのだ、山羊が眼鏡をかけている……。

熊吾がそう気づいたとき、根岸は写真のなかの人物をひとりひとり説明した。

左からS電機の社長、その隣がT百貨店の社長、その横にはE精糖の副社長、その隣がE通商の社長、その横がM銀行の頭取、そして我が社の社長、右端はM銀行頭取の息子。

「錚々《そうそう》たる顔ぶれですな。猟は高うつきます。猟銃も弾も庶民の手には届かんもんばっかりですし、猟犬もちゃんとそのための訓練をせにゃあいけません。いなかの百姓が、農閑期に猪狩りに行くのとはわけがちがいますけん」

熊吾の言葉に頷《うなず》きながら、根岸は、この写真は彼が引き伸ばして額に入れて贈ってくれたのだと言って海老原太一を指差した。

「ヤマドリっちゅうのは、うまい鳥です。ちょっと癖のある香りで、その香りが肉やスープに独特の味を加えます。これはよう肥えたヤマドリですな」

熊吾はそう言って応接室から出ると、自分の車に戻った。

奇妙なほどに、俺の行くところに海老原太一の影があるなと熊吾は思った。

太一は、戦前、貧乏のどん底にあった柳田元雄と顔を合わせたことがあるだろうか。あるに違いない。御堂筋にあった松坂商会のビルに、自動車部品を自転車の荷台に載せ

て売りに来た柳田元雄の姿を遠くからみつけて、

「あのおっさん、また来よりましたで」

と俺に言ったことがある。

確かそのとき、俺は、相手がどんな立場にあろうとも若い者が目上の者にそんな言い方をしてはならない、『焙烙《ほうろく》売りも我が商売』という言葉がある、どんな小さな商いであろうとも、柳田は自分で商売をしている一国一城の主なのだと注意した。

熊吾はそのときのことを思い浮かべながら車のエンジンをかけて桜橋へと向かった。久しぶりに千代麿と昼飯でも食べようと思った。

井草の妻から、裏面に借用書が書かれた海老原太一の名刺を預って以来、どうしても解けなかった謎《なぞ》が、さっきの写真で解けた気がした。

海老原が関西猟人倶楽部で柳田元雄と再会したのがいつなのかわからないが、いずれにしても狩猟を趣味とする財界人の会で海老原と柳田は年に数回は顔を合わせているであろう。

その際、太一は松坂熊吾がいまは困窮して電気も水道もないビルの一室に暮らし、柳田が購入した女学院の土地に大駐車場を開業する準備をまかされたことを知ったに違いない。

あの写真は、じつはこの俺に見せるために柳田に贈ったのだ。それはいささかうがちすぎた想像だと人は言うかもしれないが、海老原太一とはそのような人間なのだ。

太一は五十万円という金が惜しくて、金沢の井草の妻のところに人をつかわせたのではない。あの預り書をこの世から抹殺《まっさつ》したいのだ。かつて自分が井草をけしかけて松坂熊吾の金を盗んだという過去を世間に決して知られたくないのだ。

それならば、五十万円を持って井草の妻を訪ね、かくかくしかじかの事情で井草正之助氏から五十万円を預かったままになっていたのでお返しにあがったと正直に言えば済むではないかと誰もが思うだろうが、それができないのが海老原太一という人間の性格であり弱さなのだ。過去の己の不正な行ないを誰にも知られたくない。それは自尊心というのでもなければ虚栄心でもない。太一のなかに元来棲《す》みついて居坐《いすわ》っている怯《おび》えなのだ。

その何物かへの怯えがいったい何なのか、太一自身わかってはいないであろう。だが、太一がわかっていなくても、太一の生命は、己のなかに渦巻く邪《よこしま》なものを絶えず見つめつづけている。太一を怯えさせているのは、他ならぬ太一そのものなのだ。

「お前の嫉妬深《しっと》さは若いころから尋常じゃあらせんじゃった。しかしお前は、自分が嫉妬しとるっちゅうことに気づいちょらせんじゃった。いつもいつもそうじゃった。いまもきっとそうじゃろう」

熊吾はあたかも車の助手席に海老原太一が坐っているかのような心持でそう語りかけ

た。そのとき、信号が赤であることに気づかず交差点を速い速度で走り抜けた。慌《あわ》てて急ブレーキを踏み、後部の窓から交差点のほうを振り返ると、幼い女の子と手をつないだ女が、買い物籠を持ったまま放心したように立ちつくして熊吾の車を見ていた。

熊吾は車から降り、自分の心臓が異常なほどに強く速く打っているのを感じながら、女のところへと小走りで戻り、

「うっかりして信号を見ちょりませんでした。誠に申し訳ない。さぞかしびっくりされたことでしょう。お怪我《けが》はありませんか」

と言いながら、何度も頭を下げた。

女は震え声で、買い物籠が車に当たったと言った。買い物籠のなかでは、新聞紙に包まれた玉子が二個割れていた。

すぐ近くに、野菜や玉子や漬物を売る店があった。熊吾は謝まりつづけながら女をその店舗につれて行き、玉子を五つと、籠に盛ってあるリンゴも五つ買った。そして、女の買い物籠のなかの割れた玉子を手で取り出し、代わりに、買った玉子とリンゴを入れた。

「気をつけて下さい。ほんまに危なかったです」

女の言葉に、再び深く頭を下げ、謝罪の言葉を繰り返して、母子が無事に信号を渡っ

て行くのを見届けてから、熊吾は車に戻った。動悸《どうき》は長くつづいた。

「いまでも思い出すと心臓がどきどきしよる。交通事故っちゅうのは、ああやって起こすんじゃのお」

熊吾は、寺田権次がコテを器用に動かして、お好み焼きのための鉄板の上で焼いてくれる「テッチャン」という名の牛の臓物を食べた。

熊吾は胃腸が丈夫だったが、ニンニクだけは苦手だった。ニンニクを食べると必ず胸やけがして下痢をする。そのために、寺田権次が蘭月ビルに住む朝鮮人に作り方を教えてもらったタレにはつけず、テッチャンを醬油《しょうゆ》と七味唐辛子《とうがらし》とで食べた。

「買い物籠《かご》が当たったたっちゅうことは、ほんまにすんでのところで親子を轢《ひ》き殺すところやったんですで。その親子も運が良かったけど、兄さんも運が良かったんや。そう思うて、まあ一杯いきまひょ」

寺田権次はビールを勧めたが、熊吾は断わった。

「車を運転して帰らにゃあいけんけんのお。きょうはやめとこう」

そう言って、熊吾は、お好み焼き台に置いた一通の封書を手に取った。伸仁に届いた手紙で、差し出し人は呉芳梅だった。しかし、宛先《あてさき》は「松坂伸仁」で差し出し人は「呉芳梅さま」となっている。そして字は、あきらかにどちらも伸仁の筆跡なのだ。

「これはどう推理しても、伸仁が芳梅に手紙を出したつもりなんじゃ。ところが、宛先に自分の住所と名前を書いて、差し出し人のところに呉芳梅の住所と名前を書きよった。郵便局はちゃんと宛先の松坂伸仁に届けてくれたっちゅうわけじゃ」

笑っている寺田に、熊吾は、このことは伸仁に内緒にしておいてくれと頼んだ。

「わしが、なんとかこの間抜けな息子の字を真似《まね》て、もういっぺん送り直してやるけん」

火事から九日がたっていた。土曜日なので、昼過ぎには学校から帰っているだろうと思ったのだが、伸仁は夕方の五時を過ぎても帰ってこなかった。

熊吾は、伸仁がポストに投函《とうかん》して伸仁に送られてきた手紙を上着の内ポケットに入れると、用意しておいた一枚の白紙の便箋《びんせん》を出し、

「ここに大きな字で『名刺有ります』と書いてくれ」

と寺田権次に言った。

「それだけでよろしおまんのか？」

寺田は熊吾の万年筆で言われたとおりに書いた。

「わたいは字ィが下手でんねん。尋常小学校を四年しか行ってまへんよってに」

「かまわんのじゃ。下手な字のほうがええ」

「なんか、兄さんの悪巧みに加担させられたみたいでんなァ」

「精神分析のためのテストみたいなもんじゃから、厳密に言うと悪巧みかもしれんのお」

このテッチャンという名の牛の臓物はうまいものだなと思いながら、熊吾は笑顔でそう言い、便箋を四つに折って封筒に入れ、内ポケットにしまった。それから、刈田が出した見積り書を寺田権次に見せ、火事で焼失したF女学院の校舎と類焼を免れた校舎の見取り図を出した。

「この大工の見積りは適正価格かどうかを教えてくれんか」

寺田権次も小さいといえども工務店を営んでいたので、ある程度の目安はわかるはずだと熊吾は思ったのだ。

寺田はビールを飲みながら見取り図と見積り書を見比べ、算盤《そろばん》を持って来て計算をしてから、

「わたいの息子やったら、この金額では請け負えまへんと言いまっしゃろ」

と言った。

「安いのか」

「安いも安いも……。儲《もう》けなんかおまへんで。下手したら、この大工の棟梁《とうりよう》、最初から損するために仕事を引き受けたっちゅうことになりかねまへんがな」

「寺田工務店のご隠居としては、なんで刈田がこんな値段で仕事を取ろうとしちょると

思うかのお」

「ぜひこれから長いおつき合いをっちゅう意味でんがな。校舎を残して、使えるものは使おうということになったら、駐車場を開業してから次から次へと不具合が出てくるのは当然や。そのときにちょっと儲けさせてくれ、と」

「なるほど」

「その親方、歳《とし》は幾つでんねん？」

「わしとおない歳じゃと思うちょったが、こないだ歳を訊《き》いたら六十五じゃった。三人の息子はみんな戦死したそうじゃ」

熊吾の言葉に、寺田権次は目玉よりも大きそうな二重瞼《ふたえまぶた》をせわしげに動かし、きっと職人気質の強い大工なのであろうが、そのような棟梁は建物を壊すことで金儲けをすることを嫌うのだと言った。

「新しい家を建てるために古い家を壊すっちゅうのは、これはしょうおまへんけど、ただ壊すだけっちゅう仕事はいやがりよるんです。この値段は、わしは壊すことで金儲けなんかせんぞっちゅう心意気でっしゃろ」

寺田がそう言って、鉄板の上にさらに牛の臓物を並べて焼き始めると、頭巾《ずきん》の付いた白いマントを着た幼い女の子を抱いた男が入って来た。

その三十五、六歳かと思える男が、あまりにもプロレスラーの力道山に似ていたので、熊吾は無礼と知りつつも男の顔を凝視してしまった。

女の子は、熊吾を見るとなぜか笑って両手を差し出し、抱いてくれというふうに父親の体から上半身を突き出してきた。

「あんたは何歳におなりかな？」

と笑顔で訊きながら、熊吾も両手を出して女の子を受け取り、胸に抱いた。

「一歳と五ヵ月です」

と男は言い、人見知りの強いこの子が見知らぬ人に自分から甘えていくなどとは初めてのことだと不思議そうにつぶやき、煙草《たばこ》に火をつけた。

「きのうは、うちの社員が迷惑をかけたみたいで。えらいすんまへんでしたなァ」

男は寺田に謝り、きょう、妻は風邪で熱を出して寝込んでしまい、昼からずっと子守りをさせられているのだと言って苦笑した。

一歳五ヵ月の女の子は、熊吾の口髭《くちひげ》が珍しいのか、さわりたがって手を伸ばした。

「こんなじいさんの口髭はさわるもんじゃあらせん。煙草の匂《にお》いとか、いま食べたテッチャンの匂いとか、きょう一日の世間の塵芥《ちりあくた》とかがこびりついちょるけん、汚ないぞ」

熊吾は女の子をいったん父親の膝《ひざ》の上に返し、台所に行くと石鹸《せっけん》で口髭を洗って店に戻り、再び女の子を抱きあげた。

男は、熊吾が伸仁の父であることを寺田から聞いたようで、椅子《いす》から立ちあがると名刺を出して丁寧に挨拶《あいさつ》をした。名刺には、「甲田鉄工株式会社　社長　甲田憲道」と印刷されてあった。

熊吾も自分の名刺を渡し、女の子に好きなように口髭をさわらせながら、もし自分が世間の男並みに二十六、七歳で子宝に恵まれていたら、いまごろこのくらいの歳の孫が二人か三人いても不思議ではないのだと思った。

だが、もしそうであったとして、子供が男だったら、俺は自分の息子を戦地で失《な》くしていた可能性のほうが大きい……。

熊吾は自分の心に浮かんだ思いを正直に甲田憲道に言った。甲田は笑みを浮かべただけで、それには何も応じ返さなかった。

この年齢で、これほどの落ち着きと貫禄《かんろく》を持つ男は、滅多にお目にかかれるものではないと熊吾は思った。

甲田は、テッチャンとレバーを焼いてくれと寺田に言い、お好み焼きを三枚家に持ち帰りたいと頼むと、朴のばあちゃんの作ったドブロクはないかと訊いた。

寺田は台所に行き、一升壜《びん》に入っている朝鮮のドブロクを持って来た。

「このへんでは、朴のばあちゃんが作るこれが一番うまいです」

と甲田は言った。

「私らの国では、この酒はみんな自分の家で作ります。私らの国ではマッコリと言うんです。地方によってちょっとずつ発音が違いますが、それぞれの家には、それぞれのマッコリがありまして、つまりお袋の味っちゅうやつで。いや、マッコリ造りは、だいたいおばあちゃんの担当やから、おばあちゃんの味かな。松坂さん、一杯いかがですか」

　そう勧められて、自分は今夜は車なのでと断わりかけたが、熊吾はこの甲田憲道という男と飲んでみたくなった。

「伸仁を預かってもらうのもあとひと月ほどじゃということを妹に伝えとうて来たんですが、妹も伸仁も、どこに行きよったのか、帰って来よらん」

　熊吾はそう言ってコップを差し出した。車はこの近くに置いて、バスで帰ろうと決めた。

「きのうは、うちの社員が先に手ェ出したんですか？」

　と甲田は熊吾のグラスにマッコリをつぎながら寺田に訊いた。

「手ェどころか、ビール壜やがな」

　寺田は笑いながら言った。この息を吸いながら笑うという癖をやめれば、寺田の野卑な部分はかなり改善されるだろうにと思いながら、熊吾は甘みと酸味とがちょうどいい塩梅《あんばい》のマッコリを飲んだ。

　甲田はしばらく頰杖《ほおづえ》をついて考え込んでいたが、伊東の怪我はどの程度なのかとまた寺田に訊いた。

寺田は自分の禿《は》げ頭のてっぺんあたりを指差し、

「ここをちょっと切りよったなァ。そんなに深い傷やないで」

と言い、このごろ、いやに朝鮮人同士のケンカが増えたが、あんたたちのあいだで何が起っているのかと訊いた。

「この蘭月ビルも、なんや血なまぐさいことが起りそうな感じやがな。きのうの夜中も、二階で朝鮮語で怒鳴りおうとった。あれは金村が恩田はんをつるしあげとったんやないかとわしは睨《にら》んだんやけど、どっちも朝鮮語やから、ケンカの原因がわかれへんがな」

「恩田？　あの怪人二十面相も朝鮮の人ですか？」

熊吾の問いに、甲田は、そうですと答え、

「恩田は、父方の姓です。母親が朝鮮人で。最近、彼は韓国人と呼んでもらいたがりますが」

とつづけた。

「この蘭月ビルに住んでる在日朝鮮人のうち六人は、三十八度線よりも南の出身者で、つまりいまは大韓民国っちゅう国名になったとこで、恩田のお母さんは、ここでは数少ない北の出身者です。そやのに、自分は韓国人やと言いよる。それが金村には腹が立つんでしょう。金村は南の出身やけど、心情的には北に寄ってまして、祖国に帰りたがってます」

「北への帰還問題は、いつのまにか立ち消えになってしもうたっちゅう感がありますが……」

と熊吾は言った。

「李承晩政権が、強硬に日本政府に抗議したからです。日本が公式に北への帰還を認めることは、つまり北朝鮮という国家そのものを承認することになりますから。それに、日本政府は、北への帰還を希望する在日朝鮮人が、帰還に際して補償を要求してくることを恐れてます。厖大《ぼうだい》な補償額になりますからね」

「甲田さんはどっちですか」

いつのまにか熊吾の膝の上で眠ってしまった甲田の娘を、臓物を焼く煙から遠ざけながら熊吾は訊いた。

甲田は答えなかった。

もう長いこと磯辺富雄と逢《あ》っていないなと熊吾は思った。

「私の父親も、私も、血の汗をしたたらせながら、この日本で生きてきました。そうやって日本で築きあげたもんがぎょうさんあります。蔑《さげす》まれ、馬鹿《ばか》にされ、言葉では言いあらわせんほどに不当な差別を受け、牛か豚か犬かみたいに扱われながらね。これは今後も変わらんでしょう。もしそれが、この愛子がおとなになってからもつづくとなったら、また元のゼロに戻って、同胞に囲まれた祖国で一から出直すほうを選んだほうがええのやないか……。このごろ、そんなふうに考えるようになりました」

どこに行こうが、俺は生きてみせる。そんな気概が甲田の低くて太い声に潜んでいた。

この問題に関しては、日本人である自分はいっさい己の考えを口にしてはならないと熊吾は思っていた。日本人が、朝鮮人たちに行なった傲慢《ごうまん》な蛮行の数々に対していささかでも贖罪《しょくざい》の思いを抱くならば、確固たる論拠に依《よ》らずに、軽々しくて怪し気な、単なる勘だけの大局観を演説すべきではない、と。

寺田が次から次へと焼く臓物を咀嚼《そしやく》しつづける甲田の浅黒く日灼《ひや》けした顔は逞《たくま》しかった。そしてその逞しさのなかに理知的で思慮深いものも併せ持っていた。

「重いでしょう」

眠り込んでいる自分の娘を受け取ろうと、甲田がそう言って手を伸ばしたが、

「いやいや、ゆっくり食事を楽しんで下さい。わしはこんな幼い女の子を抱いたことがないけん、ちょっとの間《ま》、この子の父親になった気分を味わわせてもらいますけん。父親っちゅうのはあつかましいのお。おじいちゃんになったつもりっちゅうのが正しい」

熊吾はそう言って笑った。

ノブちゃんが仮に三十歳で父親となったら、松坂さんはそのときお幾つになっているのかと甲田は自分でマッコリをコップにつぎながら訊いた。

「あと二十年。わしは八十一ですな。わしはなんとなくその歳までは生きんような気が

しちょります」

熊吾は言って、わしにもレバーを焼いてくれと寺田に頼み、マッコリを飲んだ。

「これは日本のドブロクよりもはるかにうまいのぉ」

「朴のばあちゃんが造ったんですから」

甲田は嬉《うれ》しそうに言って、寺田権次にも勧めた。

「わたいは、こう見えても、酒はあきまへんのや。せいぜいビールをコップに二杯っちゅうとこやがな。それに最近は血圧が高うて、酒は医者に止められてまんねん」

伊東がアルミの鍋《なべ》を持って入って来た。甲田を見ると慌《あわ》てて出て行こうとしたので、甲田はそんな伊東の腕をつかみ、

「うちの社員が申し訳ないことをしたなァ。わしが謝っても済まんやろけど、こんどだけは大目にみてやってくれや」

と言いながら、事前に用意してあったのであろう封筒を伊東の作業着のポケットに入れた。

「いや、これはなんぼなんでも受け取れませんわ。これを甲田さんから受け取ったことが知れたら、ぼくはこの蘭月ビルから村八分にされます」

熊吾は、伊東の持っている鍋の中身が、マメと呼ばれる牛の腎臓《じんぞう》であることを知ると、伊東を椅子に坐《すわ》らせて、これをみんなで食べようと提案した。

「これは七輪の炭火でないと、ほんまのうまさが出ませんねん」

「この海坊主《うみぼうず》に炭をいこさせたらええんじゃ」

熊吾は愛子を抱いたまま寺田と台所へ行き、七輪を捜した。そして小声で寺田に言った。

「お前とタネは、ひとつの蒲団《ふとん》で寝ちょるそうじゃな。明彦と千佐子が、どんな思いで、お前とタネが寝ちょる部屋の磨《す》りガラスを見ちょるか、お前もタネも考えてやろうとは思わんのか。今夜から、蒲団を二つ敷け」

「そんなもん、兄さんに指図されることやおまへんがな」

寺田がそう言い返すなり、熊吾は持っていた七輪で寺田の頭を殴った。鈍い音がして、寺田は台所に倒れた。

「なにしやがんねん」

台所に尻餅《しりもち》をついたまま、寺田は目を剝《む》いて叫んだ。

「お前とタネは犬畜生にも劣るやつらじゃ」

熊吾は愛子を落とさないようにしながら、もう一度、寺田の禿げ頭に狙《ねら》いを定めて七輪を振りあげた。

もうやめてくれ、右脚が痺《しび》れてきた。頭の骨が折れたかもしれない。

寺田権次は両手で頭をかばいながらそう言って、降参を示すようにその両手をあげた。

「よう寝る子じゃ」

熊吾は、台所からお好み焼き台のある店に戻り、甲田に愛子を渡しながら言った。いつのまにか、張本のアニイが来ていて、甲田と並んで坐ってマッコリを飲んでいた。寺田は二の腕から背中一面に彫り物を入れた男なのだ。七輪で頭を殴られて、降参したままで終わりはしないだろう。

熊吾はそう思い、店の外へ出て、寺田が出て来るのを待った。タネが買い物籠《かご》にキャベツを入れて帰って来た。温室物のキャベツを求めて出屋敷の商店街まで行ったのだという。

伸仁の声が蘭月ビルの二階から聞こえた。

なんだ二階にいたのかと思いながら、熊吾は道に落ちている手頃な大きさの石を三つ拾い、ハンカチで包むと、それを振り廻しやすいようにハンカチの四隅をつかんで、寺田を待った。

タネの、寺田を呼ぶ声が響き、ガラス戸越しに客たちが台所へと走る姿が見えた。寺田は立ちあがれないまま、台所に尻餅をついて頭を押さえ、奇妙な唸《うな》り声をあげつづけていた。

「どないしたん、あんた、どないしたん」

タネが訊《き》いても、寺田は答えなかった。

「これは、卒中やで」

張本のアニイが言った。

「おい、伊東、救急車を呼べ」

と甲田が言った。

これはちょっとやりすぎたな。熊吾は、覚悟を定め、自分が七輪で殴ったのだと説明した。

「七輪で？ 兄さんが？」

タネは茫然《ぼうぜん》と熊吾を見つめ、それから寺田の頭を自分の胸に抱くようにして、

「何か喋《しゃべ》ってェな。あんたの名前は？ なァ、自分の名前、わかるかァ？」

と訊いた。その声は裏返っていた。

寺田は、タネの肩を借りてゆっくりと立ちあがったが、右脚が痺れているのは本当らしく、またその場に崩れるように尻餅をついた。

「わしはいまから警察に自首するけん。タネ、わしはお袋の仇《かたき》を討ったんじゃ。お前とこいつが、わしのお袋を追い出して死なせたんじゃ。まだ仇は討ち足らんがのお」

熊吾の言葉に、寺田は大きく手を左右に振った。

「大丈夫や。脚の痺れも治ってきよった。わしの名前は寺田権次や。兄さん、警察になんか行くことおまへんで。わしは、兄さんに七輪で殴られたりしてまへん。血圧が高う

なって、ふらふらっと倒れて、頭を打ったんでんがな」

寺田が再び立ちあがったとき、甲田が、熊吾の手から石を包んだハンカチを取り、笑いながら、

「伊東、炭買うてこい。これからここでマメの会や」

と言った。伊東は、はいと大声で返事をして、タネの店から走り出た。

「これでも手加減したんじゃ」

熊吾はそう言いながら、左手首の裏側を揉《も》んだ。七輪を片手でつかんで持ちあげ、手加減しながら振り降ろしたときに痛めたのであろう。こういう痛め方は、治るのに時間がかかるのだと熊吾は思った。

二月の最初の日曜日、熊吾は久しぶりに伸仁をつれて京都競馬場へ行った。寺田権次を重い七輪で殴ったときに痛めた左手首は、接骨院で診てもらうと、かなり重症の腱鞘《けんしよう》炎《えん》で、治るのに二ヵ月はかかるという。

ギプスで手首から肘《ひじ》の関節までを固められてしまったので、自動車の運転はしてはならないと釘《くぎ》を刺されていた。

「お陰でまたよう歩くようになって、体調が良うなった」

熊吾は言うと、冬日の差すパドックで第九レースに出走する馬たちを伸仁と並んで鉄《てつ》

柵《さく》に凭《もた》れながら見入った。

「一番の馬は冬毛が出ちょるし、二番の馬は四本の脚の運びがばらばらじゃ」

「五番の馬は目がきょろきょろ動いてるわ」

仲仁はそう言って、三番と四番の馬を選んだ。

「このレース、七番の軸は固いぞ。この馬を外した馬券なんか考えられん」

しかし、熊吾の目には、まったく無印の八番の馬が良く見えた。発表された馬体重は四百四十六キロだったが、それよりも大きく見えたし、馬の視線は常に遠くにあって首さしの伸びに隠れた闘志が漲《みなぎ》っているように思えた。

熊吾は、七番から、三番、四番、八番の馬へと流そうと言ったが、仲仁は、四頭の馬をすべて絡《から》めた馬券にしたいという。

「それじゃと、三—四、三—七、三—八、四—七、四—八、七—八っちゅう六点張りになるぞ。プロのギャンブラーが八頭立てのレースで六点張りするなんて沽券《こけん》にかかわる」

「そやけど、きょうのお父ちゃんの予想、ぜんぜん当たれへんねんもん。競馬場に着いてから五戦全敗やで」

「うん、それを言われると面目ない。きょうは確かにお前の馬を見る目のほうが、わしよりも優れちょる」

熊吾はギプスで固めた左腕を右手で支えながらパドックから馬券売り場へと行き、伸仁の主張通りに、六通りの連勝複式の馬券を五百円ずつ買った。

「えっ！　三千円も使うのん？　百円ずつにしとき」

伸仁は競馬場の人混みで父親とはぐれてしまわないように熊吾の厚手の外套《がいとう》をしっかりとつかんだまま言った。

「きょうの松坂親子はツキに見離されちょるけん、これが外れたら、さっさと帰るんじゃ。未練たらしゅうに最終レースまで買いつづけて、文無し連中で満員になっちょる電車に乗らんためじゃ」

人混みをかきわけてゴール板の前の柵のところに来ると、二月の淀《よど》の寒風がまともに吹きつけてきた。

「あと一ヵ月で蘭月ビルともお別れじゃが、お前はこのまま難波《なにわ》小学校に通うか、それともシンエー・モータープールの近くの福島小学校に転校して小学校を卒業するか……。お前はどうしたい？」

と熊吾は訊いた。

子供を野良犬よばわりする担任教師にまだあと一年も伸仁を預けておきたくはなかったが、せっかく仲のいい友だちができたのに、また別の学校に転校させるのも不憫《ふびん》な気がして、熊吾は伸仁の意思にまかせようと思ったのだ。

「福島小学校なら歩いて五分じゃが、尼崎の難波小学校までは阪神バスで四十分じゃぞ」

難波小学校にはもう行きたくないと言うであろうと予想していたが、仲仁はしばらく考えてから、バスでいまの小学校に通うと答えた。

「なんでじゃ？」

「福島の小学校に転校したら、蘭月ビルの月村くんや光子ちゃんや、津久田の咲子ちゃんや香根ちゃんや、怪人二十面相や、土井のあっちゃんとも逢われへんようになるやろ？　伊東さんのマメの会にも招《よ》んでもらわれへんもん」

「逢えんことはない。たまにバスに乗って遊びに行きゃあええんじゃ」

すると、仲仁はまたしばらく考え込み、もう転校するのはいやなのだと言った。

「そうか、よし決まった。これからの一年間で、あの日教組のサラリーマンに、お前がそこいらの野良犬じゃあらせんことを思い知らせちゃれ」

京都競馬場の真ん中にある大きな人工池の向こうでスターターがゲートのところへと歩き出した。

レースは千四百メートルの短距離戦で、八頭の馬たちはスタートするとすぐに人工池の手前に立つ掲示板によって視界から消えた。次に熊吾の視界に入ったとき、馬たちは三コーナーを曲がって、三分三厘と呼ばれる仕掛け所に差しかかっていた。馬券の中心となっている七番の馬は先行馬なのに、後方でもがいていて騎手の手綱を持つ手が大きく動いていた。群衆のどよめきがレースの中継をするアナウンサーの声を聞こえなくさせた。

直線コースに入っても、七番の本命馬は伸びず、ゴール前で、それまで先頭を走っていた二番の馬を、三番と四番の馬が一気にかわした。

「やったァ！　お父ちゃん、三―四や」

と伸仁が跳びはねながら叫んだ。

「これはでかい馬券じゃぞ」

熊吾はゴール板のところから伸仁と手をつないで払い戻し窓口へと急ぎ、煙草《たばこ》を吸いながら、伸仁と目が合うたびに微笑《ほほえ》み合った。

連勝複式三―四という馬券は二万六千二百円という配当だった。

熊吾は、十三万一千円を窓口で受け取り、それを上着の内ポケットに入れると、

「平然としちょれ。ぼくら親子は負けに負けて、すっからかんでございますっちゅう顔をしちょれ。スリがあちこちで目を光らせちょるけんのお」

そう伸仁に言って競馬場から出て、京阪電車の淀駅への坂道をのぼった。

電車のなかで、伸仁は熊吾と目が合うたびに顔をしかめ、ことさら怒っているような表情を作ってみせながら、妙に緊張しつづけていた。

「それがお前の平然としちょるふりの顔か。目が笑うちょる。嬉しゅうてたまらんちゅう目じゃ。プロのスリには、たちどころにわかるんじゃ」

そう言いながらも、熊吾も笑みを抑えることができなかった。この大穴馬券で儲《もう》けた金のうちの十万円を、伸仁の私立中学校への進学費用として貯金しておこうと思った。これで入学金と授業料が調達できた。あとは、伸仁が受験に合格してみせるだけだ……。

多くの級友たちの前で野良犬扱いした担任教師の鼻をあかすのは、当の伸仁自身によって為《な》されねばなるまい。

「四年生から卒業するまでに習うた漢字は全部覚えるんじゃ。算数は、三年生で習うたところから全部やり直せ。社会、理科もおんなじじゃ」

「ぼく、どこの中学校の試験を受けるのん？」

と伸仁は自信がなさそうに訊いた。

「来月から住むことになる福島西通りから北へ十五分ほど歩いたところに関西大倉学園ちゅう学校がある。これは大倉喜八郎っちゅう人が明治四十年に創立した商業学校じゃ。戦後すぐに、関西実業高等学校っちゅうのと合併して関西大倉学園になった。関西大倉中学校と関西大倉高等学校を合わせて、関西大倉学園と呼ぶそうじゃ。もともとは商業学校じゃが、大学進学のための普通科も設置されとる。男子校じゃ。思春期の可愛《かわい》い女の子がおらんのは残念じゃろうが、そういう年頃の男の子にとっては、女の子っちゅうのは災いの種じゃけん、女人禁制のほうがええんじゃ」

熊吾はそう言いながら、伸仁が呉芳梅に書いた手紙の中身を思い浮かべた。いかに親子とはいえ、息子が書いた手紙を盗み読むような無礼は犯してはならぬと己を叱《しか》りながらも、熊吾はそれを読んでしまったのだ。それも、房江とふたりで……。

「お元気ですか。ぼくも元気ですが、元気でないときもあります」

その書き出しを読んだとき、熊吾は膝《ひざ》を叩《たた》いて、

「名文じゃ」

と房江に言った。人間、元気なときもあれば、そうでないときもある。誠に簡潔で正確な文章ではないか、と。

「四月の最初の日曜日、おひるの十二時に阪神パークの入口でまっています。芳梅ちゃんのおべんとうも作っていきます」

手紙はそれで終わっていた。

「ノブは自分で二人分のお弁当を作るつもりやろか……」

笑いながら言った房江と、手紙を読んだことは生涯口が裂けても明かしてはならないと約束の指切りをして、熊吾は伸仁の字を真似《まね》て宛名《あてな》と差し出し人の住所氏名を新しい封筒に書きポストに投函《とうかん》したのだ。

京阪電車の淀屋橋駅で降りると、熊吾と伸仁は御堂筋を北へと歩き、梅田の東通り商

店街へと向かった。富山へ引っ越す前によく行った「明洋軒」という洋食屋でビフテキを食べたいと伸仁が言ったからだ。

明洋軒は繁盛していて満席だったが、主人は二年ぶりに訪れた親子のために椅子《いす》を運んでくれて、

「ここで待っててくれはったら、もうじき席があきまっさかいに」

と言った。

店をいつも手伝っていた妻君の姿はなく、青い制服を着た若いウェイトレスが二人いた。

「ノブちゃん、大きなったなァ。雪国での生活は楽しかったか?」

調理場で若いコックにあれこれ指示して、自分も忙しくフライパンを使いながら、たった二年でいやに白髪が増えた主人が話しかけた。

「夏は魚釣りばっかりしててん。冬はピンポン」

と伸仁は言った。

「ピンポン?　スキーとちゃうんかいな」

「冬は校庭が雪で遊ばれへんから、みんな廊下でピンポンばっかりしてるねん。ごっつい雪やねん。ぎょうさん降った日は、二階の窓から出たり入ったりするねんで」

「ほんまかいな。ノブちゃんの作り話に、何回うまいこと騙《だま》されたかわからんからな

ァ」

　主人が笑顔で疑い深そうに言ったので、

「いや、それはほんまじゃ。雪が六尺も積もると玄関の戸があかんようになるけん、二階の窓から出入りするんじゃ」

　と熊吾は言った。

　デザートのアイスクリームを食べ終えた家族づれが出て行くと、ウェイトレスはすぐにそのテーブルを片づけて、熊吾と伸仁をその席に案内した。

　主人は、伸仁にホーレン草のポタージュスープを勧めた。

「ビタミンと鉄分がぎっしり詰まってるスープやでェ。ノブちゃんの体にこれほどええスープはないんや」

　熊吾も、ビールと、そのスープとタンシチューを注文し、伸仁には最上級のビフテキを焼いてやってくれと頼んだ。

「このあたりも変わったのお。パチンコ屋がいやに増えたんやないのか」

　熊吾の言葉に、ことし中にもう二軒のパチンコ屋がこの近くで開業するのだと主人は答えた。

　ビフテキとご飯を食べ終えると、いつも必ずアイスクリームも食べていいかと訊《き》く伸仁が黙っているので、熊吾は掌《てのひら》を伸仁の額にあてがった。少し熱があった。

京都競馬場はあまりにも寒かったし、流感が流行《はや》り始めていて、伸仁の小学校では三クラスがそのために学級閉鎖をしたと聞いていたので、熊吾は明洋軒を出ると、バスではなく阪神電車に乗って尼崎へ帰るようにと伸仁に言った。

熱があるときにバスに乗ると、伸仁は必ず吐いてしまうからだった。

阪神電車の改札口のところから伸仁が乗った急行が出て行くのを見届けると、熊吾はそのまま地下道を西へ行き、大阪中央郵便局の斜め向かいの道に出て、「ラッキー」へ向かった。

十三万一千円の紙幣が入っている上着の内ポケットには、宛先も差し出し人も書いていない封筒も入っている。その封筒のなかには、寺田権次の大きな字で「名刺　有ります」とだけ書かれた便箋《びんせん》がある。

ラッキーも客でひしめいていた。壁ぎわの長椅子に坐《すわ》りきれない客たちが、立ったままビリヤード台があくのを待っていた。

上野栄吉は受付のところで茶を飲んでいた。いつもビリヤードのコーチをするときに身につける黒の蝶《ちょう》ネクタイもチョッキも着ていなかった。

「どこの誰かと思うたぞ。その茶色の背広とネクタイは、お前によう似合うちょる」

熊吾がお世辞ではなくそう言うと、上野は照れ笑いを浮かべながら、今夜の夜行で名古屋へ行くのだと答えた。

「久しぶりに大会に出場してみようかと思いまして……」

あしたから、全日本ビリヤード選手権の予選が名古屋市内で始まるのだという。

「それはちょうどええ。名古屋に着いたら、これをポストに入れてくれんか」

熊吾は封筒を出すと、自分の万年筆を上野に手渡した。

「上野名人と予選で対戦する人の名は何というんじゃ」

「一回戦は別所龍一っちゅう選手です。京都の別所いうたら、スリークッションゲームでは日本で三本の指に入ります。そいつに勝てたら二回戦はたぶん名古屋の平塚でしょう」

「別所か……、よし、ここにまず別所と書いてくれ」

「苗字《みょうじ》だけでええんですか？」

そう言いながら、上野は「別所」と書いた。

「下の名は何にするかな。なんでもええんじゃ。お前の知り合いの名前を思いつくままに二、三人あげてくれ」

「敏之、貴弘、昌雄……」

「貴弘にしちょこう。別所貴弘じゃ。住所は、名古屋市……、戸塚町三丁目四番地」

それから熊吾は中之島図書館にある「各界紳士録」で調べておいた海老原太一の自宅の住所を書き写したメモ用紙を出し、これを封筒の表の宛先のところに書いてくれと頼んだ。

戸塚町は、死んだ知人の住所の一部で、三丁目四番地は、きょうの大穴馬券の組み合わせ数字だった。

「必ず名古屋に着いてから投函してくれ。ずぼらをして大阪駅のポストに入れたりするなよ。頼むぞ」

上野栄吉は了解し、その封筒を内ポケットにしまったが、理由は訊かなかった。

上野が自分のキューの入った革ケースを持ってラッキーから出て行こうとしたとき、磯辺富雄が、革ジャンパーを着た若い男と階段をのぼってきた。

「ああよかった。入れ違いになるかと思たけど間に合うたがな」

磯辺は言い、「お餞別《せんべつ》」と書いた熨斗《のし》袋を上野に渡した。

「旅館代の足しにしてんか。上野さんが予選を突破して本戦に出場したら、新聞に載るで。シベリア抑留中に指を二本失くしたビリヤード選手が全日本選手権の出場権を得た、っちゅうて。そしたら、このラッキーっちゅうビリヤード場の名も高まるがな」

上野は恐縮しながらも礼を言って熨斗袋を受け取り、足早に階段を降りて行った。

「大将、その腕、どないしはりましたんや？」

磯辺は熊吾の背広の袖口《そでぐち》から見えているギプスに目をやって訊いた。

「道で転んだときに、ここの筋を痛めたんじゃ。風呂《ふろ》に入るときに不便でしょうがあるかや。いっそ自分でこのギプスを外してしまおうかと思うちょる」

「そんな癇癪《かんしゃく》を起こしたらあきまへんで。筋を痛めたら、ちゃんと治しとかんと一生の持病になりまっせ」

磯辺は、自分の傍にいる大柄な青年を熊吾に紹介し、そのあと小声で、

「大将の忠告どおり、用心棒をつけましたんや」

と言った。

それから、便所の隣にある狭い事務所へと熊吾を誘い、用心棒の青年にはここで待っているようにと、木の丸椅子を事務所の前に置いた。

自分の机の引出しから缶入りのピースを出すと、それを熊吾に勧めながら、真偽のさだかではない噂《うわさ》や、物騒な風聞や情報が、在日朝鮮人のあいだで再び入り乱れるようになったと言った。

それはタネの店で顔を合わせた甲田憲道こと中基憲が洩《も》らした言葉と一致していた。

熊吾は甲田憲道が、本名の中《しん》が漢字の甲と似ていることから、日本名を甲田としたことを張本のアニイに教えられたのだ。

「そのいろんな情報のなかで、私が気になるのは二つですねん」

と磯辺は言った。

「ひとつは、在日北朝鮮人と韓国人を、北でも南でもどっちでもええ、とにかく祖国へ

帰らせたがってるのは、じつは日本政府やということです。もうひとつは、北の金日成政権には、日本からの帰還者を受け入れる経済的余裕なんかまったくないので、在日同胞に帰還を呼びかけるのは金日成の本心やないっちゅう説ですねん。日本政府が帰還に手を貸すことで韓国と日本との関係にひび割れを生じさせて、日本にも共産主義革命の強固な基地を作りあげさえすればええ……。帰還呼びかけは、そのための揺さぶりに過ぎん、ちゅうんです」

熊吾は、磯辺の言葉を遮《さえぎ》り、

「前にも言うたが、わしはお前らにとっては切実な祖国帰還問題について自分の意見を述べる資格はないんじゃ」

と言った。

「わしは、わしの親しい朝鮮人が、政治のかけひきや、政治家の私利私欲に踊らされて判断を間違え、不幸な籤《くじ》をひかんことを願うだけじゃ。祖国を求める心情は、どの国の人間もおんなじやけんのお」

すると磯辺は、自分は生涯をこの日本で暮らすことを決めていると言った。その決心は再びこの日本という国で戦争が起こらないかぎり不動だ。しかし、自分の周りには、揺れ動く心の同胞がたくさんいる。自分はその人々に正確な判断を下すための指針を与えたいのだ、と。

「松坂の大将、日本が昭和二十年の八月に無条件降伏をして敗戦国になった瞬間、私らは戦勝国の人間になったんです。それまで私らを蔑《さげす》んできた日本人の態度はたった一日にしてころっと変わりました。そうでなかったら、あの日本中の闇市《やみいち》のほとんどを朝鮮人が牛耳《ぎゅうじ》るなんてことができますかいな。誰のもんともわからんようになってしもた駅前周辺の土地に、勝手に、我が物顔で建物を建てて、食えそうなもんなら草鞋《わらじ》でも鍋《なべ》で煮て売りさばいて……。それを日本の警察も見て見んふりをしたのは、私らが戦勝国の人間になったからです。それまで自分らがいじめてきたっちゅう負い目も日本人にはあったやろし、在日朝鮮人にはGHQのうしろ盾があるっちゅう思い込みもあったはずです。事実、ありました。そやから、私らは、いわば治外法権扱いで、やりたい放題やった時期もあります。戦後、日本は在日朝鮮人に、生活援助金として年間二十六億円もの費用を出し、医療費も負担してます。そやけど、その二十六億円の恩恵にあずかってる在日朝鮮人は、実際、どれくらいいてるのか……。少なくとも私ら一家には、その二十六億円の六十万分の一は廻ってきてまへん。私は貰《も》ろた記憶がおまへん。その金は、いったいどこに行ってまんねん。誰が、どこでネコババしてようとも、日本の政府にとっては、この年間二十六億円もかかる在日朝鮮人がお荷物になってきたんです」

磯辺は、自分は朝鮮人と韓国人という使い分けが嫌いなので、これからは同胞をすべて朝鮮人と呼ばせてもらうと断り、さらに言葉をつづけた。

「去年の秋ごろから、南労党の工作員がぎょうさん日本に密入国してきました。そのうちの何人かは逮捕されましたけど、大方は入国に成功して、日本人が言うところの朝鮮人部落に紛れ込みました」

「南労党っちゅうのは何じゃ」

その熊吾の問いに、韓国で共産主義運動を進めている連中だと磯辺は答えた。そして、事務所の入口に坐っている用心棒の青年に聞こえないよう声を落とし、

「日本赤十字社が水面下で動きだしたっちゅう情報が、きのう入ってきましてん。私は、この情報はほんまやないかと思うてますねん」

と囁《ささや》いた。

「日本赤十字社が、何のために、どう裏で動くんじゃ」

「年間二十六億円の支出を失《な》くすためです。在日朝鮮人を強制帰還させることは人道上不可能です。GHQの方針に盾つくことはでけへんし、政治問題にしてしまいとうないからです。そやけど、赤十字社は、表向きは政治団体やおまへん。赤十字社はその使命として人道というものを建前に在日朝鮮人を祖国に帰還させるつもりで本腰を入れ始めたんです。いまの韓国の李承晩政権は在日韓国人を受け入れる気はまったくおまへん。そんなことをしたら、大韓民国は混乱して転覆して、金日成の思うつぼです。となると、在日韓国人が帰る祖国は北しかないっちゅうことになるんです。金日成は自分を作りあ

げたのがソ連やということは充分知ってます。そやけど、スターリンが死んでフルシチョフの時代になりました。フルシチョフの目は、いまはアメリカにしか向いてません。その隙《すき》に金日成は自分の独裁体制を築きあげたい。そのために心血を注いでます。そのためには何でもやりまっせ」

十一年前、闇市が並ぶ御堂筋の、松坂ビルの跡地でコーヒー屋を営んでいた磯辺富雄の人なつこい笑顔を思い出しながら、

「お前は、北へ帰りたいっちゅう同胞に、何と言うちょるんじゃ」

と熊吾は訊いた。

「大将の忠告どおり、帰れとも帰るなとも言うてまへん。ただ、俺はこの日本に骨を埋めるつもりやと言うだけです」

熊吾は、それが最も無難であろうと思ったが、日本で暮らしている朝鮮人たちが否応《いやおう》なく北と南に分かれて政治的な確執に巻き込まれていけば、磯辺のそのような態度は、日和見《ひよりみ》主義の裏切り者として、北の支持者からも南の支持者からも憎悪《ぞうお》されるだろうと思った。

そんな自分の考えを話し、

「自分も祖国に帰りたいとは思うが、南北に分かれて殺し合いをしちょるとこには帰りとうはないと言うんじゃ。日本に骨を埋める覚悟じゃけん、わしは北と南の問題から無

関係でいたい、なんてことは口が裂けても言うな」

と熊吾は磯辺の耳元で小声で言った。

「韓国民団の幹部にも、朝鮮総連の運動家にも、私はもうはっきりと、自分は日本に骨を埋めるて言うてしまいました」

磯辺富雄はそう困惑したように言った。

「いったんはそう決めたが、いまは考えが変わった。わしも政治情勢次第では祖国に帰ろうと思うが、独裁体制の国には帰りとうない。北は金日成、南は李承晩。忠ならんと欲すれば孝ならず、孝ならんと欲すれば忠ならず、で悩んじょるとこれからは言うようにせぇ」

熊吾の言葉に頷《うなず》き返し、これからはどんなに心を許した同胞の者にも、そう言うようにすると磯辺は言った。

「おとどしあたりから、フルシチョフは猛烈なスターリン批判を始めたそうです。これにはどういう魂胆が隠れてるんでっしゃろ」

「自分の権力基盤を固めるためじゃが、同時に中国の毛沢東、北朝鮮の金日成への警告も含んじょる。国内的には、スターリンに重用された連中に引導を渡しながら、中国の毛沢東にも北朝鮮の金日成にも、お前らが今日あるのは誰のお陰じゃと思うとるんじゃ、このソ連という大国のうしろ盾なくして、お前らの政権なんてものは有り得んかったんじゃ、そのソ連の許可なしに勝手に独裁政権を築こうなどと調子に乗るなよ、そのソ連の最高権力者はもうスターリンやあらせん、このフルシチョフじゃ、それを忘れるなよっちゅう脅しじゃ」

「そのフルシチョフの腹の内が、毛沢東にも金日成にもわからんはずはおまへんやろ？」

「当たり前じゃ」

熊吾は立ちあがり、娘の教育費の用意をちゃんと始めたかと訊《き》いて話題を変えた。

「わしは、息子の私立中学への進学費用を調達したぞ」

熊吾の笑みに、そのことは妻にまかせてあると磯辺もやっと笑顔を取り戻して答えた。

熊吾は事務所を出ると、愛想良く客たちの出前の註文《ちゅうもん》を受けている女店員の康代の、逢《あ》うたびに濃くなっていく化粧を見つめた。康代が熊吾の視線に気づいて見つめ返してきたので、熊吾は笑顔で小さく手を振って、ラッキーから出た。あと二週間で「お染」を辞める房江に、十三万一千円の大金が入ったことを早く教えてやりたかった。

刈田喜久夫という大工の棟梁《とうりょう》の仕事は、一見悠長に見えるが、要所要所の勘どころの押さえ方は見事で、焼けた校舎の解体だけでなく、熊吾一家の住まいとなる二階の教室の改築も優先して進めてくれて、工事が始まって三日目には台所と座敷との境に、酒場のカウンターに似た衝立《ついたて》が設けられた。

「こうしといたら、座敷にいてる松坂さん一家が廊下からは見えまへん」

刈田はそう言って、まだ手をつけていない天井を指差した。

「新しい天井を作るのがええのか、このまま教室の天井を残しとくのがええのか、松坂さんの意見を聞こうと思いまして……」

かつての教室の天井には、火事の際の若干の焼けた跡があるが、その下にもうひとつ別の天井を取りつけると、窮屈で息苦しい感じの部屋になってしまうのではないか。

刈田はそう言った。

「屋根も調べましたけど、頑丈な瓦《かわら》を使うてます。消防車の放水をぎょうさんかぶりましたけど、その水で濡《ぬ》れたところもあらかた乾きましたし、おとといの雨も影響おまへんでした」

熊吾は、天井を見あげ、せっかく一般家庭のそれよりもはるかに高い天井をあえて低くしてしまうよりも、焼け焦《こ》げの跡はあっても、そのままにしておくほうがいいような気がした。

「天井の低い部屋におると気分までが落ち込んできよるけんのお」

熊吾は言って、部屋の壁だけ新しい木を貼《は》ってくれと頼んだ。刈田は了承し、次に階段を降りて講堂のなかに入った。

ここに預かった自動車を収容するためには床の木をもっとぶ厚いものに取り換えなければならないという。

「この床の板の厚さでは、何十台もの自動車に耐えられまへん。いっそ、床の全部をセメント敷きにしはったらどうですやろ」

熊吾には、床の厚さよりも、講堂の壁が気になった。この講堂内には日に何回も自動車が出入りするのだ。その自動車の排気ガスの逃げ場がない。

「柱を残して、東側と西側と北側三面の壁を取っ払うことはできますかのお」

「できますけど、そのためには柱を補強せなあきまへんやろ。天井も調べなあきまへん。野鳩がしょっちゅう出入りしてます。ということは天井裏に巣を作ってるっちゅうことです。溜《た》まり溜まった鳥の糞《ふん》ちゅうのは、どえらい重さでして、ある日突然天井を崩落させたりしよります。その下にたまたま人間がおったら、死にまっせ」

さらに刈田は、解体は終わったが、焼けた木材がまだ積みあげられたままの、正門の北側の校舎跡へと熊吾を案内した。

最近、新しい化学材による波板が販売されたが、それは従来のトタン板よりもはるかに耐用年数も長く、寒暖の差にも強いと刈田は説明し、解体した校舎の瓦や木材をトラックに積み込んでいる青年を呼んだ。

「松坂さんに、波板のパンフをお見せしてんか」

どうやらその青年が、刈田の片腕といっていい大工のようだった。

青年は何冊かのパンフレットを持って走って来て、ここからここまでを屋根付きの駐車場にするなら、と指差してから、プラスチック製の波板と、それを支える鉄製の支柱について説明を始めた。

電話局の作業員が市電の通りのほうから正門を通ってやって来て、火事の際に焼け切れた電話線の修理が終わったと報告した。いまからテスト用の交信をするので、電話が鳴ったら出てくれという。

その電話はF女学院のものだったが、シンエー・モータープールが権利を買ったのだ。F女学院が火事で焼けて移転したことを知らない者たちから電話がかかってきたら、移転先と新しい電話番号を教える代わりに、これまで使われていた電話機と電話番号はそのままシンエー・モータープールが使うという条件で、格安にその権利を買ったのだ。

かつての職員室の一部で、これからはモータープールの事務所となる部屋に電話機は置かれていたが、大工たちの作業の邪魔になるので、線を延ばしてもらって二階への階段のところに移してあった。

熊吾は、電話のベルが鳴ったので受話器を取り、電話局の者と会話を交わして電話を切った。

すぐに市電の通りのほうから電話局の者たちがやって来て、この書類に印鑑を捺《お》してくれと言ったとき、また電話が鳴った。つながったばかりなのに、もうどこかから電話か……。きっと女学院に用がある者からの電話であろう。

熊吾はそう思い、柱に押しピンで止めてあるF女学院の移転先の電話番号を見ながら受話器を取った。タネからだった。

伸仁の高熱が、おとといの夜からまったく下がらないという。

「いま、四十一度もあるねん。お粥《かゆ》どころか、水を飲んでも吐いてしまうねん。どないしたらええやろ」

「どないしたらええかって、病院につれて行くしかあるまいが！」

熊吾は怒鳴り、

「タクシーに乗せて、大きな病院へ行け」

とタネに言った。

タネは、玉江橋の近くにある病院の名を口にして、いまからそこへつれて行くと言って電話を切った。

熊吾はいやな予感にかられた。おそらく、いま流行《はや》っている感冒であろうと思ったが、熊吾は流行性感冒というものの怖さを知っていた。大阪に駈《か》け落ちして夫婦となった十七歳の貴子は、当時の流行性感冒によって呆気《あっけ》なく死んだのだ。

それに、あのタネの口調にはただならぬものがあった。鈍感なタネにも、これは尋常な容態ではないと感じる何かがあるのだ……。

熊吾はそう思い、刈田喜久夫に事情を説明して、自分もいまから病院に行く、講堂の床の件は経営者と相談しなければならないが、新しく造る屋根付駐車場の波板の件はそちらの推奨に従うので詳しい見積書を出してくれと言った。

刈田は、さっきの青年を呼び、松坂さんを尼崎までトラックで送ってあげるようにと命じた。波板の新製品を開発したメーカーの下請け工場が杭瀬《くいせ》にあり、ちょうどこれからそこに行く予定だったという。

熊吾は刈田に礼を言って、二トン・トラックの助手席に乗った。

青年の名を訊くと「刈田直正」と名乗った。

「棟梁とご親戚《しんせき》ですか」

国道二号線を尼崎へと向かいながら熊吾はそう訊いた。

「甥《おい》です。ぼくの親父は棟梁の弟ですねん」

青年はそう答えた。

朝は晴れていたが、昼前から雲が拡《ひろ》がり、冷え込みが強くなって、トラックが淀川大橋を渡るころ、雪が降ってきた。

青年は、自分たちは寒さには慣れていて、夏の暑さのほうがこたえるのだが、凍《い》てつく冬の朝は、トラックのエンジンがかかりにくくて困るという意味の言葉を鹿児島訛《なま》りで口にした。

「仕事に遅れるから焦《あせ》って何回もセルモーターを回してるうちにバッテリーがあがってしまいよるんです」

「吸い込み過ぎ、っちゅう状態になるんですな」

と熊吾は言った。

「アクセルを踏むたびに、ガソリンがエンジンのシリンダーに噴霧されるようになっちよります。霧状のガソリンにスパーク・プラグからの火花が引火して、その爆発力でピストンが動くんじゃが、アクセルを何回も強く踏み過ぎると、シリンダー内がいわば水びたし状態になってしもうて、プラグも濡れて、引火力が失くなるわけです。そういうときは、エンジンキーを三十分ほど動かさんようにするか、ギアをセコンドかサードに入れたまま、何人かで車を押しながらキーを入れるんです。とにかく長いこと止めちょった自動車のエンジンをかけるときは、アクセルを一回か二回軽く踏んで、チョークを全開にしてから、アクセルを踏まずにエンジンキーを廻すのがこつです」

そう説明しながらも、いやな予感がいっそう募ってきて、熊吾はいっときも早く伸仁の顔を見たかった。顔を見ればわかる。命にかかわる状態かどうかは、顔に出るのだ。

「近所の人らにトラックを押してもろても、それでもどないにもエンジンがかからん日があるんです」

と青年は言った。

「スパーク・プラグに煤《すす》がこびりついちょるんでしょう。新しいプラグに替えるか、プラグの先を掃除してやったらええ。こんど、わしが見ましょう。スパーク・プラグにつながる線をバッテリーから外しとかんと、感電しますけん、気をつけにゃあいけません」

「自動車のことに詳しいんですねェ」

「昔、中古車部品を扱う商売をやっちょりましたけん、それくらいはわかるんです」

熊吾は玉江橋から阪神電車の高架のほうへ行く川沿いにある病院前でトラックを止めてもらい、子供と年寄りたちでひしめき合っている受付のところに行った。

タネが、兄さんと大声で呼んで、廊下の奥から手を振った。いまちょうど診察中だという。

熊吾は診察室に入った。伸仁は診察台とは別のベッドに横たわって点滴注射を受けていた。

看護婦に、この子の父親だと言うと、中年の医師が、

「症状はいま流行の感冒ですが、かなり衰弱してますし、薬もみんな吐いてしまうので、点滴で水分と栄養を補給してます。熱を下げる薬も入ってます」

と言った。

「念のために胸部のレントゲン写真も撮りました。その結果はあさってにならんとわかりません」

それから医者は、伸仁の既往症を訊いた。

「七歳のときに肺門のリンパ腺《せん》が腫《は》れまして、三ヵ月間治療を受けました」

熊吾は言って、そのときに服《の》みつづけた三種類の薬の名を医師に教えた。

「医者にかかり慣れてる子ォやと思いました。私が言わんでも、聴診器を胸や背に当てると、自分で勝手に大きく息を吸うたり吐いたりしてくれるんです」

と医者は笑い、それから熊吾に、この子はあまりにも虚弱な体だと言った。

「二十歳まで生きられますかねェ」

熊吾は、伸仁の顔を見た瞬間、ああ、死ぬような状態ではないと安堵《あんど》していたので、医者に礼を述べて診察室を出た。点滴注射が済むまで廊下で待とうと思ったのだ。

「ノブちゃんの手を引いて阪神国道で空のタクシーが来るのを待ってたら、供さんが自分の勤め先のスクーターで帰って来て、どないしたんやって訊いてくれて。それでノブちゃんをスクーターのうしろに乗せて、ここまでつれて来てくれてん」

とタネは言った。

「供さん？　あのアパートの住人か？」

「自殺した唐木さんの隣の部屋に住んでる朝鮮の人や。みんなは『ヤカンのホンギ』て呼んでんねんけど……」

「ヤカンのホンギ……」

タネは人差し指で熊吾の掌に「供引基」と書いた。

「引基は朝鮮語でホンギと読むそうやねん。ヤカンを作る工場に勤めてるから『ヤカンのホンギ』。頭もヤカンみたいやからやねん」

受付でタクシーを呼んでもらい、熊吾は診察代と薬代を払った。健康保険への加入の有無を問われ、加入していないと答えると、驚くほどの金額を請求され、財布には七百円しか残らなかった。熊吾は、房江が早急に健康保険に入りたがっていたわけを理解した。

蘭月ビルのタネの住まいに戻り、伸仁を蒲団《ふとん》に寝かせると、熊吾はタネを台所につれて行き、怒りを抑えながら言った。

「お前には悪気っちゅうものはかけらもない。そのことは兄貴のわしがよう知っちょる。しかし、タネよ、お前には悪気もないが心配りっちゅうもんもない。あれほどの高熱で震えちょる十一歳の子を見て、煎餅《せんべい》蒲団に毛布の一枚でも掛けてやろうとか、湯タンポを入れてやろうとかは考えんのか。明彦も千佐子も、この寒い冬に、毛布なしで寝ちょるのか」

「明彦が自分の毛布をノブちゃんに掛けてやったんや。そやけど汗で濡れたから、いま干してるねん」

「明彦が掛けてくれたんじゃろう。お前が、明彦にその毛布を伸仁に貸してやってくれと言うたわけじゃあらせんのじゃ。いまから毛布と湯タンポを買《こ》うてこい」

「うん、わかったがな。すぐ買うてくるから」

そう言って、タネは片方の手を突き出した。毛布代と湯タンポ代とを求めているのだとわかった途端、熊吾は台所にあった擂粉木《すりこぎ》でタネの尻《しり》を殴った。殴られたのは尻なのに、タネは悲鳴をあげて四つん這《ば》いになり、片手で頭をかばいながら逃げまどった。そのタネの尻や脚を蹴《け》りつけていると、伸仁の呼ぶ声が聞こえた。表に逃げ出たタネに擂粉木を投げつけてから、熊吾は伸仁の枕元《まくらもと》に行った。

「ぼく、二十歳になるまでに死ぬのん？」

と伸仁は訊《き》いた。

「死にゃあせん。お前は若死する顔やあらせん。栄養のあるものをしっかり食うたら、ちゃんと元気におとなになって、長生きをする」

あの医者も心配りっちゅうものを持ち合わせちょらん人間じゃと腹をたてながら熊吾は言った。

「高い熱が出る前に、明洋軒でちゃんとビフテキとホーレン草のポタージュとご飯を残さずに食べちょったけん、こうやって生きちょるんじゃ」

「そやけど、お医者さんは、ぼくを見るたびに、長生きでけへん体やなァて言いはるねん。きょうのお医者さんだけとちゃうでェ」

「それは、お前に好き嫌いせずにちゃんと食べさせようと思うて言うちょるんじゃ。お前がもし若死する人間じゃったら、生まれてすぐに死んじょる」

熊吾は言って、伸仁が誕生して間もないころのことを語って聞かせた。

「あした、母さんに鶏のスープを作ってもろうちゃる。母さんは仕事で来られんけん、わしが持って来て、うまい鶏雑炊を作っちゃる」

水を飲みたいが、いつもは感じないカルキの臭《にお》いで吐いてしまうのだと伸仁は言った。高熱が嗅覚《きゅうかく》を過敏にさせているのであろうと思い、熊吾は台所に行ってヤカンで湯を沸かした。

台所の小窓から、子供たちの遊び場となっている工務店の資材置き場が見えた。雪はやんでいた。蘭月ビルに住む子供たちだけでなく、この近辺の子供たちの多くは、このほとんど空地と言ってもいい資材置き場を遊び場としているようだった。そのなかに、盲目の香根がいて、香根に寄り添うように月村光子もいた。

ふたりはいつのまにか仲良しになって、外で遊ぶことを覚えたのか……。熊吾はそう思い、ヤカンの湯が冷めるまで、蘭月ビルの迷路を探訪してみようかと考えた。

「ヤカンのホンギ」なる男はいるだろうか。もしいたなら、ひとこと礼を述べておかねばなるまい。

熊吾は、水を沸かしていま冷ましていると伸仁に言い、外に出ようとした。すると伸仁は、あの大穴馬券で儲《もう》けた金のことを母に話したかと訊いた。

「ああ、びっくりしちょった。あのあくる日、母さんはちゃんと銀行に行って、お前の名前で口座を作って預金してきたぞ」

熊吾は言って、タネの住まいから出ると、「ヤカンのホンギ」の部屋の前に行き、ドアを叩《たた》いてみた。応答がなかったので、共同便所の横の階段へと行きかけると、ドアがあいて、禿《は》げ頭の男が顔を出した。

熊吾は供引基の部屋に戻り、自分が松坂伸仁の父であることと、仕事中なのにスクーターで息子を病院に運んでくれたことへの礼を述べた。

ことしの風邪は質《たち》が悪いそうだ。医者はノブちゃんの容態をどう言っていたかと供引基は訊いた。

おそらくこの蘭月ビルに住む朝鮮人のなかで最も日本語が下手だと思われる供引基は、歳《とし》は五十二、三歳で、背は低いが頑丈な骨格の、無愛想な男だった。

「いま流行中の感冒じゃそうです。点滴注射をしてくれました」

「ぼくの点《た》てる茶を一服、どうですか」

供引基はそう言って自分の部屋のなかを熊吾に見えやすいようにした。六畳の畳敷きの部屋の奥に茶釜《ちゃがま》があり、そこから湯気が出ていた。その横に茶筒、茶筅《ちゃせん》、茶巾《ちゃきん》が置かれてある。

畳半畳分の炉が切ってあり、そこでは炭がいこっている。

「ほう……。ここは茶室ですな」

と熊吾は驚きを隠さないまま言った。

「あの炉はご自分でお作りになりましたか？」

「畳屋に頼んで、あそこの畳は作ってもらいました。床下に深さ一尺ほどの鉄の箱を置いて、そこに灰を」

「ほう……。あれは霰釜《あられ》ですな。それもかなり古いもののようですが」

「わかりますか。あの霰釜は、ぼくの宝です」

「いやいや、茶道のことは私にはわかりませんが、昔、ある人にいろんな茶道具を見せてもろうたことがあります」

熊吾は、笑みというもののない供引基の、おそらく誰に対してもそうなのであろう射すくめるような視線に魅かれ、勧められるまま茶釜の前に正坐《せいざ》した。

「きょうは夜勤ですので、夜の八時まではぼくの時間です。日勤が三日。夜勤が四日。小さな町工場で休みなしにぼくはヤカンを作ってる貧しい朝鮮人労働者です。日本に来たのは昭和十二年です」

供引基はそう言ってから、かつての唐木の部屋とを仕切る薄い壁を背にして正坐し、茶を点て始めたが、手に持った茶杓《ちゃしゃく》を釜の上に戻し、

「侘数寄者《わびすきしゃ》と茶之湯者とは、どう違うんですか？」

と訊いた。熊吾には、「ヤカンのホンギ」ことと供引基の日本語が、

「わひすきゃしゃと、ちゃのゆゥしゃとは、とちかうんですか？」

と聞こえたので、その言葉それ自体を理解するのに、

「もう一度言うて下さい」

と訊き返し、五度目でやっとわかった。

伸仁の流行性感冒がやっと治ったのは金曜日だった。咳《せき》も止まり、熱も出なくなったが、熊吾は大事をとって土曜日も学校を休ませると、その夜は船津橋へとつれて帰り、強い抗生物質のせいか、まったく食欲のない伸仁のために牛肉と白菜や豆腐を買って来て、蠟燭《ろうそく》の明かりのもとですき焼きを作った。

「きょうで母さんの『お染』での勤めも終わりじゃ。あさってからシンエー・モータープールの開業準備で、母さんはまた忙しゅうなる」

欲しくなくても胃に流し込めとすき焼きの肉や豆腐を伸仁の取り鉢に入れながら、熊吾はそう言った。

「お母ちゃん、帰って来たら、すき焼きを食べるかなァ」

一膳《ぜん》のご飯をやっと食べ終え、熊吾に「これを食べ切らなければ承知しない」と言われた肉を頬張ったまま、伸仁は訊いた。

「さあ、あいつも食が細いけん……。きょう食べんでも、あした食べりゃあええ。母さんの分は残しちょく」

熊吾は、竹皮で包んだ肉を、さらに新聞紙で包み、それを屋上へとつながる外の鉄製の階段に置いた。この寒さだから、肉も朝には凍ってしまうかもしれないと思った。

伸仁は母親の帰宅を待ちつづけて、蒲団のなかでラジオの歌番組を聴いていたが、十二時前に寝息をたて始めた。熊吾はもう一度念のためにと体温計を伸仁の腋《わき》の下に差し入れ、平熱であるのを確かめると、安堵の溜息《ためいき》をついて、窓から土佐堀川の対岸を見つめた。最終の市電らしい明かりが近づいて来て、川口町の停留所に停まり、房江が降りた。

きょうは、とどめの料理を客に出し、計略を見事に遂行して「立つ鳥あとを濁して」お染からおさらばしてきたのだな……。熊吾は端建蔵橋を渡ってくる房江の足どりを見ながらそう思った。

房江は、熊吾が伸仁をつれて帰ってくるとは予想していなかったらしく、寝ている伸仁を見ると枕元に坐《すわ》って掌で熱をしらべた。

「もう治った。さっき熱をはかったら三十六度四分じゃった」

熊吾は言い、一升壜《びん》を卓袱台《ちゃぶだい》の上に置き、

「立つ鳥あとを濁して来たか？」

と笑みを浮かべて訊いた。

「五人のお客さんがご祝儀《しゅうぎ》をくれはった。そのうちの三人が女将《おかみ》さんに聞こえよがしに『わしも今夜限りかもなァ』やて」

房江はしてやったりといった笑顔で小さな祝儀袋を五つと、水筒を出した。

丸鶏のスープの取り方を習得した呉服屋の主人が、味を見てから免許皆伝書を送ってくれと冗談めかして渡してくれたのだという。

熊吾は、湯タンポ用に沸かした湯で酒に燗《かん》をして、それを房江に勧め、伸仁が感冒で寝込んでいた数日間で、蘭月ビルの人間模様をあらかた知ることができたと言った。

「そんなことを知ったからっちゅうて、何がどうなるもんやあらせんが、わしは大事な一人息子を、またよりにもよって、とんでもないところに住まわせたもんじゃ」

どうとんでもないのかと、房江は熱燗の酒が入った湯吞み茶碗《ぢゃわん》で両の掌《ゆの》を温めながら訊いた。

「自殺した唐木は女学校の教師じゃったが、妻子を捨てて、生徒と大阪へ逃げて来て、新たな勤め先の製パン工場の金を使い込んで、また尼崎のあのアパートに身を隠した。

もとは自分の生徒じゃった女が自分に内緒で体を売っちょることを知らんままに、その稼ぎの一部を女に内緒で、捨てた妻子に仕送りしちょった。しかし、女は気づいちょったんじゃ。自分が体を売って稼いだ金を、男がこっそりくすねて、それを妻子に送っちょるっちゅうことをなァ。ふたりのいさかいは、隣の及川っちゅう一家に筒抜けじゃった。安普請《やすぶしん》の薄い壁の天井に近いところに穴があいちょった。この及川っちゅう一家の亭主は三年前から結核で三田《さんだ》の療養所に入院しちょる。亭主の父親は八十二歳で半分ぼけちょる。女房は三宮のキャバレーでクローク係をしちょるんやが、裏稼業《かぎょう》を持っちょる。裏の稼業は遣り手婆《やてばば》ァ。あれだけ腐乱した唐木の死体の臭いが、壁の穴から及川の部屋に洩《も》れんはずがないが、部屋にはじいさんひとりで、及川の女房は屋台の支那《しな》そば屋の女房にじいさんの世話を頼んでアパートには寄りつかんじゃった。支那そば屋の女房は金を貰《もろ》うて及川のじいさんの世話を引き受けたんじゃが、自分の母親が最近ぼけてきて、他人の親にまで手が廻らん」

熊吾は、こんなことをすべて話していたら夜が明けてしまうと思い、

「この及川の女房が、いやに津久田の娘に親切で、あの年頃の女の子が喜びそうなものを与えたり、映画館につれて行ってやったりしちょる」

と言って、自分も酒を飲んだ。

「そんなこと、どうやって知ったん？」

と房江は訊いた。

「張本のアニイ、金村の盛男、怪人二十面相、金静子らからの断片的な話をつなぎ合わせると、いま話して聞かせたことは大筋では間違うちょらんのじゃ。ヤカンのホンギは、人の悪口を言わん男じゃが、及川の女房を津久田咲子に近づけてはならんと、はっきりと言いよった。あの女は悪党です、と」

房江は湯呑み茶碗を置き、卓袱台に立て肘《ひじ》をしてそこに顎《あご》を載せてから、熊吾を見つめて溜息をつきながら、

「そうかァ……、やっとわかったわ」

と言った。

「何がじゃ」

「ノブは、お父さんに似たんや。とにかく、いろんなことを小耳に挿《はさ》んできて、それをつなぎ合わせて、ひとつのお話を作ってしまうねん」

「それは喜んじょるのか？　悲しんじょるのか？」

房江は蠟燭の明かりで壁に生じている熊吾の影を見つめ、

「嬉《うれ》しさ半分、心配が半分……」

と答えて微笑《ほほえ》んだ。

翌日の午前中、熊吾は伸仁をつれてシンエー・モータープールに行き、日曜日なのに

改築工事に従事してくれている刈田や大工たちをねぎらい、そのあと梅田に出て阪急電車の宝塚線に乗った。戦前に親交のあった亀井周一郎という人物を訪ねて、「侘数寄者と茶之湯者」について教えを乞うためだった。

高熱がやっとおさまったばかりなので、伸仁を外出させたくはなかったが、伸仁がどうしても一緒に行きたいとせがんだのだ。

亀井周一郎は、戦前は主にトラックのベアリングの製造と輸入を仕事としていたが、太平洋戦争が始まると、彼の工場はいわば軍に接収された形となり、軍需工場と化して、戦闘機のプロペラや車輪の軸を作るために使われた。

温厚な人柄で、自分の工場の軍による私物化に対して不平をあらわさなかったが、昭和十八年に妻や子と郷里の豊岡に引っ越し、戦争が終わるまで病気と称して、大阪にある工場には姿をあらわさなかった。

「軍人どもの顔を見とうないので、仮病を使うて、家内の郷里に身を隠したんです。ここなら子供らにも新鮮な野菜を食べさせてやれますし」

病気見舞いに豊岡までやって来た熊吾に亀井は仮病であることを打ち明けてからそう言った。熊吾はそれ以後、亀井とは逢《あ》っていなかった。

母親が茶道の先生だったことから、亀井は事業の発展と同時に茶道具の蒐集《しゅうしゅう》を始め、自らも茶道に打ち込んだ時期があり、宝塚市の逆瀬《さかせ》川沿いに建てた屋敷に熊吾を招待して、自慢の茶道具を披露してくれたのは昭和十五年の秋だった。

熊吾はきのう、阿倍野区にある亀井の工場に電話をかけ、ご挨拶に参上したいと伝えてあった。亀井は、人づてに、熊吾が関西中古車業連合会を立ち上げようとして頓挫《とんざ》したことは知っていたが、熊吾に息子が誕生していたことは知らなかった。熊吾とおない歳の亀井にはすでに孫が三人いるという。

梅田のデパートで買ったカステラを包んだ風呂敷《ふろしき》を伸仁に持たせ、熊吾は宝塚駅から逆瀬川へとつづくゆるやかな坂道を歩きながら六甲山系を眺めた。

「大きなおうちばっかりや」

と伸仁は言い、立派な門構えの屋敷の前にさしかかるたびに立ち止まって表札の字を読んだ。

「ハカマさんやて。昔は侍やったんかなァ」

「ほう、『袴』っちゅう漢字が読めるのか」

伸仁は、夕刊に連載されている小説で覚えたのだと言い、

「月村くんが、こんど一緒に夕刊売りをせえへんかって誘うねん。ぼくもいっぺん夕刊を売ってみたいねん。なァ、やってもええ?」

と訊《き》いた。

夜、あの尼崎の飲み屋街で夕刊売りか……。路地のあちこちに娼婦《しょうふ》が立ち、やくざが

うろつくところで、一部五円の夕刊を売って歩いてみるのもいい勉強になるだろう。

熊吾はそう思い、

「行くときは、これから夕刊を売りに行くと、事前に父さんに教えるんじゃぞ」

と言って許可を与えた。

亀井周一郎の家は、両隣の大邸宅に挟まれて、門扉までもがつつましい二階建てだった。確か昔は両隣も亀井の土地だったはずだ。

熊吾はそう思いながら、呼び鈴を押した。

亀井と亀井の妻が門のところまで出て来て、迎えてくれた。

「なんと、松坂熊吾さんの息子さんと逢えるとは。お母さんによう似てはる」

亀井の見事な銀髪と化した頭と、ひきしまった長身に、大島の紬《つむぎ》はよく似合っていた。

房江と結婚したとき、極く親しい知己だけを招いて披露の宴《うたげ》を持ったが、そのとき亀井も来てくれたのだ。

ふたりの娘はそれぞれ名古屋と京都で暮らしていて、老夫婦ふたりきりの生活に大きな家は不要なので、土地を分割して両隣りを売ってしまったと亀井は言った。

六畳ほどの広さの洋間に通され、熊吾は十数年にわたる無沙汰《ぶさた》を詫《わ》びた。

「そのあいだに、瓢簞《ひょうたん》から駒《こま》みたいに、この子が生まれました」

熊吾が言うと、亀井は笑顔を伸仁に近づけた。

「この亀井のおっちゃんに、お母さんに生き写しの顔をもっとよう見せてんか」

言われたとおりに、伸仁が首を前に突き出したので、亀井は大きな声で笑い、それから着物の袂《たもと》から折り畳んだ和紙を出した。

「きのう、松坂さんからの電話で、ぼくもあらためて侘数寄者と茶之湯者について調べて、ここに要点を書いときました」

そう言って和紙をひろげ、説明を始めた。

茶は、元々は身分の高い者や裕福な者たちの趣味で、唐物、つまり中国から渡来した道具を珍重し、それぞれの所有する高価な道具を競い合ったりした。そういう茶は「本数寄」と呼ばれる。

だが、世が太閤《たいこう》秀吉の時代になると、千利休は本数寄に対しての「侘数寄」、「侘び茶」の世界を創《つく》りあげた。唐物の高価な道具ではなく、庶民でも手に入る安い日本製の道具でも茶の湯が楽しめる世界を確立したのだ。「侘び」、「寂《さ》び」の侘びだが、金銭的に不自由していて侘しいという直截《ちょくせつ》な意味合いが含まれている。

茶碗も天目などという高価なものではなく、庶民が日常的に使う楽焼の職人が焼いた素朴な茶碗に美を見いだす。茶筅《ちゃせん》も、竹を削って自分で作る。そうして天下人から一般庶民までが実践の美学としての茶の湯を楽しむ。それが侘数寄であり、そのような茶を楽しむ人たちは身分や貧富に関係なく、みな侘数寄者だ。

茶之湯者は、それとはかなり異なる。つまり茶道の専門家で、茶道に熟達して、茶の世界で生業を得ている人と言ってもいい。

亀井はそう説明してから、利休は東陽坊という人物に、「侘数寄常住、茶之湯肝要」と語ったそうだと言った。

「千利休は、茶道の極意書というようなもんは残してませんし、はたして極意というようなもんがあるのかないのかも分明にはしませんでした。そやから、この『侘数寄常住、茶之湯肝要』が、あるいはそれに当たるかもしれんという研究者が多いんです」

「常住……。無常の反対語としての常住ですか？」

熊吾の問いに、

「さあ、そこが大事なところでして、仏教用語の無常の反語としての常住なのか、それとは関係なく、単なる言葉としての常住なのか、解釈の難しいところです。仏教用語としての常住なら、生死がなく永久に存在する、という意味ですし、ただの熟語としての常住なら、読んで字の如《ごと》し、常にそこに住む、とか、普段どおり、いつもどおり、っちゅうことになります。ぼくは、『茶之湯肝要』の意味を知ることで、『侘数寄常住』の本意もわかるような気がしましたが、『茶之湯肝要』という簡単な言葉が、じつは難しい」

それから亀井は、利休の高弟に山上宗二という者がいたと言った。

「この宗二は秀吉の怒りをかって、耳や鼻をそぎ落とされて殺されるという無惨《むざん》な最期《さいご》やったのですが、宗二は利休に学んだ茶之湯者の心得のようなものを箇条書きにして、岡野江雪斎という人物に託してます。山上宗二記と名づけられてるんですが、その最後は、『宗易ヲ初メ、我人トモニ、茶ノ湯ヲ身スギニイタス事、ロオシキ次第ナリ』で結ばれてます。宗易とは千利休のことです」

熊吾は、亀井が事前にしたためておいてくれた「侘数寄常住、茶之湯肝要」の文字に見入りながら、

「茶を点《た》てるという実践行為が大事であって、それが常に行なわれるところには侘数寄の心も自然に永遠性を持つ、ということでしょうか？　浅学な私には、そのような読み方しかできませんが」

と言った。

「ああ、なるほど」

亀井は考え込みながらそう言い、笑みを浮かべた。

「きのう、松坂熊吾さんからお電話を頂戴《ちょうだい》して、懐《なつか》しい思いに襲われながらも、はて何事やろとお話を承わると、茶道についてのご質問でびっくりしました」

その亀井の言葉で、熊吾は「ヤカンのホンギ」こと供引基という朝鮮人について話して聞かせた。

「狭い安アパートの一室が、そのまま茶室ですか……」

「茶室で寝起きしちょる……。そんな感じです」

「すばらしい。その朝鮮のお方こそ見事な侘数寄者ですなァ」

伸仁がそろそろ退屈してきたらしいのを感じたのか、亀井は庭に仔犬《こいぬ》が三匹いると言った。

「生まれてちょうど一ヵ月や。親犬を怒らせんようにして、仔犬と遊んどいで。親犬はおとなしい性格やから、仔犬に優しく接してくれる人には怒ったりせえへん」

　伸仁が嬉しそうに庭に出て行くと、

「もう一回、関西中古車業連合会を立ち上げる気はありませんか」

　そう亀井は話題を変えた。

　中古車業界は先細りだというのは大間違いだ。自動車大国・アメリカでは、大きな商いとして発展をつづけている。あの豊かなアメリカでも、新車を買える人ばかりではないし、運転免許証を取得した初心者は、初めは中古車を買って、それで運転に慣れてから新車に乗り換えるのが通例となっている。メーカーも客が自動車を買い換える際、それまで乗っていた自動車を安く下取りしてやって、その金を新車購入費に充当させるというシステムを取っている。下取りした自動車はまだ充分に使用可能なので、メーカーはそれらをまた販売するルートを作り、系列会社の傘下《さんか》に入れて利益をあげている。日本も必ずそのようになっていくはずだ。どんなに古くてもいい、ちゃんと動いてくれるなら売ってくれという国々は、このアジアだけでも数限りないほどだ。

亀井はそう言って、自分はいま大手自動車メーカーの下請けとして、フライホイール を作る工場を経営しているが、松坂さんが関西中古車業連合会を旗揚げしようとしていると人づてに聞いて、さすがは松坂熊吾と感心したのだとつづけた。

「ところが、何かの事情で松坂さんが関西中古車業連合会から身を退き、その組織作りも立ち消えになったという……。ぼくは残念なことやと思いました」

熊吾は、自分の恥をさらすようだがと前置きし、頓挫の理由を亀井に話して聞かせてから、

「いっぺん失うた信用っちゅうのは簡単には取り戻せません。時間も必要です。さてこれからどうやって食うていこうかと考えちょったときに、モータープールという大駐車場を思いつきまして……。しかし、私には資金がない。それで、柳田元雄という人に話を持って行きました。いまはその柳田さんに約束したモータープールの経営を軌道に乗せることに専念しちょります。そうしながら、やり直しの準備も進めるつもりです」

と言った。

すると亀井周一郎は、やり直しの準備は急いだほうがいいと言った。

「中古車業界には、松坂さんがやろうとしたことに目をつけてる連中が必ずいてるはずです。松坂熊吾がうまいこと失敗してくれた。よし、それなら俺が松坂熊吾が考えつい

た事業案を盗んでやろう、っちゅうのがね」

そして亀井は、もし松坂さんがその気になったら、自分は多少のお手伝いはできるとつけくわえた。

亀井は洋間から出て行き、四角い桐箱《きりばこ》と一冊の写真集を持って来た。

「これは二十二歳の青年が焼いた茶碗《ちやわん》です。銘は『望郷』。昭和十九年の秋に、一兵卒として召集されて、フィリピン群島の小さな島で戦死しました。召集令状が来た翌日、これを貰《もろ》うてくれというて京都から私を訪ねて来ました。そのとき銘はついてなかったんです。私の目の前で墨を磨《す》って銘を書き入れました。『望郷』とは不吉やと思いましたが、ぼくはそんな思いは口にせず、頂戴するのではなくお預かりすると言うて受け取りました。ぼくはこの若い陶芸家の焼く物が好きで、将来を楽しみにしておったのです。この青年が十九のときの作品を二点買いました。青年の師匠は、まだ人さまにお売りできる物ではないと言うたのですが、ぼくは先物買いやと言うて無理矢理……」

そう言いながら、亀井は桐箱から茶碗を出し、掌に載せた。

「これをヤカンのホンギさんに差し上げて下さい」

熊吾は、火のついていない煙草《たばこ》を指に挟んだまま、濃い赤銅色《しやくどういろ》の茶碗に見入った。てらいも技巧も感じさせない鈍い光沢の茶碗は、胴に雲に似た色むらが巻きつくように淡くうねっていた。

「それからこれは最近出版された色つき写真集です。光悦と長次郎の名品を特集したものです。日本の印刷技術も発達したもんですなァ。アメリカから学んだ技術でしょうが、本物とほとんど変わらん色が出てます。この写真集も、ヤカンのホンギさんに差しあげて下さい」

利休の時代も現代も、美術品として高い評価を受けつづける井戸茶碗、粉引茶碗などは、どれもかつての朝鮮の無名の職人が焼いたものなのだと亀井は言った。

「日本が、中国や朝鮮からどれほど多くの文化を学ばせてもろうたか……。日本人はそのことを忘れてしまいよりました。いつかそれを思い知るときが来るでしょう。ぼくがそう言うとったとヤカンのホンギさんにお伝え下さい」

熊吾と伸仁は四時前に亀井家を辞すと、阪急電車で梅田駅に行き、阪神電車に乗り換えた。

「仔犬、ぼくにあげるって、おばちゃんが言いはった」

と伸仁は亀井家を出てからもう何回繰り返したかわからない言葉をまた口にした。

熊吾はずっと物思いにひたっていたので、伸仁の言葉に何の反応も示さなかったのだ。

「おんなじことを何回も言うな」

「そやけど、お父ちゃん、返事してくれへんねんもん」

「生き物を飼うっちゅうのは、なまやさしいことじゃあらせんのじゃ。散歩もさせてやらにゃあいけん、ちゃんとしつけもせにゃあいけん、病気や怪我《けが》をしたら犬猫病院につれて行って看病してやらにゃあいけん……。大変なんじゃぞ。壊れたら捨ててもええおもちゃを貰うようなわけにはいかんのじゃ」

そう応じ返しながらも、千二百坪のシンエー・モータープールには番犬が必要だと熊吾は思った。

「モータープールで暮らすようになってから、亀井さんのところに貰いに行く。わしの手が動くようになってからじゃ。犬は電車には乗せてもらえんけん、自動車で行くしかないが、このギプスが外れんことには運転が出来ん」

熊吾はそう言って、尼崎駅で降り、房江がときおり伸仁と鰻重《うなじゅう》を食べるという食堂に向かった。

鰻《うなぎ》の蒲焼《かばやき》を五人分折り箱に入れてもらい、タネの住まいに行くと、お好み焼き台の周りに、張本のアニイ、金村盛男、甲田憲道、怪人二十面相こと恩田哲政がいた。

「松坂先生、金、要りまへんか。金、なんぼでも貸しまっせェ」

と張本のアニイが言った。

「これはみやげじゃ。タレは壜《びん》に入っちょる。お前と伸仁と千佐子、それに明彦と寺田の五人分の鰻の蒲焼じゃ」

熊吾がタネに折り箱を渡すと、寺田は仕事で奈良と和歌山の県境に行って、来月まで帰ってこないとタネは言った。

「熊兄さんがこのごろしょっちゅう来るから、あの人、寄りつかんようになってしもてん」

タネのうらめしそうな言葉を無視して、奈良と和歌山の県境で、そんなに長期間、何の仕事だと熊吾は訊いた。

「ダムの工事現場での仕事が舞い込んで……」

二十棟の飯場を建てる仕事だとタネは言った。そのような仕事は必ず地元の業者が請け負うのだが、津久田の口利《くちき》きで寺田工務店にその仕事の一部が廻って来たのだという。

「飯場っちゅうても、つまり『タコ部屋』でっせ。全国から集めてきた日雇い労働者を死ぬまでこき使うための『タコ部屋』でんがな。津久田の商売は人買いでっさかい」

と金村盛男は言った。すでに舌がもつれるほどに酔っていた。

熊吾は、桐箱と写真集を持って供引基の部屋を訪ねた。夜勤ならば八時に工場に出かけていくし、日勤ならば六時に帰宅する。いずれの場合も、夜の七時は、ヤカンのホンギが、この蘭月ビルで最も日当たりの悪い部屋にいる時間帯なのだ。

ホンギは、座敷の上がり口に腰掛ける格好で晩飯を食べていた。麦の混じったご飯と、鱈《たら》の干物、それにキムチという名の朝鮮の漬物だけの簡素な献立だった。

熊吾は、亀井周一郎から教わったことをホンギに伝えてから、

「亀井さんが、これをホンギさんに差し上げてくれということでした」

と言って、桐箱と写真集を畳の上に置いた。

ホンギは驚き顔で慌《あわ》てて食器を片づけ、桐箱をあけ、「望郷」という銘の茶碗を両の掌で包み込むようにして持った。

茶碗の由来を語り、望郷という意味がわかるかと熊吾が訊くと、

「わかります。故郷を切なく懐かしむということですね」

とホンギは言った。

熊吾は、ホンギがもし望郷という日本語の意味がわからなければ「故郷を懐かしむ」というような表現で説明しようと思っていたのだが、ホンギはそこに「切なく」もつけ加えた。

「そうです。ただ懐かしむだけでは足りません。切なく懐かしむ……。痛切な思いで懐かしむ……。それが正しい。ホンギさんの日本語のほうが、わしのよりも正確です」

熊吾は言って、引き戸をあけ、タネの住まいに戻りかけた。ホンギは裸足のまま熊吾を追って来て、その亀井というお方は、なぜ私にこんな大切なものを下さったのかと訊いた。

「一度も逢《あ》ったこともない朝鮮人の私に」

「朝鮮人じゃろうがアメリカ人じゃろうが、亀井さんにはそんなことは問題ではない。

この茶碗は、市井《しせい》の無名の、しかし見事な侘数寄者《わびすきしゃ》にこそふさわしい。これを焼いた青年も歓《よろこ》んでくれるだろう。そう思われたんでしょう」

ホンギは角張った顔を熊吾に向けたまま、言葉を失なってしまったかのように立ちつくしていた。

タネの住まいに戻ると、熊吾はお好み焼き用の鉄板で牛の臓物を焼いている男たちに、

「お前らがそうやって集まっちょると、どうせ良からぬ相談でもしちょるんじゃろうと思うとこじゃが、甲田さんが混じっちょると、不思議なことに、これからの自分らの生き方について真摯《しんし》に語り合うちょるっちゅう感じに見えるのお」

と言って笑った。

「さすがは松坂先生や。診立《みた》てがよろしおまんなァ。図星でっせ」

張本のアニイは言い、泥に汚れたチラシを熊吾に渡した。

「松坂先生っちゅうのはやめんか。お前、もうあちこちで、わしが昔偽《にせ》医者をやっちょったっちゅうことを言い廻っちょるじゃろう。あのことは、わしのこれまでの数々の汚点のなかでも最大の汚点なんじゃ。頼むけん、わしの古傷をつつかんでやんなはれ」

笑顔を消さずにそう言いながら、熊吾はチラシの裏にペンキで書かれた文字を見た。

「売国奴《ばいこくど》」と書かれてあった。

それは甲田憲道の家の玄関や工場の壁に貼《は》ってあったという。

「甲田はんとこだけとちゃいまんねん。朴のとこにも、この金村のとこにも、二階の静子のとこにも」

と張本のアニイは言った。静子とは、仕立屋の金静子のことらしかった。

最近の新聞ではまったく触れられてはいないが、北朝鮮帰還問題は水面下で進行していて、この蘭月ビルに住む朝鮮人たちも否応《いやおう》なく巻き込まれつつあるのだなと熊吾は思った。磯辺富雄に入って来ているさまざまな情報は正しいのであろう、と。

けれども、そのことについては触れず、熊吾はチラシを金村に渡し、台所に行くと、たぶん四、五日のうちにシンエー・モータープールで暮らし始めることになるとタネに言った。

ラジオで寄席中継を聴いている伸仁に、数日間の高熱と頻繁な嘔吐《おうと》で体の芯《しん》が弱っているのだから、もう二、三日は寒いところで走り廻ったりしないようにと言って、バスで阪神裏の「ラッキー」へ向かった。

関西中古車業連合会か……。日本の中古車業界は前途洋々なのか……。もし俺がその気になれば、亀井周一郎が手伝ってくれるというのか……。

いったんは白紙にした関西中古車業連合会の事業としての構図が、以前とはかなり意匠を変えた形で、熊吾のなかで新しく浮かびあがってきた。

あのヤカンのホンギが、俺と亀井周一郎とを、戦争の暗い時代を挟んで十数年ぶりに再会させたのだ、と熊吾は思った。

「ラッキー」に着くと、熊吾は康代にコーヒーの出前を頼み、壁際《かべぎわ》の長椅子《ながいす》に坐《すわ》って、上野栄吉が初心者たちにキューの持ち方やブリッジの作り方を教えているのを見学した。

初心者たちは、そんな退屈な基礎よりも、早く実際に玉を突いてゲームをやりたそうだった。それを察した上野は、「構え」というものがいかに重要であるかを力説した。

「構え」がすべてだ、と。

「柔道でも剣道でもそうです。構えた瞬間にその選手の力量がはっきりわかります。ビリヤードもおんなじです。キューを握って、ブリッジを作って、構えた瞬間に、ああ、こいつには勝たれへん、とか、こいつのキューでは生き球は突けん、とかがわかるんです」

三十分ほど教えてから、上野栄吉は、コーヒーを飲んでいる熊吾の横に坐り、

「コーヒーに砂糖を入れませんでしたねェ」

と言った。

「糖尿病じゃけんのお。この十日ほど、甘いもんはいっさい口にしちょらん。そのせいか、妙にいらいらするんじゃ。わしの体は砂糖切れじゃ」

熊吾はそう応じ返し、あの手紙は確かに名古屋から投函《とうかん》してくれたかと訊いた。

「名古屋駅に着いてすぐに、駅の構内にあるポストに入れました」

と言い、上野栄吉は予選で勝って四月に大阪で行なわれる全日本ビリヤード選手権の出場権を得たと誇らしげに報告した。指を二本失《な》くしたお陰で、キューを突く腕から余計な力が抜けたことがはっきりわかった、と。

第六章

予定よりも二日遅れて、三月三日に房江はシンエー・モータープールの、元校舎の二階に引っ越すために、船津橋のビルの掃除をした。家財道具は丸尾千代麿がトラックで運んでくれることになっていた。

持ち主の消息が依然として不明のまま、ビルの使用を許してくれた周旋屋に挨拶《あいさつ》に行き、鍵《かぎ》を返してから、房江は、庭の水道の蛇口にホースを取りつけて水を使わせてくれた河原栄蔵宅に向かった。

前日に熊吾が買っておいたチョコレート菓子のセットは受け取ったが、河原は房江が封筒に入れて持参した五千円は頑として突き返した。

「松坂さん一家が使うた水道代なんて、たいした額やおまへん。困ったときはお互いさまでんがな。松坂さんがこのビルで中華料理屋をやってはったときは、うちの子供らがよう焼き飯とか焼きビーフンをご馳走《ちそう》になりましたんや」

河原は、色艶《いろつや》のいい日灼《ひや》けした顔をほころばせ、近くに来るようなことがあれば、遠慮なく寄ってくれとご主人に伝えてほしいと言い、自分の手足と化したかのような木の小舟の櫂《かい》を操って冷たい川風の吹く土佐堀川を安治川のほうへと下って行ってしまった。陰で「赤ふんどしのおっさん」と呼ばれてはいても、河原もまた親分肌の気前のいい男であることを思い、房江はコンクリートの堤防に立って小舟が視界から消えてしまうまで見送った。土佐堀川の護岸工事はあらかた終わり、河原家の裏のわずかな部分だけ、舟の出入りが可能な隙間《すきま》が残されていた。しかしそれも間もなく閉じられるという。

房江は河原の妻にも礼を述べなければと思い、裏口から声をかけたが、出かけているらしく返事はなかった。

ビルの前で待っていると、先に家財道具を運んだ千代麿がトラックを運転して戻って来た。助手席には妻のミヨと娘の美恵が乗っていた。

「迷子になるほどの広い家でっせ」

と千代麿は言った。

「そらそうやわ。女学校の校舎やったんやもん」

ミヨは笑いながら言い、きょうは熊吾一家が住む部屋の前の、かつての講堂とを結ぶ階段の横に流しを取りつける工事をしていると教えてくれた。夕方には使えるようになるはずだ、と。

「美恵ちゃん、女の子らしいなって……。その髪飾り、よう似合うねェ」

房江の言葉に、六歳になったばかりの美恵は、

「お母ちゃんが買うて来てくれてん」

と恥じらいの笑みを浮かべて言った。

ああ、美恵は新しい母をいつのまにか「お母ちゃん」と自然に呼ぶようになったのだなと房江は思い、走りだしたトラックのなかから、もう再び戻って来ることはないであろう船津橋のビルを何度も振り返って見つめた。

南宇和から大阪へ居を移して以来、このビルにはお世話になった。広島に疎開《そかい》してから今日まで行方知れずの持ち主が、困窮していた私たち一家を助けてくれたのだ……。十中八九、広島の原爆で死んだに違いない持ち主夫婦に感謝の思いを抱きながら、さあ、新しい生活が始まると房江は思った。それは富山へ向かう列車のなかでは一度も湧《わ》くことのなかった希望のようなものに裏打ちされた歓《よろこ》びであった。

F女学院の太い門柱には、墨で太く「シンエー・モータープール」と書かれた大きな看板が取りつけられ、その下に一時預かりの車のための価格を車種別に分類した板も貼《は》りつけてあった。

類焼の被害を受けた薬局やカメラ店や印章店の新築工事も進んでいて、房江はその光景までもが、自分たち一家の新しい生活の景気づけのように感じた。

講堂の北側、東側、西側の壁は取り払われ、古い木の床は、新しいぶ厚い板に貼り替

えられていて、事務所となる部屋の壁には、預かった自動車のキーを収納する扉付きの棚が完成していた。

塀を隔てて薬局やカメラ店や印章店のちょうど裏側にあたるところには、プラスチックの波板を天井とした広い屋根付きの駐車場がある。そこには、きょうの夕刻から月極《つきぎめ》契約者たちの自動車が入るのだ。

房江は千代麿一家とともに二階への階段をのぼり、自分たちの住まいとなる十二畳の部屋に足を踏み入れた。

天井の梁《はり》のところどころには焼け焦《こ》げの跡があったが、板壁も畳も新しくて、新築の家のような匂《にお》いが満ちていた。

台所にはガスコンロが二つあった。

プロパンガスのボンベはどこへ置くのかと考えたが、房江はすぐにここではそれは必要がないことに気づいた。福島区には都市ガスが整備されているのだ。

房江は、割烹着《かっぽうぎ》を着てから、和簞笥《わだんす》と洋服簞笥を置く場所を決め、寝具を押し入れにしまった。

西側の窓にはカーテンが必要だ。カーテン生地を買って自分で縫おう。そうでなければ、とりわけ夏は強い西日で部屋のなかは室《むろ》と化すだろう……。

そう思いながら、十二畳といっても実際には十三、四畳ほどの広さを持つ部屋から出ると、いまのところ用途の決まっていない、かつての教室のままに放置してある部屋へと行った。

棟梁《とうりよう》の刈田が、講堂と教室とのあいだの瓦《かわら》屋根の上で作業をしていた。ここに物干し台を作るのだという。

「流しのとこから、南側の下水道までを鉛管でつなぎます。野菜の屑《くず》ぐらいなら流れますけど、それ以上大きいもんは詰まるかもしれまへん。詰まったら、これで通して下さい」

刈田は瓦屋根に置いてある竹製の長い棒を指差した。煙筒の煤《すす》掃除をする道具だった。

「下の便所の横に、用務員が使うてた流しがおます。洗い物とかは、面倒臭いですやろけど、そこでやってもらうと、この鉛管が詰まることはおまへんのです」

房江は、できるだけそうすると言って、南側の階段を降りた。

便所の前から西側へと煉瓦《れんが》を敷きつめた細い通路があった。そこはまったく日が当たらないので天井から裸電球が吊《つ》るしてある。

房江は壁のところにある電球のスイッチを入れ、かつての用務員室に入った。中年の用務員夫婦が住んでいたので、八畳の部屋の向こうに大きな流しがあった。その用務員室に住んだら、正門から出入りする人や自動車はまるで見えないのだ。

用務員の部屋の西南に小さなくぐり戸があり、太い鉄製のかんぬきで閉められてあった。用務員夫婦のための通用口だったのであろうが、学校を取り囲む塀には、意外にあちこちにこのような目立たない通用口があるかもしれない。管理人としてはそのすべてを把握し、夜にはそれが閉められて外から誰も入れないことを確認しなければならないだろう……。

房江はそう考えて、二階に戻ると、刈田に訊《き》いた。刈田は仕事の手を止めて、敷地内を案内してくれた。

便所と講堂とのあいだの塀のところに正規の裏門があった。女学院では、夕方の六時に正門を閉める。それ以後は、居残っていた生徒も教師も、この裏門を使ったそうだと刈田は説明し、

「もうひとつ、北東側の、まったく火事の影響を受けなんだ校舎の裏側にも、通用口がおます」

と言った。

敷地内の北東側の、いまのところ取り壊す予定もなければ、何かに使おうという心づもりもない二階建ての校舎は、なかに入ってみると意外に広々としていて、生徒用の便所も清潔だった。

その校舎と塀を隔てて民家が軒を並べている。三軒に一軒はメリヤス問屋で、あちこちから電動ミシンの音が聞こえた。

「松坂の大将は、この校舎を貸し倉庫にしようと考えてはるんです」

その刈田喜久夫の言葉に、なぜ人はみな夫を「松坂の大将」と呼ぶのだろうと房江は不思議に思った。

どこに行っても、人はいつのまにか「松坂の大将」と極く自然に呼ぶようになる。あの顔にあの口髭《くちひげ》、背は高くないが広い肩幅と胸板、若いころ、近衛聯隊《このえれんたい》での訓練で身に染まった姿勢の良さや機敏な立居振舞い、元々そなえ持っている押し出しの強さ、そして誰と話すときも決して恥かしがらずに使う南宇和のいなか訛《なま》り……。

それらすべてが、松坂熊吾という男を、人をして「大将」と呼ばせてしまうのであろうか……。

「どこまでが実力で、どこまでがいかさまか、ようわかれへん人やのに……」

房江が胸のうちでそうつぶやいたとき、正門のほうから自動車のクラクションの音が聞こえた。尼崎の蘭月ビルに行っていた熊吾が伸仁を乗せて帰って来たのだ。

波板屋根の下で遊んでいた美恵が、ノブちゃんや、ノブちゃんやと嬉《うれ》しそうに言った。

校舎の窓から顔を出した房江をみつけると、伸仁は、でっかい家やなァと大声で叫んだ。

「ハンドルを持つ手に力が入らんけん、何回か他の自動車にぶつかりそうになって困ったぞ」

けさ、病院でやっとギプスを外してもらった左手首を揉《も》みながら熊吾も北東側の校舎の二階にいる房江に向かって言った。

きょうは桃の節句だ、雛祭《ひなまつ》りの日だ。房江はそれに気づくと、美恵に何か買ってやらなければと考えながら、日が射《さ》したり陰ったりしているシンエー・モータープールの敷地の真ん中あたりへと歩いて行った。

すると、千代麿の妻が、引っ越しと、親子三人が一緒に暮らせるようになったお祝いだと言って、竹皮で包んだすき焼き用の肉を房江に渡した。これから松屋町《まっちゃまち》へ行って、美恵に雛人形を買うのだという。

「まっちゃまち……。ミヨさんはやっぱり大阪の人やねェ。松屋町を『まっちゃまち』と言える人に、久しぶりにお目にかかったわ。生粋《きっすい》の大阪人ですて言うてるくせに『まつやまち』って言う人がどんなに多いか……」

房江は、はしゃいでいる自分の心を抑えられないまま、千代麿一家を正門のところで見送り、伸仁がタネの住まいから持ち帰った衣類や教科書や、遊び道具が入っている箱を、自分たちの新しい住まいとなる部屋に運んだ。

すでに千代麿が運び入れてくれた幾つかの荷物のなかに、ピータンの入っている大甕《おおがめ》があった。

富山から大阪に帰ってから、大甕のなかの土を掘って三個のピータンを食べた。台湾製の最上級のピータンは、まだ土のなかに二十個近く埋っていそうだった。

「このピータン、どこまで私らにつきまとうんやろ……」

大甕の置き場所に困り、房江がそうひとりごちると、いつそこに来ていたのか、熊吾が台所に取りつけた棚の強度を確かめながら、

「こんどはわしがつきまとうちゃる」

と言って、かすかな笑みとともに大甕を指差した。

夫の言葉の意味がわからず、怪訝《けげん》な表情で夫を見たとき、階下の事務所で電話が鳴った。房江が慌《あわ》てて階段を降り、電話に出ると、F女学院に用のある人からのものだった。

房江の予想を超えた忙しい日々が始まった。

弁当屋の富士乃屋《ふじのや》の、箱型の荷台の後方が観音開きになる特別仕様のトラックは、朝の六時にモータープールを出て行く。

弁当に使う魚や蒲鉾《かまぼこ》や野菜類を市場に仕入れに行くことから仕事が始まるのだ。仕入れるものが多いときは十二台全部が、少ないときでも五台が、六時きっかりに出発し、九時ごろに戻って来る。

富士乃屋の次は、塗料の卸し店の二台のトラックで、七時前に運転手がやって来る。

その次はW薬品の軽自動車が五台。メリヤスの卸し問屋のライトバンが二台。富士乃屋のトラックが市場から戻って来るころに、F建設の営業用の乗用車が三台出て行く。

それらはどれも全焼した西側の校舎跡に設けた波板の屋根付き駐車場と契約しているが、講堂のなかを契約した自動車も、そのころ一斉に出庫するので、正門のところは交通渋滞の様相を呈して、交通整理をする人間がいなければ福島西通りの交差点を行き来する人や自動車に多大な迷惑をかけてしまう。

房江は、生まれてこのかた交通整理などやったことがないので、そのための手際《てぎわ》も要領も皆目見当がつかず、モータープールから出て行く自動車を誘導することでかえって道路に混乱を生じさせて、通行人や自動車の運転手だけでなく、市電の乗客や運転手にまで怒鳴られる始末だった。

七時過ぎには伸仁を起こし、朝食を食べさせるのだが、そのときは熊吾と交代する。熊吾が誘導している際には混乱は生じない。

「先を読むんじゃ。この車とあの車を出したら、次の車は停めて、信号が赤に変わるまで通りを走っちょる車を進ませる。赤に変わったら、次の車を出して、そうしながら、また先を読む。通行人が文句を言うてきたら平身低頭。ひたすら謝まる。謝まりながら、また先を読む」

そう言われるたびに、それならば初めから夫がやってくれればいいではないかと腹が立つのだが、管理人としての給料は、シンエー・タクシー側の経理上の都合で松坂房江に支払われることになっているので、やはり自分が仕事に慣れるしかないと房江は思うのだ。

伸仁は七時四十分にやって来る阪神バスに乗り遅れると学校に遅刻する。だから房江は、ご飯を食べるのが遅い伸仁をせきたてて、まだすべてを食べ終えていなくても、七時半には伸仁を送り出さねばならない。

一段落するのは九時半ごろで、房江はやっと朝食をとることができる。最も忙しい時刻に熊吾が房江を手伝ってやれないのは、預っている車のほとんどがボロ車で、必ず二、三台、エンジンがかからなくなり、あげくバッテリーがあがってしまうからだった。

そのたびに熊吾は、車を押したり、そういうときのために用意した電圧の異なる幾つかのバッテリーを運んで、エンジンをかけてやらなければならないのだ。

朝の忙しい時間帯が過ぎれば、あとは夜の閉門まで自由な時間を持てた。一時預りの客はまだ少なく、事務所にかかってくる電話の大半は、女学院の移転を知らない者たちからのものだった。

開業して三日もたつと、事務所は運転手たちの憩《いこ》いの場と化して、絶えず数人が新聞や雑誌を読んだり、将棋を指したりしながら、熊吾や房江に替わって電話番の役目を引き受けてくれるようになった。彼等にとっては、仕事に使う自動車をシンエー・モータープールに入庫させるときは、雇い主や上司から離れて一服できる息抜きの時間となったらしかった。

房江はそんな運転手たちのために、いつでも自由に茶が飲めるよう湯を沸かしておき、湯呑《ゆの》み茶碗《ぢゃわん》を十個と急須《きゅうす》と茶葉の入った缶を用意した。

熊吾は、事務所の外にある防火用水を入れておくための大きなコンクリート製の箱の始末に困っていた。厚さ五寸ほどのコンクリートの箱は、力自慢の運転手が三人かかっても持ち上げられない重さで、それは敷地内に五つあった。そのうちの四つは、火事の騒ぎの際、消防士が何かのはずみでひびを入れてしまって、防火用水入れとしては役に立たなくなっていたので、校舎を解体したあと廃材とともに捨てられたが、ひとつだけ無傷のものを刈田は残していったのだ。モータープールにも防火用水の常備は必要であろう、と。

けれども縦も横も深さも一メートル半ずつのそれは、やたらと重いばかりで、かりに事務所から火が出ても、さして役に立つとは思えなかった。そしてその防火用水入れが事務所の外にあるお陰で、モータープール開業後は自動車の洗い場に使おうと残した、かつての女学院の生徒のための水飲み場に自動車を置くことができないのだ。

きょう、伸仁は十一歳になると思いながら、房江は三月六日の朝、車の出入りを誘導するために走り廻りながら、お誕生日のお祝いは何がいいかと伸仁に訊いた。

「金魚」

伸仁はそう言って、バス停へと走りかけたのに戻って来て、手を差し出した。そして何の役にもたたない重くて大きいコンクリートの箱を指差した。

「ノブちゃん、早よせな、バス、もうそこまで来てるで」

K塗料店の若い社員が、塗料の入ったドラム缶を荷台から降ろしながら言った。バッテリーがあがってしまって、車を押さなければならなくなったが、そのためには重いドラム缶が邪魔なのだ。

お陰で、正門の前ではこれから仕事に出て行く数台の車が動けなくなっていた。

「あそこで金魚を飼うのん？」

房江は、コンクリートの箱を見ながら訊き返し、それはいい思いつきかもしれないと思った。慌てて二階に財布を取りに戻り、百円札を三枚、伸仁に渡した。

「もう二枚」

伸仁はそう言って、房江の財布からさらに百円札を取り出すと、バス停に向かって走って行った。

夕刻、帰宅した伸仁は、リュウキンと出目金が五匹ずつ入ったビニール袋を持っていた。そのビニール袋には根付きの水草も入っていて、十匹の金魚はその水草に押しつぶされそうになっている。

伸仁はホースとタワシを持ってコンクリートの箱のなかに入り、汚れを落とすと、そこに水道の水を入れた。

「まだそこに金魚を入れたらあかんで。カルキで死んでしまうがな」

事務所で夕刊を読んでいたF建設の運転手が言った。社長用の外車の運転手で、待機する場所を、社内ではなくシンエー・モータープールの事務所に変えてしまったのだ。

啓蟄《けいちつ》とはいえ、朝は水溜《た》まりが凍っているほどの寒さで、伸仁の手は赤く腫《は》れてしまっていた。

「それだけの量の水道の水からカルキが抜けるのには十日はかかるで」

「十日も金魚を入れられへんのん？」

「きょうはそのビニール袋に入れとき。バケツに半分ほど水道の水を入れて、あしたの朝、そこに移してやるんや。水草はバケツに入れとき。それに、そのでっかい水槽の底に小石とか砂を敷いてやらんと、水草の根が張れへんがな」

房江は、ふたりの会話を聞きながら、買い物籠《かご》を持って裏門から出た。

シンエー・モータープールの南側には木造の二階屋がひしめいている。ほとんどは民家だが、戦前からそこで商売をしていたという金物屋や梱包《こんぽう》用品店や自動車の中古部品屋が、曲がりくねった狭い路地にあり、その路地は別の路地と必ずどこかでつながり合って、浄正橋の天神さんの裏の通りへ出るのだ。

その通りには、七の日に夜店が並ぶ。りんご飴《あめ》を売る露店は小谷医院の前で商いをするので、夜の八時まで診察をする小谷医師は、七の日は朝から機嫌が悪いということを房江は熊吾から聞いていた。

小谷医院の斜め向かいには精肉店と八百屋が並んでいる。そこから天神さんのほうへ少し行くと、豆腐屋と酒屋があり、その向かい側には米屋があり、味噌《みそ》と醬油《しょうゆ》も扱っている。

魚を買いたいときは、天神さんの横の道を南へ少し歩くと、堂島川に沿うようにして公設市場があり、そこに魚屋がある。公設市場には食品類だけでなく、洋品店や文具店、それに雑貨店もある。

いずれにしても、シンエー・モータープールの周辺は、国道二号線と交差する広い道に夜中でもトラックが通り、市電の走る音が響く騒々しいところだが、生活には便利なのだ。

戦前どころか、昭和初期のころの大阪の下町が無傷で残ったという感があるが、このあたりも空襲で焼け野原になったという。

けれども、シンエー・モータープールの南側と東側には、戦前の懐《なつか》しい風情《ふぜい》がそのまま甦《よみがえ》ったかのようで、入り組んだ路地の土の道では、女の子たちがゴム跳びをしたり、男の子たちが缶蹴《かんけ》りをして走り廻っている。

房江は、モータープールの裏にあるお好み焼き屋の前を通りながら、新しい生活が始まった福島区上福島南二丁目というところを、自分がとても気に入ってしまったことが嬉しかった。

お好み焼き屋の女主人が店先を箒《ほうき》で掃きながら、

「このモータープールのお方でっか？」

と話しかけてきた。

着物の上から割烹着《かっぽうぎ》を着て、ひっつめるように束ねた髪に簪《かんざし》を挿した六十過ぎの女は、いかにも昔は花街にいたのであろうことを示すあだっぽさを捨てていなかった。

「はい、そうです。これからはご近所さんのお仲間に入れていただくことになりました」

房江は自分の姓名を教えて挨拶《あいさつ》をした。

「あの火事のときは、お宅さんも怖い思いをしはりましたでしょうね」

「怖いなんてもんやおまへんでした。うちの前の、この細い道にも消防車が入って来て、消防士が何十人も血まなこで走り廻って……。ものすごい風で炎が雲みたいにここまで飛んで来ますねん。あのときは私も覚悟を定めましたわ。うちの家に燃え移るのも時間の問題やと」

それから女主人は、房江の顔を下から覗《のぞ》き見るようにして、

「焼け太りは、女学院はんでっか？　モータープールはんでっか？」

と底意地の悪そうな笑みとともに訊《き》いた。

シンエー・モータープールは、女学院の土地を買っていたが、火災保険には入っていなかったと房江は答えた。すると女主人は、女学院が土地を売ってすぐに、火災保険の契約は満期となり、更新する期日を迎えたのだが、女学院側は移転が決まっていたので更新手続きをしなかったのだと言った。

「うちの常連さんやった何人かの先生方がそう言うてはりましたで」

自分たちは管理人としてやって来たので、そのあたりの事情はまったくわからないと房江が答えると、

「そやけど、奥さんのご主人がこの女学院を買《こ》うてモータープールにする根廻しをしはったんですやろ？」

そう言って、女主人は笑みを意味ありげなものに変えた。

「すぐに壊す予定の建物に火災保険をかけますやろか」

房江は言って一礼し、女の前から立ち去り、路地を曲がって米屋に急いだ。餅米《もちごめ》と小豆を買いたかった。伸仁の誕生日を赤飯で祝いたかったのだ。

いかにもあのての女の考えそうなことだ。火元は大通りを隔てた自動車部品屋の作業場で、そこから女学院とのあいだには三軒の店舗もあり、強風がそれらを越えて燃え移るさまは、近所の人たちも多くの通行人も目撃していたというのに……。

もし仮に、校舎に火災保険をかけておいて巧妙に火事を起こしたとしても、女学院移転後には取り壊す校舎に新しい所有者が火災保険をかけようとすれば、保険会社が不審に思うだろう。

それよりなによりも、柳田元雄がそんな割の合わない犯罪を企《たくら》むはずがあろうか。

「何軒も離れた先の家に火をつけて、その火を強風で飛ばして女学院を燃やすやなんて、奇術か魔法でも使わんと不可能やわ」

房江はそんなことを胸の内でつぶやきながら、米屋で餅米と小豆を、精肉店で豚のロース肉の薄切りを買い、さっきのお好み焼き店の前を通らずに別の路地へと迂回《うかい》して帰った。

柳田と打ち合わせをするために天王寺に行っていた熊吾が帰って来ていて、事務所で富士乃屋の社長と世間話をしていた。

「やっと十一歳か……。あと九年か……」

食事の用意が整ったころ、二階の住まいにあがって来た熊吾は、十四の金魚の入ったビニール袋を心配そうに見つめつづけている伸仁に言った。

「あと九年か、なんて……。お父さんはノブが二十歳になったら死ぬつもり？」

房江はガスコンロを卓袱台《ちゃぶだい》に運び、そこに豚肉の水煮《みずた》きのための土鍋《どなべ》を載せながら言った。夫の言葉が妙に不吉なものに聞こえたのだ。

「あと九年、何があってもわしは死なん、ちゅう意味じゃ」

「お父さんは、糖尿病にだけ気をつけたら、九十歳くらいまで長生きするわ」

房江の言葉に、

「どうやって気をつけるんじゃ。糖尿病は、かかったら一生治らんそうじゃけんのお」

と言い返して、熊吾は酒を燗《かん》してくれと頼んだ。

「お酒をやめて、食べるものを減らして、甘い物も我慢して、体をよう動かしたら、これ以上悪うはなれへんて小谷先生が言うてはったやろ？」

「そんなふうに生きて、九十近うまで長生きをしたいとは思わんのお。歳《とし》を取って、頭がぼけて、大小便も垂れ流しのじいさんになったら、周りが迷惑する。人間、退《ひ》き際《ぎわ》が大切じゃ」

房江が酒の燗をしていると、事務所で電話が鳴った。誰かが出てくれるだろうと思ったが、電話は鳴りつづけた。房江は慌《あわ》てて階段を降り、事務所に走った。ついさっきまで事務所で世間話に興じていた運転手たちはみないなくなっていた。

電話の相手は、自分の会社で使っている軽トラックを三台、月極《つきぎめ》で預けたいのだが、毎月の預り料は幾らかと訊いた。房江は階段の昇り口から夫を呼んだ。

すると、メリヤス問屋の主人がやって来て、車を出したいと言う。その車は講堂に停めてあり、前には塗料店の二台のトラックがある。その二台を講堂から出さないと、メリヤス問屋のライトバンは動けないのだ。

熊吾が電話を終えるまで、メリヤス問屋の主人に待ってもらったが、急いでいるらしく次第に不機嫌になってきた。

「あんた、車の運転はでけへんのかいな」

とメリヤス問屋の主人は苛立《いらだ》った表情で言った。

房江は、自分は車の運転どころか自転車にも乗れないのだと言って謝まり、夫がやって来るのを待った。

メリヤス問屋の車が出て行くと、講堂の外へと動かした二台のトラックを元の場所に戻しながら、

「これからこういうことはしょっちゅう起こるぞ」

と熊吾は言い、部屋に戻って酒を飲みながら伸仁を見つめた。

「ご飯を食べ終えたら、自動車の運転の練習をするぞ」

その父親の言葉に、

「えっ？　ぼくが？」

と嬉《うれ》しそうに訊き返し、伸仁は赤飯を頬張った。

「そんな無茶な。ノブにはまだ無理やわ。アクセルやブレーキに脚が届けへんやろ？　他の車にぶつけたりしたら大変や」

「エンジンをかけて、ギアを入れて、前進と後退だけでけりゃあええんじゃ。そのくらいなら、伸仁でも練習すりゃあすぐにできるようになる」

食事を終えると、熊吾は伸仁と階段を降りて行き、自分の車をモータープールの敷地の真ん中に動かしてから、まずエンジンのかけ方を教えた。

「ギアをニュートラルにしとかにゃあいけん。ニュートラルになっちょっても、クラッチはしっかり踏んどくんじゃ。用心のためじゃ。クラッチを踏んだか？」

「うん、踏んだけど、前が見えへんようになった」

まだ体が小さいので、クラッチを左脚で深く踏み込むと、頭のてっぺんがハンドルの位置よりも低く沈んでしまうらしかった。

「座蒲団《ざぶとん》を持ってこい」

熊吾に言われて、房江は部屋から座蒲団を二枚持って階段を駈《か》け降りた。

この状態がニュートラル。クラッチを踏んでギアをロウに入れる。ロウの位置はここだ。ギアが入ったかどうかはギアシフトを動かす腕の感触でわかるはずだ……。

熊吾は説明を始めた。運転席に座蒲団を敷いて坐《すわ》った伸仁は、クラッチを踏み、ギアを入れるという行為を何度も繰り返した。だが、発進させようとすると自動車はつんのめるようにして止まり、エンストを起こした。見ていると胃が痛くなりそうで、房江はその場から離れて二階にあがり、ひとりで食事をした。

　エンジンのかかる音。熊吾の怒鳴り声。エンジンの切れる音。それが交互に何度も何度もつづいた。

　伸仁が、「クラッチ合わせ」という初歩的な操作ができるようになったのは夜の十時過ぎだった。

　そこでいったん練習を終え、熊吾と伸仁は近くの銭湯へ行った。銭湯は市電の通りを西へ渡って、堂島大橋のほうへ少し行ったところにある。

　房江も湯につかって髪や体を洗いたかったが、三人で銭湯に行ってしまうとモータープールは無人になってしまう。

　銭湯が閉まるまでに帰って来てくれ。そうでないと自分が風呂《ふろ》に入れない。

　房江が頼んだとおり、熊吾と伸仁は銭湯が閉まる二十分ほど前に帰って来た。

　これは予想外に大変な仕事だ……。房江は銭湯に急ぎながら、そう思った。親子三人で出かけるということなどは、これからは出来なくなる。モータープールの門を閉めて鍵《かぎ》をかけるのは夜の十一時。門をあけるのは朝の六時前。

とはいっても、自分は五時半には起きなくてはならない。すぐに朝ご飯の用意をして、門をあけ、あのぐずの伸仁に歯を磨かせ洗顔させ、朝食をとらせ、そのあいだに、一斉にモータープールから出て行く自動車の誘導をして、門の前の道を通る人や車や市電の運転手に頭を下げつづけ……。

あしたからは、自分は夕刻までに銭湯に行くことにしよう。晩ご飯の買い物も四時までには済ませておくのだ。朝ご飯の用意も前の夜のうちにやっておく……。

房江はそう決めた。

「らくな仕事なんて、この世にひとつもあれへんねんから、工夫をせなあかんわ」

多くの人々の体で汚れきってしまった銭湯の湯につかりながら、房江はそうつぶやいた。

翌朝、六時前に門をあけ、事務所のガスストーブに火をつけると、富士乃屋の運転手たちがやって来た。

その富士乃屋のトラックの隣には、きのうから預かるようになった新車の四トン・トラックがあった。近くの冷風機を製造販売する会社のもので、その特殊な冷風機は震動に弱く、古いトラックの荷台に積むと機械に不具合が生じやすいので、会社としてはかなり無理をして購入したという。まだ走行距離は百五十キロほどで、これがトラックかと驚くほどに車体は輝き、どこにも傷どころか汚れもない。

正門のところで通行人に足を止めてもらって富士乃屋のトラックすべてを無事に送り出したとき、冷風機会社のトラックの周辺から奇妙な音がして、運転手の叫び声が聞こえた。

何事かと房江がそこに行ってみると、熊吾と運転手が無言でトラックのタイヤのところを見つめていた。

前輪にも後輪にもタイヤはなく、その代わりに大きさの異なるブロック石や煉瓦《れんが》が敷かれていた。タイヤのない新車の四トン・トラックは、ブロック石と煉瓦の上に載る格好で昨夜と同じ場所に停められていたのだ。

「こ、これは……、何でんねん……」

呆《ほう》けたような顔で運転手は声を震わせてつぶやき、

「見事じゃのお……」

と熊吾も口髭《くちひげ》を指先で撫《な》でながら言った。

運転手は、シンエー・モータープールにやって来て、新車のトラックのエンジンをかけた。さすがに新車だ。この寒い朝でも一発でエンジンがかかる。これから淀川の近くの社の倉庫に行き、梱包された商品を二十機積んで、発注元に届けるのだ。新車だから大事に使わなくてはならない。充分にエンジンを暖め、さあ仕事だ、出発だ。

そう思ってトラックを発進させた。その途端、すさまじい音がしてトラックが倒れそうになった。

いったい何が起こったのかわからず、びっくりしてトラックから降りた。タイヤがない。前輪に二本、後輪に二本ずつ四本。六本のタイヤすべてがブロック石と煉瓦に変わっている。

運転手はそう説明してから、血の気を失なった顔を熊吾と房江に向け、

「どういうことでんねん？」

と大声で訊いた。

「盗まれたんじゃのお、夜中のうちにタイヤ泥棒が塀を乗り越えて入って来て、六本の新品のタイヤを外して、そこにブロック石とか煉瓦とかを敷いて、元の高さに保って、それからまた塀を乗り越えて……。一本のタイヤを外すごとにそこに煉瓦を敷いて、高さの調節をして、それからまた次のタイヤを外して、またそこにブロックとかをおんなじ高さに敷いて……。あっぱれな手口じゃ。芸術的というてもよろしいですなァ」

「何が芸術的やねん。何があっぱれやねん。ここは車をきちんと預かるのが商売やろ。あんたら、管理人は、何をしててん」

「夜は寝ます」

運転手は怒気を浮かべてさらに何か言おうとしたが、会社に連絡するために事務所へと走って行った。

塗料店の運転手やF建設の運転手、メリヤス問屋の主人たちがやって来て、ブロック石と煉瓦の上に載った、タイヤのないトラックを取り囲んだ。

「この新車のトラックに狙《ねら》いを定めとったんやで」

とF建設の運転手が言った。

「ひとりでは無理やなァ。これだけの数のブロックの石とか煉瓦を持って入って、ジャッキでトラックをちょっと持ち上げて、タイヤを一本外すたびに、煉瓦とかブロックを崩れんようにしっかりと敷いて……。それからまた六本のタイヤをかついで塀を乗り越えて逃げる……。少なくても三人組、いや、四人組……」

「そやけど、なんでタイヤの代わりに石を置くねん？　それはどえらい難儀な作業やろ。タイヤだけ外して、さっさと逃げるほうが早いし、らくとちゃいまんのん？」

塗料店の運転手が言うと、石をタイヤのあとに敷かないと、一本のジャッキではトラックが地面に音をたてて落ちてしまうからだとメリヤス問屋の主人が答えた。

「なるほど……。考えとるなァ」

「ジャッキも高いもんなァ。四つのジャッキを残していったら、採算が合わんのやで。タイヤを盗むたびに四つのジャッキを仕入れなあかんがな」

「考えてまんなァ。このタイヤ泥棒、頭、ええがな」

「芸術的じゃのお……。この石の積み方……。エンジンをかけて発進させたのに、車体はここから落ちよらんかった。それと知らずに乗っちょった人間に怪我《けが》をさせちゃあいけんちゅう配慮かのお……」

運転手の会話や夫の言葉で、房江は笑ってはいけないと思いながらも、それを抑えることができなくなり、こっそりと講堂のほうから階段をのぼって二階の部屋に入ると、体をくの字にさせて笑った。

卓袱台には伸仁が朝食を済ませたあとがあり、ランドセルもなかった。部屋から出て、階段のところから伸仁を捜すと、タイヤのないトラックを取り囲む人々のなかにいた。

房江は、早くバス停に行くようにと伸仁に向かって大声で言い、事務所へと降りた。

「やっぱり番犬がいるのお。亀井さんとこに仔犬《こいぬ》を貰《もら》いに行かにゃあいけん。こんどの日曜日に行くけん、お前も一緒に来い」

バス停へと駈けだした伸仁に熊吾はそう言った。

泥棒の被害に遭ったのだから、やはり警察に届けなければならないと言って近くの交番所に行った熊吾が、中年の巡査と一緒にシンエー・モータープールに戻って来たのは、房江が昼食をとっているときだった。

その巡査の連絡でパトカーもやって来て、侵入経路の捜査が行なわれた。パトカーに同乗してきた私服の刑事が、被害に遭ったトラックの写真を撮りながら、これとまったく同じ手口で、一昨夜も淀川大橋の近くで新車のライトバンのタイヤが盗まれたという。二月以降、同じグループの犯行が京阪神で十六件起こっていると刑事は言い、

「あそこから出入りしよったんですな」

と正門の北側の、火事で類焼したカメラ店の隣の空き地のほうを指差した。そこにも家があったのだが、持ち主の事情で新しく家を建てる予定はたっていなかった。

「あそこに何かの忍び返しを設置したほうがよろしいな」

刑事は熊吾にそう言って引き揚げていった。

翌日、熊吾に依頼された刈田が、その塀の上に大きな釣り針のような金属を突き立ててセメントで固めた。

さらに熊吾は階段をのぼりきったところの壁に大きなサーチライトを取り付け、自分たちの住まいの壁に一尺四方の覗《のぞ》き窓を作ると言いだした。そこに覗き窓があれば、正門を出入りする人間も自動車も、部屋のなかから見ることができるというのだ。

「内側に戸を付けるんじゃ。そしたら向こうからは部屋のなかは見えんけんのお」

刈田の仕事は早かった。その翌日には、正門とその周辺を照らす大きなサーチライトが取り付けられ、壁には一尺四方の大きさの窓が作られ、その内側には観音開きの小さな扉が設けられた。

だがサーチライトを点《つ》けたり消したりするためには、そのつど部屋から出て、階段の

のぼり口のところまで行かなければならない。ワット量が大きいため配線が太くて、普通の電灯のスイッチでは役に立たないのだ。

「夜の九時から閉門までつけっぱなしにしちょったらええんじゃ」

と熊吾は言うのだが、房江は電気代が心配だった。正門を入ってきた人のすべてが眩《まぶ》しくて目をしかめるほどに、そのサーチライトの光は強かったのだ。

ほんの数日前まで蠟燭《ろうそく》の明かりで暮らしていたので余計にサーチライトの光が強く感じられるのであろうと房江は思い、その贅沢《ぜいたく》な光までがありがたく感じられた。

土曜日の午後、伸仁から電話がかかってきて、今夜、月村くんと一緒に夕刊売りをしてもいいかと訊《き》いた。

房江は、とんでもないことだと思い、きょうはあちこちの水溜《た》まりに張った氷がまだ溶け切らないほど寒いというのに、夜に尼崎駅の周辺の飲み屋街をうろうろしていたら、また風邪をひいてしまうではないかと伸仁に言い、事務所で新聞を読んでいた熊吾に受話器を渡した。夫が許可を出さなかったら、伸仁はあきらめて帰って来ると思ったのだ。

だが熊吾は、

「人相の悪いやつには声をかけるなよ。ちゃんとマフラーをしっかりと首に巻いちょくんじゃぞ」

と言って電話を切ってしまった。

「ノブに夕刊売りをさせるのん？　あの阪神電車の尼崎駅の周りで？」

房江は驚き、気色ばんで熊吾になじるような視線を向けた。

「心配せんでもええ。最後のバスには乗り遅れんようにすると言うちょった。六時過ぎに新聞配達店に行って、夕刊を二十部預かって、七時ごろから駅のほうへ行くらしいけん、夕刊を売って歩くのはせいぜい三時間ほどじゃ。たったの三時間で、いろんなことを体験することじゃろう。たったの三時間で、わしら夫婦の一人息子はこの娑婆《しゃば》世間での人生っちゅうものの一端を、自分の視覚と聴覚と嗅覚《きゅうかく》で学ぶ。それはいつかあいつにとって得難い宝物に変わるかもしれんのじゃ」

その熊吾の言葉に、房江はバスの窓から見たいつぞやの光景を話した。月村敏夫が何人かの中学生らしいグループに殴られていた光景を。

「伸仁はああ見えてなかなか逃げ足が速い。心配せんでもええ」

熊吾は笑みを浮かべてから、今夜は少し遅くなると言い残して自分の車でどこかへ出かけていった。

房江は熊吾が、引っ越しを手伝ってくれた丸尾千代麿に何かご馳走しなければと言っていたので、たぶん今夜帰りが遅くなるのはそのためであろうと思った。

F建設の社長車の運転手である林田信正、M冷機の営業員である菊池春之、K塗料店の配達員・桑野忠治の三人は、年齢も二十六、七歳で、このシンエー・モータープールで知り合って以来、意気投合したらしく、事務所で自分の仕事待ちをしている時間には、いつも楽しげに世間話をしたり、将棋を指したりするようになっていた。

三人とも気のいい青年で、礼儀正しくて、粗野なものを感じさせなかった。

三人はいやな顔もせず、モータープールにかかってきた電話の応対をしてくれるし、他の自動車を動かさなければならなくなったときは気安くその役を引き受けてくれる。

モータープールが開業してまだ一週間だというのに、富士乃屋の社長は三人に「シンエー・トリオ」という名をつけてしまった。富士乃屋の社長は、どういうわけか三人をシンエー・モータープールの従業員だと思い込んだらしかった。

房江は、熊吾が出かけていくと、箒《ほうき》で事務所や講堂のなかを掃き、ごみを塵取《ちりと》りで取って、刈田が余った木材で作ってくれた大きなごみ箱に捨てた。そうしながら、夫の暢《のん》気《き》さに腹を立てた。

確かに人生経験にはなるだろう。しかし、伸仁はまだ十一歳になったばかりなのだ。あのならず者や娼婦《しょうふ》が客を引く尼崎駅前の商店街の周辺で、それもこんなに寒い日に、伸仁に夕刊売りをさせることはあるまい。娑婆世間での人生の一端など、おとなになればいやでも直面するのだ。

伸仁は学校が退《ひ》けてもすぐにバスには乗らず、蘭月ビルの誰かの部屋にあがり込んで、二、三時間遊んでから帰って来る。いくら叱《しか》ってもそうすることをやめない。

タネのところで暮らしていたときはそれも致し方のないところだが、母親としては、あの蘭月ビルの住人と伸仁が親しく交わるのは好ましいことではないのだ。

そう思いながら、事務所に戻ると、F建設の林田が社長車を洗剤で洗っていた。林田は社長の車の運転手という役目上、いつもこざっぱりとした背広を着てネクタイをしめている。車のトランクには、常時洗車用具が積んであり、社長がいつ出かけるかわからないときはワックスで車体を磨き、時間があるときは車内の掃除をして、車体とタイヤを洗うのだ。

房江は二階の部屋からハンガーを持って来て、林田が事務所の長椅子《ながいす》に置いた背広の上着とネクタイをそこに掛け、脱いだ革靴を揃《そろ》えてから、なんときれいに磨きあげた革靴であることかと感心して見入った。

「水が冷たいでしょう。きょうは冷えるし、風も強いし」

と房江は、ゴム長に履き替えてホースを持ち、雑巾《ぞうきん》で車体を洗っている林田に言葉をかけた。

「ノブちゃん、新聞配達のアルバイトをしてるんですか？」

林田は、房江と熊吾の会話を耳にしていたらしく、そう訊いた。房江が説明すると、林田は笑いながら、大袈裟《おおげさ》に身をのけぞらせて驚きの声をあげ、

「夜の阪神のアマで？」

と言った。阪神間に住む人のほとんどは、アマガサキと言わずアマと言うのだなと房江は知った。そしてそのアマなるところは、主に阪神電車の尼崎駅周辺を指すらしい、と。

「お母さんとしては、それは心配ですねェ」

林田はそう言い、洗い終えた車体を大きな鹿革《しかがわ》で拭《ふ》き始めた。

「きょうは、ぼくの仕事が終わったら、ノブちゃんに『車庫入れ』を教える約束をしてたのに」

「えっ、林田さんがノブに自動車の運転を教えてくれはるのん？」

「ノブちゃんのお父さんに頼まれたんです」

「そんな約束をしときながら……」

「いや、ぼくも上司に麻雀《マージャン》を誘われましてねェ、ノブちゃんとの約束を破らなあかんことになって、困ったなァと思てたんです」

林田は、小柄な痩身《そうしん》で、頰の肉も薄かったが、貧相なものは感じさせなかった。それでも、ワイシャツ一枚になり、その袖《そで》をめくって寒風のなかで濡《ぬ》れた車体を拭いている姿はひどく寒そうだった。

房江はそんな林田のために熱い茶をいれながら、お母さんは幾つか、とか、F建設に勤めて何年になるのか、結婚しているのか、とか訊いた。

父親はいるが、母親は二年前に死んだ。自分はF建設に入社してまだ一年ほどで、入社と同時に結婚した。妻は梅田の百貨店で働いている……。

林田は車体を拭き終えると、いったん事務所に入り、練炭火鉢の火で両手を暖めてから茶を飲みながら、高校を卒業してすぐに、血を吐いて倒れ、そのまま結核療養所で六年間をすごしたのだと言った。

「片方の肺の上半分がないんです。手術で切り取りましたから。そんな体やのに、元気になったら麻雀を覚えて雀荘に入り浸って……。お袋に叱られて思いっきり殴られました。それから間もなくにお袋は死んだんです。脳卒中で。まだ四十七でした。台所で倒れて、妹が夕方学校から帰って来たときはもう冷とうなってました」

かじかんで赤くなった手を暖めると、林田は事務所から出て、後部座席の足を置くマットを洗い始めた。

きょうは社長は重要な会議があるので五時までは会議室から出ないらしい。だから自分もそれまではここにいる。買い物に行くならいまのうちに行ってはどうか。留守番は自分が引き受ける。

林田がそう言ってくれたので、房江は今夜は久しぶりにハンバーグを作ろうと思い、挽《ひ》き肉《にく》と玉葱《たまねぎ》を買うために裏門から出た。

夫は外食をして帰って来るだろうが、伸仁はどうなのであろうか。あの口贅沢な子がタネの家で夕食を食べるとは思えないが、さりとて何も食べずに夜遅くまで夕刊を売りつづけるはずはあるまい。きょうは土曜日で、小学校も給食はないのだから、昼食も食べていないことになる。

房江は浄正橋の天神さんへとつづく路地を歩きながらそう考えているうちに、自分がこれまで伸仁を一度も殴ったことがないことに気づいた。あまりに聞き分けのないときには軽く尻《しり》を平手で叩《たた》いたことはある。けれども頬や頭を叩いたという記憶はない。息子を口で叱っても、決して手を上げないということをあえて己に課したわけではないと房江は思った。

幼いころ、あちこちの奉公先で、雇い主や先輩格の女に、掌《てのひら》で、箒の柄で、物指しで、頬や手の甲や背中にミミズ腫《ば》れが出来るほど叩かれたことが何度もある。そのときの痛さも忘れられないが、それよりも屈辱感のほうが強く残っている。

伸仁も生意気な口答えをすることがあり、その一人前な憎まれ口に本気で腹が立っても、だからといって叩こうと思ったことはない。子供は、叩かれることを覚えると、叩くことも覚えてしまう……。自分はそう考えて、伸仁に体罰を与えなかったのだ。

自分が小言を言うよりも、たまに父親にどかんと雷を落としてもらうほうがよほど効果があるのだから……。

幼いころ、自分が何よりもつらかったのは、奉公先で殴られることよりも、同じ年頃の子たちが学校へ行く姿を見ることだった。自分はその子たちをどんなにうらやましく思ったことだろう。

いま日本は、地方に住む子供たちが中学を卒業して「集団就職」とやらで都会に働きに出て来ている。その子たちも、高校に進学できた者たちを、どんなにうらやましい思いで見ていることであろうか。

ことしの大学卒の初任給は一万二千円から一万五千円くらいで、高校卒はその半分、中学卒はさらにその半分だという。

学歴の差が、社会に出た瞬間から若者たちにこれほどまでに明確な差をつけてしまうのだ。そして、この差は、自分で商売でもやらないかぎり永遠に縮まることはないのだという諦念《ていねん》が植えつけられたら、とりわけ中学しか出ていない男の子は、何かの拍子に簡単に道を踏み外していくのではあるまいか。

夫が、何が何でも伸仁を私立の中学に入学させようとしているのは、そのようなことも考慮の内にあるのに違いない。

房江は、あれこれと物思いに浸りながら買い物を済ませてモータープールに戻った。マットを洗い終えた林田が、熊吾宛《あて》の書留郵便を預かってくれていた。机のなかに「松坂」と彫られた三文判があったので、それを捺《お》して受け取っておいたと林田は言った。

宛名には熊吾だけでなく、「房江様」とも書かれてあった。差し出し人は愛媛県南宇和郡城辺町《じょうへんちょう》の中村音吉だった。

房江は事務所の椅子に腰を降ろし、封を切った。郵便貯金の通帳と「松坂」の印鑑、それに筆で書かれた手紙が入っていた。

——松坂の大将の勧めで始めた自転車屋は、この地域ではたった一軒きりということもあって思いのほか繁盛し、自分の本業である鍛冶屋《かじや》の仕事に手が廻らないほどで、これも松坂熊吾さんのお陰と感謝している。自転車屋開業の際に立て替えていただいた土地家屋代と開業資金等を早急にご返済すべく毎月の収入のなかから少しずつ松坂熊吾名儀の郵便貯金に振り込んできて、その七割近くが貯《た》まった。こうやってまだ七割の数字を見ると、松坂の大将がこの中村音吉のためにいかに大金を立て替えてくれたかに喫驚するばかりだ。その金のすべてに、心ばかりの利子も加えた通帳をお送りするのが人の道であることは重々承知しているが、そうするためにはどう見積ってもあと二年近くかかる。それはあまりに虫が良すぎると思い、半端な金額ではあるが、とりあえず七割をご返済すべく書留郵便でお送りする。

小生のマラリア熱の発作は、昭和二十六年の秋以来なりを潜めたままで、先日、松山の大学病院で検査を受け、血中にマラリア原虫はみつからないという診断結果を得た。小生の身体から、やっと戦争というものが抜けて行ったという感慨に浸ったが、それも診断結果を医師から聞いた数日間だけで、戦地での生き地獄は到底心から抜け出ることはないと知った。

小生の妻は大阪の寄席《よせ》を、娘は宝塚歌劇を観《み》たがっているが、この南宇和の陸の孤島のような地から大阪へはあまりに遠くて逡巡《しゅんじゅん》している。

残りの三割を一日も早くお返しできるよう商売に精を出す覚悟だ。——

中村音吉の手紙には、そのようなことがしたためられていた。

房江は、まだ七割だという金額の多さに驚いたが、音吉の達筆にも見惚《みと》れた。あの鍛冶屋の音吉が、こんなに流麗な崩し文字が書けるのか……。音吉も戦前の尋常小学校を出ただけだというのに……。

房江は「お染」の客の何人かが、戦前の日本の学校教育のレベルがいかに高かったかを力説していたことを思い出しながら、二階にあがって書留郵便の封筒を箪笥《たんす》の引き出しにしまった。

お前のなかでは、字が下手即《すなわ》ち無学歴という図式が出来あがっちょるが、わしらの世代で庶民の子の大半は尋常小学校とか国民学校へ行くのが精一杯で、それよりも上の学校に進めるのは限られた子供たちだけじゃった。それにお前の書く字は確かに書き慣れた達筆とはいえんが、正確で律義《りちぎ》で、誰に見られても恥かしい字じゃあらせんがのお。

昔、熊吾にそう言われたことを思い浮かべながら、房江は火鉢の炭火で餅《もち》を焼き、それを砂糖醤油《じょうゆ》にひたすと皿に載せて事務所へと降りた。林田におやつをふるまいたかったのだ。

昼食を食べそこねて空腹だったのだと嬉《うれ》しそうに言って、林田は餅を食べた。房江は、言葉は少ないが豊かな心を持つ中村音吉の誠実さに感謝しながら、ことしは思いがけないお金が入ってくる年だなと思った。そして、新聞広告に載っていたペン習字の通信教育を受けようと決めた。

夜の十一時を過ぎても伸仁は帰ってこなかった。房江は心配で晩ご飯もほとんど喉《のど》を通らず、早々に食事を済ませたあとはずっと事務所で強い寒風の音を聞きながら、ときおり福島西通りの交差点のところまで行って、神戸からやって来る阪神バスを待ち、バスから降りる乗客のなかに伸仁はいないものかと見つめたりして落ち着かない時間をすごした。

夫からも電話がない。夫は伸仁のことなど気にも留めていないのであろうか……。房江が熊吾に腹を立て始めたころ、伸仁は父親の運転する自動車に乗って帰って来た。

夫はちゃんと尼崎まで迎えに行ってくれたのだ。

そうと知って、房江は嬉しくて、お腹《なか》は空いていないか、この寒さで体が芯《しん》まで冷えたであろう、いまならまだ銭湯はあいているかもしれない、その間にハンバーグを焼いておくから行って来たらどうか、と伸仁の鼻から少し垂れている洟水《はなみず》をハンカチで拭いてやりながら言った。

伸仁は言われるままに、洗面器に石鹼《せっけん》とタオルと替えの下着を入れて、銭湯へと走って行った。

「わしも何も食うちょらん。それよりも先に酒の燗《かん》をしてくれ」

と熊吾は言い、火鉢の火に炭を足してから、熱燗の酒を飲んだ。

七時過ぎから十時半まで、伸仁と月村敏夫のあとを尾《つ》けて、尼崎駅の周辺を歩き廻ったので脚が棒のようだという。

「とにかく二人にみつからんように人混みのなかを尾けていくのは大変じゃった」

「えっ？　ずっとあとを尾けてくれたん？」

房江は驚いて、夫のためのタコの酢の物を器に盛りかけた手を止めた。

熊吾は笑いながら、夕刊はたったの一部しか売れなかったと言った。

「敏夫は五部じゃ。ひょっとしたらまだ敏夫は酔っ払いに夕刊を買うてもらおうと頑張っちょるかもしれん。たったの五部では今夜のタコ焼きにはありつけんからのお」

どこかの居酒屋では、うるさがられてコップの酒を浴びせられ、別の屋台では共産党員らしい男に資本主義の誤謬《ごびゅう》について延々と講釈され、路地裏のバーでは南京豆《ナンキンまめ》の殻を投げつけられ、暗がりで立ったまま客を取っている娼婦に「夕刊、いかがですか」と声をかけて蹴《け》り飛ばされ、おでん屋では不機嫌な老人に何度も酌をさせられ……。

熊吾はおかしそうに語って聞かせてくれてから、

「それでやっと一部売れたと思うたら、その男、わざと百円札を出しよって」

と房江に言った。

「九十五円もの釣り銭を持っちょるはずがあるまい。それを知っちょって百円札を出しよったんじゃ。伸仁はどうしたと思う？」

「あの子、どうしたん？」

「おでん屋の女主人に両替を頼みよった」

「両替してくれはったん？」

「女主人は、その百円札で煙草《たばこ》を買うて来てくれと言いよった。伸仁は煙草屋まで走って『光』を二箱買うて、それで夕刊代五円を受け取ったんじゃが、さすがに疲れたんじゃろう。売れ残った夕刊の束とその五円を月村の敏夫に渡して、『ぼくはもう帰りたい』と泣きごとを言いよった。夕刊が売れだすのはこれからやと敏夫に怒られよったが、そこで別れて、ランドセルを置いちょったタネの家へ戻ったんじゃ」

自分は先廻りしてタネの家の前で伸仁を待ち、車に乗せて帰って来たのだ、と熊吾は言ってから、好物のタコの酢の物をうまそうに食べた。

「お父ちゃんがタネさんの家の前におったから、伸仁はびっくりしたやろねェ」

暗がりで立ったまま客を取っている娼婦に蹴られた……。そんな状態でどうやって蹴るのであろう。伸仁はそのときの男と女が何をしているのかわかっているのだろうか……。

房江は、その場面を想像しながらも、夫は昼間、伸仁と電話をしているとき、すでに今夜は自分があとを尾けようと決めていたのだと思った。

「ちょっとびっくりしよったが、月村の敏夫はこのままではタコ焼きを買えんから、わしにタコ焼きを買《こ》うてやってくれと頼みよった」

「それで？」

「そんなことはせんほうがええ、お前が食べるタコ焼きと、敏夫が食べるタコ焼きとは、味が違うんじゃと教えただけじゃ」

もう一合、酒を燗してくれという熊吾の言葉で卓袱台《ちゃぶだい》の前から立ちあがりかけて、房江は箪笥にしまっておいた音吉からの書留郵便を出した。

怪訝《けげん》そうに貯金通帳を見てから、音吉の手紙を読み始め、

「おお、そうじゃ、忘れちょった。城辺の谷野っちゅう夫婦が、ここは自分とこの私道じゃけん、通ることまかりならんと底意地の悪いいやがらせをしよったけん、それならわしの土地と土地で挟んで、挟み将棋の理論で、お前らは西にも東にも、どうにも道を歩けんようにしちゃるっちゅうて、その隣の土地と家を安うに買うたんじゃ。ころっと忘れちょった」

と熊吾は言った。

「安うに買うたというても、これだけの金額を払うたこと、忘れてたん？」

房江はあきれて、もしかしたらこの松坂熊吾という人は、これまでもいろんな人に用立てたまま忘れてしまっている大金があるのではないかと思い、それを口にした。

「わしは金貸しやあらせんのじゃ。じゃけん、金は貸したら、くれてやったと思うちょくことじゃ。返しに来《こ》んのは、ないからじゃ。ないやつに返せと迫ってもしょうがあるかや。返してもらわにゃあこっちが生きていけんような金は貸さんことじゃ」

「あっても返さへん人がぎょうさんいてます」

「そんなずるいやつに金を貸したこっちがあほじゃったっちゅうことじゃ。それにそんなやつは、必ずいつかその何百倍も損をしよる。なにも金で損をするとはかぎらんぞ。自分や大事な家族が不幸なめに遭うたり……。物事に起滅あり、森羅万象に因果あり、じゃ。これは、お日さんが東から昇るよりも確かなことなんじゃ」

これまで何度も聞いた熊吾の持論だった。房江は寒いので銭湯から走って帰って来たらしい伸仁のためにハンバーグを焼いた。

「お風呂屋《ふろや》のおっちゃん、十分で出るんやったら入れたるやて。お湯にちゃぽんとつかって頭と顔を洗うたらもう十分たってしもた」

伸仁は息を弾ませて言い、よほど空腹だったのか、ご飯を三膳《ぜん》もおかわりをして、ハンバーグも野菜もたいらげると、房江に敷いてもらった蒲団《ふとん》にもぐり込んで、すぐに寝息をたて始めた。

「暑さ寒さも彼岸までっちゅうが、きのうの夜からの冷えこみようは三月の中旬とは思えん。あしたが日曜日でよかった。日曜日も仕事なのは富士乃屋だけやけんのお。他の車も出て行くとなると、寒さでエンジンのかからんのがぎょうさんあって、わしはバッテリーを持って走り廻らにゃあいけん」

熊吾はそう言い、建物のあちこちに修繕しなければならない箇所があるが、どれも大工の手を必要としないものばかりなので、あしたは一日中、大工仕事だと苦笑した。

「そしたら、あしたはずっといてくれるのん？　それやったら、私はタネちゃんとこに行って来たいねん。ノブを一年も預かってくれたお礼をちゃんとしときたいねん」

房江の言葉に頷《うなず》き返し、今夜は尼崎駅周辺でポン中を何人も目にしたと言った。

「ポン中て何？」

「ヒロポン中毒じゃ。昭和二十五年までは簡単に薬局で買えたんじゃ。疲労がポンと抜けるからヒロポンちゅう名がついたそうじゃ。これは戦争中に、兵隊から恐怖心を取り除くために使うた薬で、不安とか恐怖とか疲労が確かに消えるらしい。しかしそれは消えてなくなるんじゃのうて、一時的に麻痺《まひ》させるだけで、薬が切れたらその反動が来よる。そやからまたヒロポンを打つ。そうしちょるうちに中毒になって、やめられんようになる。製薬会社はそれを知っちょって薬屋に並べて大儲《おおもう》けをしよった。きょう見たポン中のやつらは、たぶん自分の血を売って生きちょる連中じゃろう。血を売る、力が失《な》くなる、ヒロポンを打つ、また血を売る……。その悪循環じゃ。娼婦《しょうふ》のなかにも、あきらかにポン中じゃとわかるのが三人おった。瘦《や》せ方でわかるんじゃ。何というか、独特の瘦せ方で、肌が日に灼《や》けたのとは違う妙に黒ずんだ色になって、皮膚に静脈が浮きあがってきよる。そうなると中毒も末期じゃ。徹夜で受験勉強をしちょる学生が、眠気醒《ざ》ましにと簡単に手を出したら取り返しのつかんことになる。いまは、名前を変えて、闇《やみ》で売り買いしちょるんじゃろう。薬の名前を変えても中身はおんなじじゃ。蘭月ビルの京大を出たっちゅう男、あいつはポン中じゃ。伸仁には、あいつにだけは近づくなと言うてある」

房江はサーチライトの灯を消し、正門を閉めて太いかんぬきを差し込み、大きな南京錠で鍵《かぎ》をかけ、裏門も閉め、事務所に火の気がないことを確かめると、そのまま暗闇のなかで坐《すわ》りつづけた。タイヤ泥棒が塀のどこかから入って来そうな気がしたのだ。

翌日、房江は梅田の百貨店で、タネと千佐子のために春物のセーターを買い、阪神電車の尼崎駅に向かった。

昨夜、伸仁が夕刊の束をかかえて歩き廻った三和商店街ですき焼き用の肉と玉子も買い、阪神国道を渡って蘭月ビルのトンネルのような通路に入ると、共同便所の横の階段に月村敏夫が坐っていた。

そんなところで何をしているのか。妹の光子はどうしたのか、と訊《き》くと、敏夫は生気のない目で、

「光子は香根ちゃんと広場で遊んでる」

と答えた。

房江は、昨夜、伸仁がお世話になってと言い、夕刊は何部売れたのかと訊いた。

「ノブちゃんが帰ってからは二部しか売れへんかった」

「こんな日の当たらん寒いとこで……。広場でみんなと遊ばへんのん？」

「お母ちゃんが部屋にいてるときは、ぼくはここにおらなあかんねん」

房江はその言葉の意味がわからず、どうしてなのかと訊いた。

妹の光子は、香根と遊んでいて部屋に戻るときは、この階段しか使わないからだという。

「香根ちゃんが、他の階段を怖がるねん」

意味がまるで解せないまま、房江はタネの住まいへと行き、伸仁が一年間世話になったことへの礼を述べ、セーターの入っている、きれいなリボンで飾られた箱を手渡した。

そして、お好み焼きを三枚焼いてくれと頼んだ。月村敏夫と光子、それに津久田香根

に持っていってやりたいのだという房江の言葉に、

「いまは月村さんの部屋には行ったらあかんわ」

とタネは言った。

「ここで食べさせてやって」

「なんで？」

「敏夫ちゃんの母親は、いま部屋でお仕事中やねん」

「お仕事……」

そうつぶやいたが、房江はタネの表情で、部屋で何が行なわれているのかを知った。

そうなのか、妹の光子が自分たち一家の部屋に戻らないように、敏夫はあの階段のところで見張っているのか……。

房江は工務店の資材置き場に行き、光子と香根を捜した。近所の男の子たちは野球をするために広場を占領していて、女の子たちは隅のほうでゴム跳びに興じていた。そこから少し離れた大きな土管のなかに、五歳の光子と香根がいた。汚れた三体のゴム人形と遊んでいる。

おばちゃんがお好み焼きをご馳走してあげるからおいでと声をかけると、光子は盲目の香根に自分の肘《ひじ》をつかませてついて来た。

房江は敏夫も誘って、三人をタネの店のお好み焼き台を囲んで坐らせた。

「香根ちゃん、おばちゃんの店でお好み焼きを食べるのは初めてやなァ。鉄板、熱いから気ィつけや」

とタネは言い、客に出すのよりも少し大きいお好み焼きを焼いた。

それが焼きあがり、タネが刷毛《はけ》でソースを塗り、青海苔《あおのり》と粉かつおをふると、

「お皿を取ってくる」

と言って光子は二階の自分たち一家の部屋に行こうとした。房江は慌《あわ》てて光子を制し、なぜ皿を取りに行くのか、ここで鉄板に載っているのを食べればいいではないかと言った。

言ってから、光子は敏夫が今夜タコ焼きにありつけるだけの収入を得られなかったときのために、お好み焼きを半分残しておこうとしているのだと気づいた。

まだ五歳の子が……。房江はそう思いながら、

「これを食べたら、もう一枚焼いてもらおうな。光子ちゃん、それを持って帰り」

と言った。

そのとき、引き戸があいて、

「光子、お客さんが帰るまで、ここにいとき」

という声がした。仕立屋の金静子が毛糸のショールを首に巻きつけて寒そうに立っていた。二日前から風邪をひき高熱が出て臥《ふ》せっていたが、やっと熱も下がり、空腹を感

じたので、お好み焼きを食べようと二日ぶりに部屋から出て来たのだという。

金静子の頬骨は風邪による顔色の悪さで、いつもより尖《とが》って見えた。

結婚式用のチマ・チョゴリの注文を受け、それをあしたの昼までに仕立てなければならないのに、風邪で寝込んでしまって、と金静子は言った。

タネに呼ばれて房江が台所へ行くと、タネは小声で言った。

「金さんが店に来るとなァ、その日は大繁盛になるねん」

「なんで？」

「わかれへんねん。そやけど、金さんは福を呼ぶ女やて、このアパートでは言われてんねん。金さんが美容院に行ったら、それまで閑古鳥が鳴いてた美容院にたてつづけてお客が入ってくる。食堂でも生地屋でも、みんなそうやねん。不思議なことやけど、これはほんまやねん」

するとと、そんなんただの偶然やという静子の、どこかふてくされたような声が聞こえた。タネの店と台所とはベニヤ板の壁で仕切られているだけなので、ひそひそ話は筒抜けだったのだ。

「人に福を呼んでも、肝心の私のとこにはぜんぜんけえへんわ」

「何年か先にまとめて来るんとちがいますやろか」

房江は笑顔でそう言いながら、お好み焼き台のところに戻った。

張本のアニイが見知らぬ男三人と入って来て、ビールを注文した。房江は大柄な男三人を見て、なんと揃《そろ》いも揃って絵に描いたような悪相であろうかと思った。

　張本のアニイは、三人とは声をひそめて朝鮮語で話し合っていた。男のひとりが声を荒らげると、張本のアニイは金静子に視線を向け、男たちに何かをささやいた。ここに朝鮮語がわかる女がいると教えたのであろうと房江は思った。

「おばはん、いつまでもこんなしょぼくれたお好み焼きを出しとったらあかんで。大阪の心斎橋になァ、うまいお好み焼きの店がでけたんや。そこに食べに行って、ちょっと勉強せえよ」

　男のひとりが言った。

「ほんまにうまいでェ。お好み焼きっちゅうのはこんなにうまいもんやったんかってびっくりするで」

　房江は、それは何という屋号のお店かと訊いた。つねづね、お好み焼きは工夫すればもっとおいしいものになるはずだと思っていたので、あまり言葉を交わしたくない相手ではあったが訊いてみたのだ。

　男は、戎橋を南に行って二筋目を右に曲がったところだと言い、店の名前を教えてくれた。

「一枚八十円や」

「そんな高いお好み焼き、うちで出しても誰も食べられへんわ。みんな、三十円の支那《しな》そばのほうに行くわ」

とタネは笑いながら言った。

三人の男たちはビールだけ飲むと、張本のアニイを残して出て行った。

「ヤカンのホンギ、馘《くび》になりよった」

と張本のアニイは言った。ホンギの勤めるヤカン工場の経営者は、中堅の調理器具メーカーに会社を売ったのだという。新しい経営者は、二十三名の従業員のうちの六人の朝鮮人すべてを馘にした。ホンギは馘になった翌々日から阪神尼崎駅や出屋敷駅で日雇い労務者を募るためにやって来たトラックの前に並んでみたが、雇ってもらえるのは若い者ばかりで、ホンギをトラックに乗せようとするやつはひとりもいない……。

「ヤカンを作るしか能のないおっさんで、五十三や。力仕事でこき使われたら、三日で倒れるで」

張本のアニイはそう言って店から出て行き、すぐに戻って来て、月村敏夫と光子に、

「もう部屋に戻ってもええみたいやでェ」

と教えた。そして広場の横に停めてある古いアメリカ製の車のなかで待っているさっきの三人の男たちのところへと歩いて行った。

「房江さんが話しかけた男、人をふたり殺して、つい最近刑務所から出て来たんや。ふ

たりも殺したのに、八年で釈放やなんて、法律てどうなってんねんやろ……」

とタネが耳元で言った。

盲目の津久田香根は、お好み焼き台の熱した鉄板の前で首を真横に折るようにして居眠りを始めた。

「お腹《なか》がふくれて眠とうなったんやね」

房江は言い、香根を二階の津久田家の住まいに送って行ってやってはどうかと光子を促した。

だが月村敏夫はきつい目で、

「まだここにいとけ」

と妹に命じた。

ああ、この子は二階の自分たちの部屋で行なわれていたことの残滓《ざんし》のようなもののなかに、いまはまだ妹を戻って行かせたくないのだと房江は思った。

「ほな、おばちゃんが送って行ってあげるわ」

房江は香根を起こし、抱きあげると、共同便所の横の階段をのぼって津久田家のドアの前に立った。

部屋には咲子だけがいた。咲子は房江に抱かれて眠っている香根を見て、驚いたような表情で礼を言い、房江の腕から香根を受け取り、

「いま、お茶の葉が切れてて……」

と言った。

そんな気遣いは無用だ、自分もそろそろ帰らなければならないと言いながら、房江はいっそう美しさを増した咲子に見惚《みと》れ、これから咲こうとしている華やかな花のようだと思った。

「香根は、家の者《もん》以外の人に抱かれるのを、すごくいやがるんです。ほんとはいやがってるんやのうて、怖がってるんですけど」

と咲子は言い、幼い妹の口元にこびりついている青海苔を指でぬぐい取った。

「夢うつつで、誰に抱かれて二階にあがってるのかわかれへんねんわ」

その房江の言葉に、咲子はかぶりを振り、妹は目の見える子たちよりもはるかに鋭敏で、自分を抱いてくれているのがノブちゃんのお母さんだということに気づいていないはずはないと言ってから、香根を座蒲団の上に横たえた。

「ノブちゃんのお父さんに伝えて下さい。私のお兄ちゃん、東大に進むのはあきらめました」

「……そう。咲子ちゃんのお兄さんほど勉強ができても、東大に入るのは難しいねんねェ」

その房江の言葉にもかぶりを振り、妹のために蒲団を敷きながら、

「東京で下宿生活をするのは到底無理やということになったんです。奨学金を貰《もら》えるかどうかはわかれへんし、医学部の学生は実習が多くて、アルバイトをする時間なんてないそうなんです。それで、大阪大学の入試を受けることにしました。大阪大学やったら家から通えるから」

医学部への進学をあきらめたのではないのだとわかって、房江は嬉《うれ》しかった。優秀な若者が経済的な理由で勉学を放棄しなければならないのかと、一瞬憤《いきどお》りの感情が湧《わ》いたからだった。

夫に必ず伝えておくと言って、房江が階段を降りていると金静子があがって来て、薬草で作った甘い飲み物があるが飲んでいかないかと誘ってくれた。

「冷え性によう効くねん。砂糖で甘いのんとちゃうねん。薬草が持ってる甘味や」

朝鮮に古くから伝わる飲み物だという。房江は金静子の有無を言わせないといった風《ふ》情《ぜい》で廊下を歩いて行くうしろ姿を見て、何かを売りつけられるような気がしたが、冷え性に効くという言葉に惹《ひ》かれてついて行った。

金静子は、畳の上に散らばっている布地の切れ端や糸屑《いとくず》を箒《ほうき》で掃いてから、土《ど》壜《びん》を七輪の火で温めながら、

「あの人買い、また若い女ができよったんや」

と言った。誰のことなのかわからず、房江は金静子の尖った目や頬骨を見つめた。

「咲子の親父《おやじ》や。女ができたら後先考えんと平気で孕《はらま》しよる。そのたびに女房と大ゲンカで、女房も負けんと男をつくりよる」

「咲子ちゃんのお母さんは歳《とし》は幾つですのん？」

「まだ三十七や。そやから一番上の子は十九のときの子ォで、咲子は二十二のときっちゅうことになるなァ」

きのうも、この地域の民生委員が津久田家を訪ねて来て、香根を盲人の学校に入れるよう勧めたが、父親も母親も不在なので、咲子に手続きのための用紙を渡して帰って行った、と金静子は言い、湯呑《ゆの》み茶碗《ぢゃわん》に土壜のなかの茶色の液体を注いでくれた。

ニッキと柑橘類《かんきつるい》の香りが強くて、確かに甘かったが、砂糖やサッカリンのそれとは異なった後味のいい甘さだった。

七種類の薬草を十二時間弱火で煎《せん》じるのだと金静子は説明した。そのうちの四種類は朝鮮でしか手に入らないという。

「咲子も時間の問題や。滅多にないほどの器量で、男がほっとけへんしなァ……。そやけど、松坂の大将やあんたが釘《くぎ》を刺してやったら、ちょっとは利《き》きめがあるかもしれへんわ」

なんと滋味深い甘さであろうと思いながら、茶碗のなかの温かい液体を飲み、他人が口出ししてもどうなるものでもあるまいと房江は言った。

「あの子がどれだけ賢いかどうかですやろ？」

「つまらん男に蝶《ちょう》よ花よと乗せられて、生き地獄へと走って行かんようにって釘だけは刺しとってやってェな」

「女が走って行くのを、誰も止められしません」

房江は微笑《ほほえ》みながら言った。

昔、夫の郷里で暮らしていたとき、近くの城跡の木に野鳥の巣があり、そこからまだ卵から孵《かえ》って一週間ほどの雛《ひな》が落ちた。親鳥はどうすることもできず、枝のあちこちに移動しながら、ただ見つめるばかりだった。

タネの息子の明彦が、雛を巣に戻してやろうとして家から梯子《はしご》を持って城跡の杜《もり》へと向かいかけると、夫はひとこと「巣から落ちた雛は育たん。ほっとくのが一番ええんじゃ」と言った。それでも行こうとする明彦に、夫はさらに言った。「ほかの雛まで道連れにすることになるぞ」と。

私はその意味がわからなかったので、明彦と一緒に城跡に行き、雛を掌で包んで梯子をのぼるのを手伝ってやった。雛は無事に巣に戻ることができた。

だが翌日再び様子を見に行ってみると、その雛はまた巣から落ちていた。野鳥には珍しく低いところに巣を作っていたので、落ちても死ななかったのだ。

明彦はまたきのうと同じように雛を巣に戻した。

三日後、三たび巣から落ちた雛は死んでいたが、死んだのはその雛だけではない。巣から落ちなかった五羽の雛すべてが死んでいた。

親鳥は我が子も巣も放棄して、どこかへ去ってしまったのだ。きっと怯《おび》えて、人間がたやすく近づける巣を捨てたのであろう。

私は、他の五羽の雛は巣から落ちないのに、どうしてこの雛だけが落ちたのであろうと思い、夫にその理由を訊《き》いた。夫は、「そういう星のもとに生まれたんじゃ。巣が小さすぎたわけでもなく、ほかの雛に悪さをされたんでもない。その雛の宿命じゃ」と答えた。自分は巣から落ちた雛を子供のころから何度も目にしてきた。人間が巣に戻してやった雛が育ったことは一度たりともなかった、と。

金静子は、しばらく無言で房江を見つめ、小さく頷《うなず》きながら笑みを浮かべた。房江は金静子の笑うのを初めて見たと思った。

「そやけど、巣から落ちたら死ぬでっちゅうことは教えといたらなあかんやろ?」

その金静子の言葉に、房江は微笑で応じ返し、

「咲子ちゃんは鳥の雛やあらへん。人間やもんね」

と言った。

「これ、松坂の奥さんにどうやろ」

そう言いながら、金静子は箱のなかから女物のツーピースを出した。注文主が夜逃げ

をしたのだという。

「体型が奥さんとよう似てんねん。正絹の合物や。ボタンをつけたら完成や」

生地は青味がかった灰色で、白い縦縞《たてじま》が入っていて、ポケットの大きさや付け方がいま流行の形なのだと金静子は言い、房江に試着するよう勧めた。

「ええ絹やねェ。光沢があって滑らかで」

「そやろ？　生地代だけでええから買《こ》うてえな。このままやったら、私、大損やねん。生地を選んでその代金を立て替えたのも私やから」

洋服など長いあいだ買っていない。いま外出用に着ている服は、ほとんどは戦前戦中に買ったものだ。歳とともに体型が変わるということがなかったお陰だが、南宇和から大阪へ帰って以来、経済的な不如意《ふにょい》がつづき、自分のものよりも夫や伸仁のものを優先してきたからだ。

房江はそう思い、値段を訊いた。予想よりも高かったが、生地の良さを考えれば、金静子が生地代だけでいいというのは嘘《うそ》ではなさそうだった。

「主人に相談してみんと……」

肩幅とスカートの丈を少し合わせれば、体にちょうど合ったたし、なによりもその仕立てが気に入って、房江は、夫に電話で訊いてみると言って蘭月ビルから出ると、国道二号線を渡ったところにある煙草《たばこ》屋の公衆電話のところに行った。

事務所からかなり離れたところで大工仕事をしているのか、熊吾は電話に出てこなかった。あきらめて電話を切ろうとしたとき、熊吾の声が聞こえた。

「お前が気にいって、欲しいと思うたんなら、いちいちわしに訊かんでも勝手に買うたらええじゃろが。講堂の屋根にのぼっちょったけん、慌《あわ》てて、金槌《かなづち》で釘の頭やのうて親指を叩《たた》いてしもうたぞ」

熊吾はよほど痛かったらしく、そう怒鳴ると電話を切ってしまった。

金静子の部屋に戻り、房江はもう一度試着をして、まだボタンの付いていないツーピース姿の自分を鏡に映し、

「ほな、買うわ。わあ、嬉しい。こんなええ服を買うのん、何年振りやろ」

と言った。

三日後にノブちゃんに取りに来てもらってくれ、代金はそのときノブちゃんが届けてくれるとありがたい。

金静子はそう言って、肩口とスカートの裾《すそ》のところに待ち針を刺した。

「走りだした女は止めようがない……。ほんまにそうやなァ。……咲子には、どんなことが待ち受けてるんやろ」

「さあ……、四十七歳の私が見惚れて、思わず嫉妬《しっと》の心が生まれるほどにきれいな子ォやから」

房江は微笑みながら言って、そうなのか、津久田咲子という自分とは何の関係もない少女のことが妙に気にかかるのは、つまりは嫉妬なのだなと気づいた。

二階の廊下を誰かが歩いていた。足音は共同便所への階段に消え、しばらくすると蘭月ビルの西側の階段からまた聞こえ、それは阪神国道に面した階段へと消え、次には北側の朴家の横の階段から金静子の部屋の前を通って月村一家の部屋のほうへと移り、やがて別の階段を降りて廊下を歩きつづけた。

同じ人間の足音であることは、緩慢なひきずるような歩調でわかった。

「沼田さんとこのお婆《ばあ》さんや。死んだ孫を追いかけてんねん」

と金静子は言った。

八十五歳で、ぼけてしまって、戦死した孫が二階から呼ぶ声が聞こえるたびに、ああやって孫を捜して蘭月ビルの下の通路や二階の廊下をさまよい歩くのだという。

「自分を呼んでるときの孫は、五歳のときの孫やそうやねん」

そう言って、いつもは夜中に蘭月ビルの四つの階段をのぼったり降りたりしながら、ときおり孫の名を呼んで、このボロアパートのなかを巡りに巡りつづけるのだが、きょうは珍しくまだこんな昼間にどうしたことなのだろう、と金静子は足音に耳を澄ました。

疲れて神経が苛立《いらだ》っている夜に、あの足音と孫を呼ぶかぼそい声を聞くとなんだか怖くなって寝られなくなる……。

金静子は苦笑混じりにつぶやき、房江にミカンを勧めた。

「どこか遠くをうろつくことはないのん？」

と房江は訊いた。

「それがないねん。このアパートのなかだけや。尾橋モータースの前の階段から朴さんとこの横の階段へと行くときや、タネさんのとこの横の階段へ行くときはアパートの外に出なあかんねんけど、それは階段から階段へと移るためで、アパートの周りから離れたりはせえへんねん。そやから家族も好きにさせてるんやけど、孫の声がもし国道のほうから聞こえるようになったら、ほっとかれへんわ」

「そのお孫さんは何歳のときに戦死しはったん？」

「二十五やったらしいわ」

「あの戦争で、ぎょうさんの若い人が死んだねェ」

と房江は言い、それらの人々には申し訳ないと思いながらも、自分は日本が戦争に負けたことを知った日、これであの軍人たちがいばり散らす時代が終わったのだと考えて嬉しかったと本音を口にした。

「私は日本の軍人ほど嫌いなもんはなかったわ。尊大で下品で、権力を笠《かさ》に着ていばり散らして……。赤紙一枚で徴兵された兵隊さんのことやあれへんねん。軍人や。職業軍人という人らや。無教養で好色で野卑で、最低の連中やった。あんな連中の天下がこれで終わったと思たら、嬉しいて嬉しいて、小踊りしそうになったわ」

そのことについて自分の本音を口にしたのは夫にだけだったし、金静子が朝鮮人だということを忘れていたのに気づき、房江は慌てて口をつぐみ、

「早よう帰ってご飯ごしらえをせなあかん」

と言ってタネの住まいへと戻った。

蘭月ビル内を徘徊《はいかい》しつづける老婆《ろうば》と鉢合わせをしないように、房江は映画館の東隣りの道に遠回りしてバス停に行った。

「お婆ちゃん、こうちゃんは部屋にいてるでェ」

という声で振り返ると、蘭月ビルの一階の暗い土の道から出て来て、尾橋モータースの前のところの階段をのぼろうとしている老婆と、それを追ってきた十歳くらいの少女がいた。

こうちゃんというのが死んだ孫の呼び名だったのだなと房江は思い、自分の曾祖母《そうそぼ》を家につれて帰ろうとしている少女を見つめた。そして、富山から大阪へ帰って来た伸仁は、この年中日の当たらない湿った通路を通って心細そうにタネの住まいへと歩いて行ったのだったなと思った。

三日後の昼過ぎに、房江は洋服の代金を持って蘭月ビルへと行った。伸仁に代金を持

たせてもし落としたりしたら大変だと考えたからだが、伸仁と蘭月ビルの住人との交わりをこのあたりで終わらせたいと思う気持が強まったのだ。それで房江は、よほどの用事がないかぎりは、学校が退けたらすぐに阪神バスに乗って帰って来るようにと命じた。不満そうに、どうしてかと訊く伸仁に、来年私立中学を受験するために、そろそろ勉強を始めなければならないと房江は言った。

それでも釈然としない表情の伸仁に、やはり正直に母親の考えを伝えるほうがいいかもしれないと思い直し、

「朱に交じわれば赤くなる、って言葉をお父ちゃんが教えてくれはったやろ？　あの蘭月ビルにはどんな人が住んでる？　暴力団と関わりのある金貸し、自分の血を売ってヒロポンと似たような薬を買うてる人……」

と言ってから、房江はあとの言葉に窮してしまった。

子供を外で遊ばせて、部屋で体を売る母親。日本のあちこちの農村に出向き、農閑期に出稼ぎ労務者として働かなければならない人たちを集めて廻る人買い。日本人に決して好意を持っていない朝鮮人たち……。

いくらなんでも、そんなことを伸仁に言うわけにはいかなかったのだ。

それで房江は、最近、あそこには怖い人たちが頻繁に出入りするようになったそうだから、もしものことがあってはいけないと言うしかなかった。

もうあと数日で伸仁は小学五年生の課程を終えて短かい休みに入り、四月には小学六年生に進級するが、房江としては尼崎市立難波《なにわ》小学校から近くの福島小学校に転校させたかった。

夫が言うように、確かに富山の八人町小学校も一年間在籍しただけだし、いまの小学校もまた一年間通っただけで他校に転校させるのは決していいことではない。しかし、私の子であれ他人の子であれ、大勢の生徒たちの前で野良犬よばわりする担任教師からは離れさせたいと思う心は強かったのだ。

六年生になったらクラス替えがあるかもしれない。房江はそれを願うばかりだった。タネのところには寄らず、金静子に代金を払って洋服を受け取ったら帰るつもりだったのに、きょうは非番だという伊東周一こと尹東晋に声をかけられ、房江は蘭月ビルの北側の道と広場とのあいだにある泥溝《どぶ》のところに行った。タネが洗濯物を干していた。

伊東はバケツのなかの血の混じった水を泥溝に捨て、なかに入っている牛の腎臓《じんぞう》を見せてから、

「きれいに血抜きとアンモニア抜きができたから、松坂の大将にひと塊持って帰って下さい」

と言った。

「松坂の大将が唐辛子《とうがらし》が嫌いやとは知らんかったんです。これを薄切りにして七輪で焼

いて醤油《しょうゆ》だけで食べてもおいしいです。アンモニアを抜くのに手間がかかるんです。とにかく腎臓はおしっこを作るとこやから」

唐辛子が嫌いなのではない。朝鮮の人たちが使う量が私たちには多すぎるのだと思いながら、房江は朴家の横の階段をのぼって行く若い伊東の横顔を見つめた。顔色はいつもと変わらず青かったが、仕事が休みでよく眠ったのか頰のところだけ血色がよかった。

タネの家から寺田権次の声が聞こえた。

「とにかく山のなかの飯場生活や。飲み屋があるような町まで片道二時間かかるから、飯場で酒飲んで飯食うて、あとは寝るだけ。ラジオはあるけど電波が届けへん。早寝早起きするしかあらへんがな」

寺田は房江を見ると軽く会釈《えしゃく》をしてビールを飲んだ。

「ノブは、きょうはここに寄った？」

と訊くとタネは首を横に振り、寺田のビールのあてにテッチャンを焼き始めた。

ちゃんと母親の命じるままに、蘭月ビルには寄らずに帰ったのだと安心し、房江は自分で茶を淹《い》れて飲みながら、伊東がマメを持って来てくれるのを待った。

こんどのダム工事は完成まで五年かかる。そのために、現場の労務者のなかには家族とともに飯場生活をしている者が多い。そんな家族のために、六畳一間くらいのバラックを建てる。彼等はそうやってひとつの工事が終わると家族を引きつれてまた別の場所へと移動する。たいていどの工事現場も人里離れた山奥なので、やって来たときは女房と子供がふたりだったのに、去って行くときには子供が四人になっていたりする。

飯場が密集するところではいろんなことが起こる。ケンカなどは日常茶飯事。女房や亭主の目を盗んでの浮気沙汰《ざた》も日常茶飯事。五年間の工事中にどれだけの子が生まれることか。そしてその子の父親が亭主なのか誰なのかわからないという女房たちが多いのだ。

びっくりしたのは、個人で勝手に銀行を作るやつがいることだ。銀行だから、労務者たちの賃金を預かって、それを誰かに融資して金利を稼ぐ。しかし、いったい誰に融資しているのかさっぱりわからない。氏素姓のわからない流れ者の労務者がひしめいて暮らす山奥では、自分に与えられた寝床のどこかに金を隠しておくのは、どうぞ盗んでくれというのに等しい。

だから、雇い主は労務者の賃金のなかから必要なぶんだけ与え、あとは工事が終わるまで預かる仕組になっているが、それには利息がつかないし、悪辣《あくらつ》な雇い主にかかると、なにやかやと口実をつけてピンハネをされかねない。

いわば個人の秘密銀行は、彼等の金を守るための知恵なのだ。解約するときに付いてくる利息は一般銀行の法定金利よりも少し多い……。

房江は、自分たちの知らないところにそんな世界があるのかと思いながら寺田権次の話に聞き入り、

「子供は、学校はどうしてますのん？」

と訊《き》いた。

「近くに学校があったら、そこに行かせよりますけど、なかったら、行かせようがおまへんがな。六年間で合わせて十日ほどしか小学校に行けへんかったたっちゅう子ォが、ぎょうさんいてまっせ」

と寺田は言った。

「息子が、親父、ここで血圧が上がって倒れても医者がおらん、もうそろそろ帰り、って言うよってに帰って来ましたんや。ダム工事の現場からここまで六時間かかりましたで。飯場の建設もあらかた終わったから、息子らも四、五日したら引き揚げて来よります。津久田の口利《くちき》きで貰《もろ》うた大きな仕事やけど、息子はもうこりごりやて言うとった。あんな山奥に、どこの馬の骨やわからんやつらがひしめいて暮らしとったら、何が起こっても不思議やおまへんよってになァ……」

酒のあてといえばスルメと南京豆《ナンキンまめ》だけだったと言いながら、寺田がうまそうにテッチャンを食べ始めたとき、伊東が新聞紙と油紙でくるんだ牛の腎臓を持って来てくれた。

「また最近、いやがらせが増えたんやてなァ。帰還問題はひとまずご破算とちゃうんか

いな」

その寺田の言葉には答えず、伊東は小さく折り畳んだ紙をズボンのポケットから出し、この漢字は何と読むのかと訊いた。「北の傀儡」と赤い絵具で書いてあった。

寺田は、こんな漢字は知らないと言い、房江を見た。房江にも読めなかった。

「カイライや」

とタネが言った。

「こないだ甲田さんの工場の塀におんなじもんが何枚も張ってあってん」

「傀儡て、どういう意味やねん」

寺田に訊かれて、タネは首をかしげ、明彦が高校生のときに使っていたという国語辞書を持って来た。

そのとき、遠くで「お婆ちゃん」と呼ぶ声が聞こえたような気がして、房江はそっちに神経を集中した。なんとなく伸仁の声に似ていたからだ。

国語辞書のページを繰っているタネに、いま「お婆ちゃん」と呼ぶ声が聞こえなかったかと訊くと、タネは顔を大袈裟《おおげさ》にしかめて、

「気持の悪いこと言わんとってェな。沼田のお婆ちゃんやあるまいし。まだ幽霊が出る時間とちゃうねんで」

と言った。

空耳かと思い、房江はタネの家を辞して蘭月ビルの一階を南北に貫く暗いトンネル状の通路からバス停へと歩きだした。

逆光ですぐには見えなかったのだが、房江は沼田のお婆ちゃんが共同便所の横の階段をのぼり始めているのに気づいた。

「お婆ちゃん」という声が、こんどははっきりと二階から聞こえた。くぐもった、ひそやかな男の子の声だった。伸仁の声に似ているようでもあったし、別の子供の声のようでもあった。

房江は階段の昇り口で歩を停め、一段一段注意深い足取りでのぼっていく老婆のうしろ姿を見つめた。

津久田香根が階段の真ん中に腰を降ろして、誰かに折ってもらったらしい鶴《つる》の折り紙を一心に指で触っていた。

「ノブちゃんのおばちゃん」

と香根は首をもたげながら言ったので、房江は驚いて、持っていたものを落としてしまった。香根の口から初めて言葉を聞いたからだ。

目が見えないだけでなく、もしかしたら言葉も発することができないのではないかとさえ思っていたので、房江は落としたものを拾い、香根のいるところに行き、階段に並んで腰を降ろした。

「なんで、おばちゃんがいてることがわかったん？」

「なんでかしらんけど、わかってん」

「きょうは光子ちゃんと遊べへんのん？」

「光子ちゃん、お母ちゃんとどっかへ行ってん」

「お母ちゃんて、光子ちゃんのお母ちゃん？　それとも香根ちゃんのお母ちゃん？」

「光子ちゃんの」

こんどはタネの住まいの上、金村盛男の部屋のほうから「お婆ちゃん」と呼ぶ声が聞こえた。

空耳ではない。それに間違いなく伸仁の声だ。

なんということであろう。沼田のお婆ちゃんの心を乱させ、この蘭月ビルのなかをうろつかせるといういたずらを、我が子がやっているとは……。

房江は、これまで一度も伸仁を叩《たた》いたことはないが、きょうというきょうは許さない、頭といわず頬といわず、思いっきり叩かずにはおかないと決めて立ちあがり、二階へあがった。

沼田のお婆ちゃんは、声のするほうへと廊下を歩きつづけていた。悠長な歩き方で、一歩進むたびに体が右に傾いたり左に傾いたりするので、房江は老婆を追い越せないいま、そのうしろを歩いて行った。

こんどは朴家の横の階段で声がした。

沼田のお婆ちゃんは、歩を停め、耳を澄ますようにしばらくじっとしていた。耳はよく聞こえるのだな。房江はそう思い、踵《きびす》を返すと急ぎ足で伊東の部屋のほうに行き、階段を駆け降りた。伸仁の姿はなかった。

房江は階段をまた駆けあがり、二階の部屋のすべてを取り囲むような形の狭くて長い廊下を廻ってタネの住まいの東側につながる階段を降りながら、意地でも伸仁を捕まえてやると思った。

こんどは尾橋モータースのほうから声が聞こえた。房江は廊下を引き返し、蘭月ビルの南側の階段を降りた。きっと伸仁は蘭月ビルの一階のトンネル状の道を走って、別の階段へと移動したに違いなかった。

房江は、ここには四ヵ所に階段があり、二階にコの字型の廊下、一階に通路があるだけではないのだと気づいた。二階の誰かの部屋同士は壁の穴で行き来ができると伸仁から教えられたことがある、と。

声を追いかけていては捕まえることができない。どこかで待ち伏せをするしかあるまい……。房江はそう考えて、共同便所の横の階段へと廻り、どうしたら伸仁を捕まえることができるかと香根に相談した。

香根はおかしそうに笑い、タネの住まいのほうを指差した。房江は、なんと可愛《かわい》らしい笑い方であろうと思った。香根が笑うのも初めて見たのだ。

房江はタネの住まいの東側にある階段のところで伸仁を待ちつづけた。

ランドセルを背負ったままの伸仁が、うしろ向きで足音を忍ばせて降りて来た瞬間、房江はその衿首《えりくび》をつかんだ。

「お母ちゃんは許さへんで。なんていう悪さをする子ォやろ。いたずらにも程がある。お前、自分がどんなに年寄りにひどいことをしてるのかわかってるんか？」

突然、母親があらわれたことによほど驚いたらしく、伸仁は目を丸くして房江を見つめてから、

「なんで、こんなとこにいてんのん？」

と訊いた。

房江はそれには答えず、お前はタネおばちゃんの家で暮らしているときからずっと、こうやって沼田のお婆ちゃんをからかって遊んだのかと訊いた。怒りで顔が上気してきたが、房江は伸仁が大きく目を見開くと、父親にそっくりになることに気づいて、笑いを抑えるのに苦労した。

こうやって沼田のお婆ちゃんを騙《だま》すのは、きょうが初めてなのだと伸仁は言った。

三日前、珍しく昼間に「こうちゃん」を捜して蘭月ビルのなかをうろついた日、沼田のお婆ちゃんは夜には疲れたのかよく眠った。

昼間に階段をのぼったり降りたり、二階の廊下を行きつ戻りつしたせいもあるが、昼間に「こうちゃん」があらわれたことで気が済んだのであろう、と家族は考えた。そうか、昼間に「こうちゃん」にあらわれてもらったらいいのだ。そうすれば、夜はおとなしく眠ってくれる……。ノブちゃん、「こうちゃん」になってくれ。

そう頼まれたのだという。

「ぼく、もうへとへとや。いつまでつづけてたらええのんか、わからへんねんもん」

伸仁の説明を聞いているうちに、房江は涙が溢《あふ》れてきて、泣きながら笑った。

伸仁と一緒にバスを待っているときも、泣くのをやめることはできなかった。母親の涙で、バスに乗ってからも何度も何度も謝りつづける伸仁に、哀《かな》しいのでもなければ怒っているのでもないと房江は言ったが、自分の心を一杯にしているものが何であるかを上手に説明する言葉はみつからなかった。

第七章

五月の連休が終わってすぐに、熊吾はヤカンのホンギこと供引基を伴なって、阿倍野区文《ふみ》の里《さと》にあるカメイ機工株式会社の工場を訪ねた。

工場に隣接する倉庫に最近頻繁に泥棒が侵入し、納品の日まで収納してある新品のフライホイールが盗まれるという事件がつづいていて、専任の警備員を常駐させせなければならなくなったが、なり手がいなくて困っていたのだ。

熊吾は亀井周一郎からその話を聞いたとき、即座に供引基を雇ってくれないものかと考えた。

あの面構《つらがま》え、あの体格、そしてあの誠実さは、倉庫のなかの商品を守る警備員にうってつけだ。ひとり身のホンギなら、夜の八時から朝の八時までを倉庫内に敷かれた畳三枚の上で寝ずの番をする仕事に従事することに何の支障もない。

熊吾の頼みではあったが、亀井周一郎は、社内には供引基が朝鮮人であることに難色を示す者が多いと答え、工場長と専務による面接を受けられるよう取り計らってくれた。

専務は亀井の妻の弟だった。

市電の文の里の停留所で降り、小さな子供たちが遊ぶ公園の木々の緑に目をやりながら、ホンギはきのう蘭月ビルの二階の伊東に代筆をしてもらったという履歴書を熊吾に見せた。

一九〇五年に朝鮮の京城に生まれ、昭和十二年に兄と娘とともに日本に来て、山口県の化学薬品工場で働き、戦後すぐに尼崎に移住。兄は昭和二十三年に病死。賞罰もないが学歴もない。二十五歳で結婚して二女をもうけたが、妻ともふたりの娘とも死別している……。

「奥さんはいつ死んだんじゃ」

と熊吾は公園のベンチに腰を降ろし、煙草《たばこ》に火をつけてから訊《き》いた。

「私が三十二のときです。家内は三十でした。子供のころから腎臓《じんぞう》が悪かったんです。ふたりめの娘を妊娠中に悪化しました。次女も生まれて一年後に死にました。上の娘は、八年前に自殺しました。まだ十八でした」

「自殺？　なんでじゃ？」

「私が厳しすぎたんです。そのうえ、貧しすぎました。一生、この貧しさがつづくのかと思うと、生きるのがいやになると友だちに言うたそうです」

「なんで自殺したのかなんて、余計なことを訊いたな。人にはそれぞれ事情があるっちゆうのに、わしの心が至らんかった。申し訳ない」

熊吾は言って、腕時計を見た。約束の一時まであと二十分ほどあった。

「この道を真っすぐ南へ行ったら、カメイ機工の工場がある。道を挟んで向かい側が事務所じゃ。受付で、松坂熊吾に紹介された者じゃと言えばわかるようになっちょる。わしはここで待っちょるけん」

熊吾の言葉にホンギは笑みを浮かべ、もう子供ではないのだから、ここで待っていてくれなくても大丈夫だ。迷子にならずに尼崎まで帰れると言った。

「私が雇ってもらえんでも、気を悪うせんといて下さい。日本人でも職が失《な》くて困ってるんやから、私のような朝鮮人は、面接してもらえるだけでもありがたいです」

熊吾は無言で頷《うなず》き返し、公園を出てカメイ機工の事務所のほうへと歩きだしたホンギのうしろ姿を見てから、地下鉄の難波駅で買った朝刊をひろげた。

とりあえず面接を受けてくれという亀井周一郎の言葉には含みがあったので、専務や工場長が供引基によほどの悪印象を抱かないかぎり、採用してもらえそうな気がしたが、いまそれをホンギに言わないほうがいいと思ったのだ。

朝刊には、閣議は日中問題はしばらく静観との態度を決定し、きのうの日中貿易団体による現状打開要請も断わった、という記事があった。

熊吾は、日本と中国の国交回復はまだまだ先だなと思ったが、民間ではさまざまな分野でそれを望む動きのあることが嬉《うれ》しかった。

「中国は途轍《とてつ》もない市場じゃぞ。中国っちゅう国の持っちょる知恵の底深さを知らんのか。国の大きさや人口だけでも、日本の何十倍もあることを考えたら、単純な損得計算だけでも、日本はこれからどうすりゃええのか、馬鹿《ばか》でもわかるじゃろうが。なにをぐずぐずしちょるんじゃ。政治家の馬鹿どもが。アメリカのご意向待ちか？」

そうつぶやきながら、熊吾は、ことしの三月に開通した関門トンネルを利用した人がすでに二万名を越えたという記事に目を移した。

日本人も優秀な民族だ。とくに技術という分野では世界でも屈指の才がある。これは得難い民族的能力だが、日本人にはひとつ決定的な欠陥がある。うまくいっているときは傲慢《ごうまん》と尊大の塊りと化し、駄目になると卑屈になってお辞儀ばかりするという点だ。そして、どっちの場合でも付和雷同する。

それが太平洋戦争で見事に露呈したのだ。

「島国の、井のなかの蛙《かわず》じゃが、よその国の技術を学んで、それを自分流に発展させる能力は見上げたもんなんじゃ。平安時代の昔から、それは変わらん」

熊吾がそうひとりごとを言いながら、新聞の社会面の、タクシー強盗の事件に関する記事を読み始めると、

「おっちゃん、アホちゃうか」

という声がした。幼稚園児とおぼしきふたりの男の子が熊吾の前に立っていた。ひとりごとを言っている口髭《くちひげ》の男が気になって、近づいて来たらしかった。

「おお、いかにも左様。このおっちゃんはアホでござる。貴殿らは、なんでそれがわかったのでござるか?」

熊吾が笑顔で訊き返すと、ふたりの男の子は逃げて行った。

社会面には、東京池袋の闇市《やみいち》マーケットにできた食堂の写真があり、昼食時に近くの会社員が列を作っているさまを写していた。熊吾はその写真に写っている食堂の品書きを見た。

親子丼七十円。刺身定食六十円。天丼とうふ汁付六十円。カレーライス五十円。サラダ二十円。焼海苔《やきのり》二十円。

やっぱり東京のほうが関西よりもちょっと高い。なにかにつけてそうなのであろう。津久田家の長男が東京大学を受験することを断念したのも仕方があるまい。

そう思いながら、熊吾は再び政治面に目をやり、そうか、もうじき総選挙の投票日なのだと気づいた。

自由党と民主党が手を組み、自由民主党となって三年がたつ。保守合同しての初めての選挙だが、野党の社会党も左右が手を組んで、日本には二大政党が出来あがった。共産党の進出を食い止めるために二大政党を作ったという説もあるが、社会党の左派のほうが共産党よりも厄介なのだ。

左右の合体など理論的に有り得ない。選挙のためとはいえ、社会党は骨抜き政党への道を自ら歩きだしたということだ。

「岸信介っちゅうのは頭のええやつじゃ」

熊吾は言って、新聞をゴミ箱に捨てた。

ホンギが熊吾の待つ公園に戻って来たのは二時を過ぎたころだった。

「社長さんとも逢《あ》いました」

とホンギは言い、熊吾が差し出した煙草に火をつけ、煙を深く吸った。

面接を終えたとき、専務が少し待っていてくれというので、応接室で待った。十五分ほどたつと、工場長と総務部長がやって来て、紹介者の松坂熊吾氏が身元保証人になることを条件に採用すると言ってくれた。

ただし、三ヵ月間は正社員ではない。試用期間で、その間の給料は社の規定に準じる。勤務時間は松坂熊吾氏に伝えたとおりで、交通費は別途支給する。社としては、もう今夜からでも勤務してもらいたいが、いかがなものか。松坂熊吾氏直筆による身元保証書は今週中に持参してくれればいい。

総務部長はそう言ってから、工場長と一緒に倉庫に案内してくれた……。

ホンギはそう説明し、

「私が読み書きがでけんと知って、ちょっと困ってはりました」

と言った。警備日誌というものを総務部に提出してから退社しなければならないからだという。

「総務部の誰かに代筆してもろたらええんじゃ。異常のなかった日は『異常なし』。何か異常があったときは、かくかくしかじかの事態が起こったと口で説明して、それを代筆してもらうんじゃ」

熊吾が言うと、

「はい、工場長もおんなじようなことを総務部長さんに言うてはりました」

とホンギはかすかに笑みを浮かべた。

「もう早速、私の意見を採用してくれました」

泥棒というのは本能的に明るさと物音を嫌がる。だからサーチライトと大きな音の警報ベルを設置しておいて、侵入者に気づいたらまずそのスイッチを入れる。たいていの泥棒はそれで退却するものだ、というホンギの意見で、工場長はすぐさま電気店に電話をかけ、きょうの夜までにその工事をするよう頼んだという。

「これが身元保証書の書き方の一例やそうです」

ホンギは、タイプ印刷された紙を熊吾に見せながら、

「私の身元保証人になってもらえますか？」

と訊いた。

「当たり前じゃ。わしが身元保証人にならんで誰がなるんじゃ」

「何を根拠に私という人間の身元を保証しますか？　日本語の読み書きもでけん朝鮮人の私を」

「本物の侘数寄者《わびすきしゃ》じゃっちゅう、その一点だけで充分じゃ」

ホンギは自分の節くれだった手の指を見つめながら、ありがとうございますとだけ言った。

「しかし、尼崎からこの阿倍野区の文の里までは遠いのお。阪神電車で梅田まで出て、そこから地下鉄で難波まで行き、市電に乗り換え……。ここまで何分かかった？」

その熊吾の問いに、遠くても玄界灘《なだ》を越えるわけではないとホンギは答えた。

「面構えがええ。寡黙《かもく》で腕の立つ古武士っちゅうたたずまいやけど、日本で暮らすようになって二十年以上もたつというのに、わかりにくい日本語ですなァ」

笑いながら言い、亀井周一郎は生後三ヵ月のメスの仔犬《こいぬ》を抱いて応接室に入って来た。

伸仁は、その仔犬を亀井から受け取り、梅田の百貨店で買って来た首輪をつけた。

亀井家の飼い犬は血統書付きの柴犬だったが、亀井の妻が買い物がてら散歩につれて行き、市場の前の木につないで魚屋に寄っているあいだに、同じように飼い主とともに市場に来て木につながれていたシェパードと交尾してしまったのだ。

そのシェパードも血統書付きで、いわばどちらも由緒《ゆいしょ》正しき血統ではあったが、生まれた仔犬はすべて和洋折衷の、どことなくちぐはぐな姿形で、かえって貰《もら》い手が多く、いちばんおとなしく小柄なこのメスが残ったのだ。

「去年の被害額は七十二万円。ことしに入ってすでに五十三万円。組織立った窃盗団で、主謀格は朝鮮語で会話して、どんなに頑丈な鍵《かぎ》でもたったの五分ほどであけてしまいよる。見張り役、実行役、盗んだ物の運搬役、と見事に統制がとれてて、実行役のなかには凶器を持ってるやつがいてる……。そんな連中が狙《ねろ》うてる倉庫やと知ると、警備員として採用されても三日で辞めてしまいます。供さんは、それを聞かされても、まったく動じません。仕事に着くと、懐中電灯と天秤棒《てんびんぼう》を持って、一時間に一度、倉庫の周りを巡回し、倉庫のなかから鍵をかけて寝ずの番をしてくれてます。窃盗団は、外の鍵はあけられても、扉のなかの大きな南京錠《ナンキンじょう》はあけられません。いまのところ、手も足も出んという状態ですなァ」

そう亀井は言い、いい人を紹介してくれたものだと工場の者たちはみな感謝しているとつけくわえた。

「工場で働いてる者たちも、工場長も、あの供さんにギロっと睨《にら》まれたら、思わず姿勢を正してしまうって言うてるそうです」

「本人は、睨んじょるつもりはないんですがのお」

と熊吾は笑いながら言った。

「勤め始めて、きのうでちょうど二十日。やっと顔馴染《なじみ》になった工場の若い者《もん》が、供さんを『隊長』と呼ぶようになったそうです。日本語が上手やない朝鮮人やから、社員のなかには無礼なふるまいをするやつもおるんやないかと心配してましたが、つまり、そんなことよりも先に、みんな、貫禄《かんろく》負けしてしもたっちゅうやつですなァ」

亀井もそう言って笑ってから、ことし九十歳になった妻の父が、五月に入ってずっと寝たきりになり、同居している妻の兄がそろそろ別れのときが訪れたと思うと伝えて来たので、これから豊岡まで行かねばならないと説明した。

「それは知らんかったとはいえ、余計なお時間を取らせてしまいました。お心が急《せ》いていらっしゃるでしょう。私どもはこれで失礼させていただきます」

熊吾は、仔犬を抱いた伸仁を急がせ、亀井家を辞すと、自分の自動車でシンエー・モータープールへと帰った。

「今晩ひと晩は、親を慕って鳴くじゃろうが、すぐにここでの生活に慣れるけん、案じることはないぞ」

熊吾は、伸仁と仔犬を車から降ろすと、そのまま車を方向転換させて、淀川の流れがよく見渡せる丸尾千代麿の新居へと向かった。きのうの夜、千代麿からの電話で、城崎の浦辺ヨネが手遅れの乳癌《にゅうがん》にかかっていることをしらされたのだ。

そのことを手紙で千代麿にしらせてきたのは麻衣子で、ヨネをもう一度、京都か大阪の大きな病院で診察を受けさせたいが、どうしたらいいと思うかと書かれてあったという。

熊吾は新しい二階屋が建ち並ぶ道に車を停め、千代麿の家の呼び鈴を押した。二十メートルほど北へ歩けば淀川の堤があり、そこではいつも数人の釣り人が釣り竿《ざお》を握っていた。

十二指腸の腫瘍《しゅよう》を摘出したころと比べると体重も三貫目ほど増えたという千代麿は、熊吾に麻衣子からの手紙を見せ、

「わての手術をしてくれたお医者さんに頼んでみます。城崎の病院がどんな病院かは知らんけど、誤診ということもおますよってに」

と言い、塗り絵遊びをしていた美恵に、下に行ってお母ちゃんの手伝いをするようにと促した。

病名も病状もヨネには内緒にしてある、乳房のリンパ腺《せん》に黴菌《ばいきん》が入って腫《は》れているということにしてあるので、口裏を合わせてくれ……。

麻衣子はそう書いて、手紙を結んでいた。

「あの城崎の家には、九十二歳の老婆《ろうば》と五歳の正澄がおる。そのふたりを残して、麻衣

子がヨネをつれて大阪に出て来ることはできんじゃろう。わしかお前が、自動車でヨネを迎えに行くしかないな」

熊吾の言葉に、千代麿は自分が迎えに行くと答え、

「ヨネさんがもし死んだら、あの店はどないなりますねん？　麻衣子ちゃんが店を切り盛りして、血のつながりのない九十二歳のお婆《ばあ》ちゃんと、五歳の男の子の面倒をみていきますのんか？　麻衣子ちゃんはまだ二十三でっせ。あれっ？　もう二十四になったんかなァ……」

「そんなことは、ヨネにもしものことがあってから考えりゃあええ」

そう言いながらも、熊吾はそのもしものことが起こったときのことを頭のなかでめまぐるしく考えた。

「正澄もお前ら夫婦の子にするんじゃ。城崎の店も家も、どうするかは麻衣子が決めるじゃろう。問題は、九十二歳の婆さんじゃ」

「大将、お言葉を返すようでっけど、二十三や四の麻衣子ちゃんを、城崎に縛りつけとくのは酷でっせ。それに、正澄をどうするかも、麻衣子ちゃんの考えを訊《き》いてからにしまへんとなァ」

「お前、美恵は我が子じゃが、正澄のことは自分とは関係がないとでも言うつもりか。ヨネは、美恵を自分の子として育ててくれたんじゃぞ。あの婆ちゃんも、自分の母親に

接するように生活をともにしてくれたんじゃ。なんでヨネが城崎で暮らすようになったと思うちょるんじゃ。お前がだらしないことをして、女房以外の女を孕《はら》ませたからじゃろうが」

「大将、そんな大きな声で……」

「大きな声は生まれつきじゃ。お前は恩知らずか！」

「お言葉を返すようですが……」

「返すな」

「……そやけど、……そやけど」

「そやけど、……なんじゃ？」

「麻衣子ちゃんは、そこいらの二十三や四の女とは違いまっせ。腹の坐《すわ》り方が違う。大将もご存知ですやろけど、城崎で暮らしてるあの四人の結ばれ方は、世間の人間が理解でけへんくらい深いもんになってますのや。わてはきのう、麻衣子ちゃんからの手紙を読みながら、ああ、麻衣子ちゃんは最悪の事態になったときどうするかを、もう決めたんやて思いましてん。決めたから、ヨネさんの病気をしらせてきたんやて……」

「どう決めたんじゃ」

「さあ、それはわかりまへん。そやけども、正澄をどうするか、お婆ちゃんをどうするかは、大将が決めることやおまへん。わては、麻衣子ちゃんに頼まれたら、正澄の父親になることを引き受けまっせ。麻衣子ちゃんがそれを望むなら、です」

熊吾は二階の窓から見える淀川の流れと、河岸に並ぶ大勢の釣り人に視線を投じたまま煙草《たばこ》を吸った。

「うん、……お前の言うちょることが正しい」

熊吾の言葉に笑いながら、

「えらい素直でんなァ」

と千代麿は言った。

「わしは素直な人間なんじゃ。正しい意見には従う」

「ノブちゃんも正直で素直な子ォや。そうかァ……、あれはお父さんに似たんかァ。わてはつい最近まで、ノブちゃんは顔も体つきも気性もお母さんに似たんやとばっかり思てましたけど、どうもお母さんのほうがじつは頑固で、竹を割ったような性分で、こうと決めたら梃《てこ》でも動かん、芯《しん》の強いとこがおありでっさかいに」

「その言い方からすると、わしは軟弱で、こうと決めてもすぐに翻《ひるがえ》る芯の弱いやつ、ちゅうことになるぞ」

案外そうなのかもしれないと思いながら、熊吾は千代麿に笑みを向けた。

すると、千代麿は、お父ちゃんとお母ちゃんには黙っていてくれとノブちゃんに頼まれたのだがと前置きし、

「もうふた月ほど前かなァ、四月の最初の日曜日に、ノブちゃんがひょこっと訪ねて来ましてなァ、お昼の三時くらいやったかなァ」

と話し始めた。

小さなリュックサックを背負ってこの二階にあがると、ノブちゃんはふたつの紙の箱を出した。どちらにもハムや玉子焼きやチーズを贅沢《ぜいたく》に挟んだサンドイッチが入っていた。

友だちと阪神パークの入口で待ち合わせをしたのだが、約束の時間を一時間過ぎてもやって来なかった。

仕方がないので、尼崎の蘭月ビルの友だちにサンドイッチを食べさせてやろうと思ったが、最近、自分が蘭月ビルに行くことを母がとてもいやがるようになったし、父も、そろそろ蘭月ビルからは卒業しろと言うので、このサンドイッチを千代麿のおじちゃんと美恵ちゃんに食べてもらおうと思ったのだ。

母に頼み込んで、友だちのぶんも作ってもらったのに、友だちは来なかったとは言えない。その友だちのぶんもと言って、父がたくさんお小遣いをくれたし、母も腕によりをかけて、こんなにいろんな物を挟んだサンドイッチを作ってくれたのに、友だちは来なかったとは言えない。

ノブちゃんはそう言って自分のぶんのサンドイッチを食べ、ぼんやりと淀川を眺めながら、「ぼくは土佐堀川のほうが好きや。ポンポン船が好きや」と妙に寂しそうにつぶやいた。

自分はその友だちのぶんのサンドイッチを食べながら、「友だちて、女の子かな？　さてはノブちゃん、ふられたな」と冗談を言うと、ノブちゃんは、怒ったように顔を伏せて階段を駆け降り、この家から出て行ってしまった。図星だったのかと自分はひどく後悔し、慌《あわ》ててあとを追い、つまらない冗談を言って悪かったと謝り、自動車で家の近くまで送ろうとしたが、ノブちゃんは、あまり早く帰ると友だちが来なかったのだと気づかれてしまうという。それで自分はノブちゃんと夕方まで淀川べりでハゼ釣りをしてから、浄正橋まで送って行った次第だ……。

熊吾は、千代麿の話を聞き終えると、

「失恋ちゅうのは、切ないもんなんじゃ。そうかァ、あいつはあの日、ここに来よったのか……。淀川を見ながらサンドイッチを食べ、『土佐堀川のほうが好きや。ポンポン船が好きや』かァ……。未熟児で生まれたあのひ弱い赤ん坊が、大きゅうなったもんじゃ。心なき身にもあはれは知られけり鴫立沢《しぎたつ》の秋の夕ぐれ、っちゅう西行の歌が多少はわかるおとなになるかもしれん。あいつはあの日、帰って来て、友だちはこんなにおいしいサンドイッチは食べたことがないと言うちょったと嘘《うそ》をつきよった。房江は、ああ、芳梅ちゃんは来《こ》んかったんやとわかったそうじゃ。西行には、心を知るは心なりけり、っちゅう歌もあるぞ」

と言って立ちあがった。

「芳梅ちゃん？　呉さんの娘さんでっか？」

千代麿の問いには答えず、熊吾は何枚かの百円札を出し、これで美恵におもちゃでも買ってやってくれと言った。

「熊吾おじちゃんからやとちゃんと教えとくんじゃぞ。いまから貸しを作っといたら、将来、伸仁が困っちょるときに助けてくれよるじゃろ。そのために恩を着せちょくぞ」

「いまはまだ美恵に芳梅ちゃんの代わりはつとまりまへんよってに……」

千代麿は笑いながら、熊吾を車を停めてあるところまで送ってくれた。

ヨネが死んだら、正澄は天涯孤独の身になる。そう考えた瞬間、熊吾の心には、「上《う》大道《わどう》の伊佐男」の首から上を吹き飛ばした猟銃の音が甦《よみがえ》った。

熊吾は、伸仁が小学六年生に進級しても担任の教師は替わらなかったことで、房江がひどく落胆していたのを思い出しながら、車を運転して十三《じゅうそう》大橋から梅田へとつながる道に出た。

伸仁は、蘭月ビルという魔窟《まくつ》でしたたかに生きたのだ。たかがサラリーマン教師一匹に嫌われたくらいでへこたれたりするものか。

熊吾はそう思い、

「なにがどうなろうと、たいしたことはありゃあせん」

と声に出して言った。

傷ついた心を癒《いや》させるために、麻衣子をヨネたちとしばらく一緒に暮らさせたが、それは結果的に城崎という日本海沿いの温泉町に閉じ込めてしまうことになった。なにかと危なっかしいものを持っている麻衣子を、都会の塵芥《ちりあくた》から遠ざけたいという思いもあったからだが、その自分の判断が正しかったのかどうかわからない。

俺は親代わりとして、周栄文の娘を幸福な人生への軌道に乗せたいと願ったからだが、どこに閉じ込めようとも、その人間が本来持っているものが消えてしまうわけではあるまい。麻衣子にしてみれば、松坂熊吾という男は、お節介な親代わりかもしれない……。

「口は出すが金は出さんといういちばん迷惑なお節介者じゃ。しかしのォ、出さんかったんじゃのうて、なかったんじゃ。あったら出すんじゃ」

熊吾は、シンエー・モータープールに戻ると、自分の自動車を事務所の前に停め、歩いて二、三分のところにある雀荘《ジャンそう》に行った。房江は夕餉《ゆうげ》の買い物に行ったらしく、事務所には留守番をしている伸仁と仔犬がいた。

浦辺ヨネは、検査のために六月一日から五日間、大阪の大学病院に入院した。診察の結果は、城崎の医師のそれと同じだったが、すでに癌は胸骨にも移っているとわかった。

進行が早く、――もう手のつけようがなく、よく保《も》って一年であろう……。医師はそう言ったという。

病名は誰も明かさなかったが、ヨネはこのまま大阪の病院で治療をつづけることを拒み、城崎に帰ると言ってきかなかった。

その意志は固く、仕方なく千代麿はヨネを自分の自動車に乗せて城崎に送り、帰阪するとすぐに熊吾に逢《あ》いたいと電話をかけてきた。

「手術をしても無駄やし、かえって本人を苦しめるだけやってお医者さんが言うてました」

桜橋にある鶏《とり》料理屋の二階の座敷で、熊吾にビールをつぎながら千代麿は言った。

「ヨネさんは、ほんまのことを教えてくれってしつこうに訊くんですけど、やっぱりほんまのことは言えまへん。麻衣子ちゃんには、お医者さんの言葉をそのまま伝えました。悪いことは重なるもんで、ヨネさんが大阪の病院に入院してるときに、お婆ちゃんが台所で転びましてなァ、ここの骨がまっぷたつに折れてしまいましたんや。なんせ歳《とし》が歳やから、折れた骨がちゃんとくっつくことはないやろ、って……」

千代麿は自分の大腿部《だいたいぶ》を掌で叩《たた》きながら言った。

「九十を越えた年寄りが脚の骨を折ったら、もうそれっきり寝たきりになって、だんだん弱っていくそうです。わてと入れ代わりに、家内が美恵をつれて城崎に行きました。

に」

麻衣子ちゃんひとりでは、お婆ちゃんとヨネさんと正澄の面倒は見きれまへんよって

「麻衣子の考えを訊いたか？」

熊吾の問いに頷《うなず》き返し、

「自分は城崎からは離れへん、そう言いました。自分は雪国で育った。この城崎も雪国や。自分には雪国が合《お》うてる。それに、ヨネさんがここまで築いた食堂を閉めとうはない。自分が店を継いで頑張ってみる、って……」

と千代麿は言った。

「正澄はどうするんじゃ」

「自分がヨネさんの遺児として育てるそうです」

それきり熊吾も千代麿も無言でビールを飲みつづけた。熊吾が煮立っている鶏すきを勧めても、千代麿は箸《はし》をつけようとはしなかった。

「麻衣子は、好きな男はおらんのか」

「男はもうこりごりやそうです。……まだ二十三やっちゅうのに……」

「まあそういう思いは、ええ男があらわれたら、ぱっと消えるんじゃ」

熊吾は笑みを浮かべ、煮えている鶏肉やネギや豆腐を千代麿の器に盛ってやった。

「大将は、運命っちゅう言葉は嫌いやと、昔、わてに言いはったことがおますやろ？

そやけど、城崎から帰る自動車のなかで、わては運命ということを考えました。周栄文という中国人の忘れ形見である麻衣子ちゃんが、どこでどういう道筋を辿《たど》って浦辺ヨネという人と出会い、城崎という縁も縁《ゆかり》もない温泉町で、わての愛人のおばあちゃんまでもと一緒に仲のええ家庭を築き、ヨネさんの子供をこれから育てていこうとしてる……。いったい誰がどこで、こういう道筋を作ったんですやろ。ヨネさんは、大将の郷里の南宇和で小さな居酒屋をやりながら、正澄っちゅう子を身ごもった。麻衣子ちゃんは金沢で結婚し、亭主と京都で生活を始めた。わての子を産んだ女は、大阪の福島区の、浄正橋の天神さんの近くで屋台のおでん屋をやってた。女は死に、そのおばあちゃんと子が残った。この人間たちが、どこでどないなって、日本海沿いの城崎っちゅう温泉町で深い絆《きずな》で結ばれましたんや？　運命っちゅう言葉以外で、これをどんな言葉で説明しますねん？」

「お前は最近、いやに物事を深く考えるようになったのお。昔は、脳味噌《のうみそ》なんか、あるのかないのかわからん男じゃったのに」

「大病をしたお陰です」

やっと笑みを浮かべ、千代麿はそう言って座敷の襖《ふすま》をあけると、大声で熱燗《あつかん》を二本註文《ちゅうもん》した。そして坐り直すと、正澄の父親は、どんな名で、どんな男だったのかと訊いた。

「御荘《みしょう》っちゅう町の役場に勤めちょった。気の優しい真面目《まじめ》な男じゃ。ヨネと所帯を持つことが決まっちょったが、事故で死んだんじゃ。死んだとき、ヨネもその男の子供を身ごもっちょることにはまだ気づかんかった」

「事故て、どんな事故ですねん？」

「わしの作ったダンスホールの二階の窓から落ちた。台風が近づいちょって、二階の雨戸を閉めようとして強風に飛ばされたんじゃ」

千代麿は、運ばれてきた熱燗を手酌で飲んでから、ヨネさんは美恵を自分の子として育ててくれたと言った。こんどは自分が正澄の父親となるべきだ、と。

「大将、ほんまのことを教えておくれやす。わては、ヨネさんを城崎に送って行くとき、正澄の父親はどんな人やったんかと訊いたんです。そのときのヨネさんの説明と、いまの大将の説明とは、えらい違いがおまんねん」

熊吾も手酌で熱燗の酒を飲み、

「ヨネはどう説明したんじゃ」

と訊いた。

その問いに対する千代麿の言葉を聞き終えてから、

「そうかァ、あの男は漁業組合に勤めちょったのかァ……。しょっちゅう役場におったけん、わしはてっきり役場の人間やと勘違いしちょった。ヨネの説明のほうが正しいことくらい、誰にでもわかるじゃろう。正澄は、その男とヨネとのあいだにできた子なんじゃけん……。ヨネから説明されたのに、なんでまたおんなじことをわしに訊《き》くんじゃ。お前は刑事か」

と言って、熊吾は酒の入っている猪口《ちょこ》を千代麿の胸に投げつけた。

あぐらをかいている自分の股間《こかん》のところに落ちた猪口を、うなだれるようにして見つめていたが、千代麿はゆっくりとそれを拾い、熊吾の前に置いてから、

「正澄が大きなったら、お前のお父ちゃんは、愛媛県南宇和郡御荘町の漁業組合に勤めてはったんや、と言うか、役場に勤めてはったんやと言うか、どっちにしまひょ？」

と訊いた。

「御荘に漁業組合はあったかのお……。無難なところで役場にしちょけ。役場は、どの町にもあるけんのお」

「大将、忘れんとっておくれやっしゃ。御荘の役場でっせ。名前は、どうします？　ちゃんといま決めとかんと、大将は肝心なとこで間違えまっさかいなァ。あんまり凝った名前はつけんようにお願いします」

千代麿はそう言って、熊吾が投げつけた猪口に酌をした。

城崎に行って、浦辺ヨネと谷山麻衣子に逢わなければと気にかけつつも、六月に入る

とにわかに新規契約のために訪れる自動車の所有者が増えて、熊吾はシンエー・モータープールの事務所に一日中坐《すわ》っていなければならなくなった。

モータープール開業以来、熊吾がひそかに画策してきた作戦が功を奏し始めたのだが、自動車台数の急速な増大によって必然的に生じる大都市圏での違法駐車対策に警察が本腰を入れるようになったからでもあった。

熊吾は、自分の勧誘を鼻であしらうように断わりつづけた者たちの自動車が、いつもどこに駐車してあるかを地図に書き込み、あるときは阪神裏の「ラッキー」の磯辺富雄や上野栄吉、それに従業員の坂田康代に、シンエー・モータープールの近所に住む者とかたって警察署に抗議の電話をかけてもらった。

自分の店の前に、いつも山岡メリヤス店の車が停まっている。ここは駐車してはならない場所だし、まして当方の店先でもある。ここに自動車は停めてくれるなと何度申し入れても聞かない。警察は何をしているのか。駐車違反を取り締まる気はないのか。それは職務怠慢というやつではないのか。もしそちらが職務怠慢をつづけるならば、我々住民は署名を募って本庁に抗議に出向く……。

そういう電話を何度も執拗《しつよう》にかけてもらったのだ。

熊吾は、この三人だけでは効果は薄いだろうと考えて、あるときは蘭月ビルの張本のアニイや尹東晋や、寺田権次やタネにも、大阪市福島区の住人になりすまして警察に電話をかけてもらった。

松坂の大将もワルですなァと笑いながら、自分の信頼する社員にもこぞって電話をかけるよう命じてくれたのは、鉄工所を経営する甲田憲道こと中基憲だった。

「松坂の大将の悪巧みに加担するんとちゃいまっせ。ぼくは日本の警察をおちょくるのが楽しいだけや」

と甲田は言ったが、それは本音のようだった。そして、警官というものは、上からの命令とあらば速やかに動くが、少々の住民の懇請では腰をあげないのだと言い、

「所轄《しょかつ》の警察のえらいさんを手なずけといたら、あとあとなにかと役に立ちます」

と耳打ちしたのだ。

それで熊吾は、杉野信哉のかつての後輩である曾根崎警察署の警部に、福島署の「えらいさん」を紹介してもらい、どこで飲み食いしようとも勘定はシンエー・モータープールに廻してくれればいいと餌《えさ》を撒《ま》いた。そうは簡単に餌に食いついてはこまいと思っていたが、その十日後に、福島西通りから北へ行った聖天通りという名の商店街にある寿司屋から請求書が届いた。

警官には大酒飲みが多いので、いったいどのくらい飲み食いをしたのかと請求金額を見ると、案じたほどの額ではなかった。

警察も、相撲取りと同じ「ごっつぁんです」の世界なのだと杉野が言った言葉を思い

出し、熊吾はその「えらいさん」に電話で、これからもどうかご遠慮なくと含みを示しておいたのだ。

目星をつけておいた自動車の所有者十三人のうち十人がシンエー・モータープールと月極《つきぎめ》契約の交渉に訪れ、六月の十日には、近々国道二号線沿いに開業する小型トラックの販売代理店が常時に二十台駐車できる場所を契約した。開業にあたって、所轄の警察の交通課から、断じて路上駐車は認めないというお達しがあったという。

その販売代理店の担当者から契約書を受け取ると、熊吾は自分の車を運転して甲田憲道の工場へと向かった。

甲田は出かけていたので、事務員に、自分は蘭月ビルのお好み焼き屋にいる、もし気が向いたらお立ち寄りいただきたいとことづてし、タネの住まいに行った。梅雨入りはまだのようだったが、ひどく蒸し暑く、朝から雨が降ったりやんだりしていた。

タネの店の入口には、これまで「お好み焼き」と染められた暖簾《のれん》があったのだが、そこには新たに「ホルモン焼き」という文字がつけくわえてあった。

ホンギはもう阿倍野区文の里のカメイ機工に向かっただろうかと思いながら、熊吾は腕時計を見た。六時を廻ったばかりだったが、ホンギの住まいの戸には鍵《かぎ》がかかっていた。

勤務時間は夜の八時からだったが、ホンギは必ず七時半にやって来て、総務部に置いてある出勤簿に自分の名を書き、それから倉庫の鍵を受け取るのだと、熊吾は亀井周一郎から聞かされていた。ホンギは、供引基という自分の字だけは漢字で書けるのだ。

だが、自分の名を書いていた際、若い女事務員に筆順がまちがっていると指摘された。その事務員は、供引基に睨《にら》み返され、脚が震えた。余計なことを言って怒らせたと後悔したが、ホンギは正しい筆順を教えてくれと静かな口調で頼んだ。

女事務員は、引という字を書いてみせようとして、はたして自分の筆順が正しいのかどうかわからなくなり、上司に教えを乞うた。弓の部首は、どう書くのが正しい筆順なのか、あらためて問われると、五十代の総務部長も自信がなくなり、格好がつかなくなって、

「読めたらええがな」

と誤魔化した。すると、ホンギは、筆順を間違うと字の形は崩れてしまうはずだから、正しい筆順を教えていただきたいと言った。

たったそれだけのホンギの日本語を解するのに、総務部長も事務員も、何度も何度も同じ言葉を繰り返してもらわなければならなかった。

辞書をひっぱり出してきて、やっと正しい筆順がわかると、ホンギはそれを書いた紙をポケットにしまい、さらに怖い目つきで丁寧に礼を言って倉庫へと向かった。

「張り倒されるのかと思たな」

総務部長は事務員に真顔でそう言ったという。

その話もまた亀井周一郎から聞いたのだが、熊吾はホンギがカメイ機工で働く人々に少しずつ受け入れられているのを感じると同時に、いい職場に巡り合えたことが嬉《うれ》しかった。

もう耳元で蚊の羽音が聞える年中湿っぽい通路の奥から月村敏夫が歩いて来た。熊吾は、伸仁に替わって「こうちゃん役」を務めることになった敏夫に、あのおばあちゃんはお前の呼ぶ声でちゃんと蘭月ビルの迷路を歩き廻っているかと訊いた。

敏夫はどことなく浮かぬ顔で頷き返し、さっきまで「こうちゃん」になって、二階の廊下を走り、あちこちの階段を昇ったり降りたりしていたのだと答えてから、

「そやけど、ぼく、ときどき悪いことをしてるような気がするねん」

そうおとなびた口調で言った。

「おばあちゃんを騙《だま》しつづけることがか？」

「一時間もこのアパートのなかを歩かせてたら、沼田のおばあちゃん、死んでまうんとちゃうやろかって心配になってくるねん」

「一時間はちょっと多いぞ。四十分くらいにしといたほうがええ。心臓マヒでも起こされたら事じゃけんのお」

敏夫は、自分もそう思うのだが、沼田のおじちゃんもおばちゃんも、一時間つづけな

いとお金を払ってくれないのだと言った。

「そんなら、何か理由をつけて五日ほど『こうちゃん役』をやめてやれ。沼田の一家は音をあげて、四十分でもええからやってくれと頼みに来よるじゃろう。そしたら値上げ交渉をするんじゃ。一時間つづけてやるから、日当を十円から二十円に上げてくれっちゅうてな。これはわしの勘じゃが、沼田の一家はお前の値上げ交渉に必ず応じよる。『こうちゃん』になりすまして、沼田のおばあちゃんの心臓に負担がかからんように上手に一時間歩かせたら、お前はもう夜に夕刊を売り歩かんでもええようになるぞ。このくらいの掛け引きがでけんようでは、世の中、したたかに渡っていけんぞ」

敏夫は熊吾の言葉で、何かを算段するように通路を見つめていたが、おじちゃんの言うとおりにやってみると言って笑みを浮かべた。

熊吾がタネの家に戻りかけると、月村敏夫は、ノブちゃんはいまタネおばちゃんのところにいるのかと訊いた。

「いや、おらん。福島西通りの家に帰ったんじゃろう。このごろはこの蘭月ビルには寄らんと帰って来よるようじゃ」

すると、敏夫は、きょう学校でノブちゃんは人民裁判にかけられたのだと言った。

「人民裁判？　なんじゃ、それは。伸仁はどんな悪いことをしたんじゃ？」

言い澱《よど》んでいる敏夫をタネの店につれて行き、熊吾はタネにお好み焼を二枚焼いてくれと頼んだ。

「一枚は光子に持って帰ってやれ」

敏夫の説明は要領を得なくてまどろこしかったが、担任の教師は何かの授業をなしにして、松坂伸仁というひとりの生徒を裁く人民裁判なるものを他の生徒たちにやらせたらしかった。

……何日か前から、クラスで成績のいい三人組の様子が変だった。常にノートと鉛筆を持って、ノブちゃんと自分とあっちゃんの行動を見張り、それをノートに書き記した。お前ら、何をしているのかと問うと、三人組は意地悪く笑い、峰山先生の許可は取ってあるという。

いったいどういうことなのかわからないまま日がすぎて、きょうの最後の授業が始まるなり、三人組のなかのリーダー格が突然手をあげて、松坂くんと月村くんと土井くんについて、クラスの全員と相談する時間を貰《もら》いたいと提案した。

自分たちは、この三人組と峰山先生とのあいだで決めてあったことだとわかった。

峰山先生は笑みを浮かべて許可を与え、「つまり人民裁判というわけやな」と言った。

三人組はそれぞれノートをひらき、五月二十日には、松坂くんは始業のベルが鳴っても教室に入らず、廊下でベッタンをやりつづけ、さっさと自分の机のところに行くようにと促す級長に「お前はブン公か！」と言い返した。ブン公とは峰山先生のことだ。

五月二十一日の給食のとき、松坂くんは当番だったので、おかずのカレースープを月村くんの器に入れたが、月村くんはそれをあっというまに食べてしまった。すると松坂くんはもう一杯カレースープを月村くんの器に入れた。それはずるい、そんなことをしたら、クラス全員に平等に行き渡らないと誰かが抗議すると、その子の頭を教科書で叩《たた》いた。

次に、その叩かれた子が立って、教科書の角が当たってひどく痛かったと訴えた。

そうやって次から次へと、ノブちゃんや自分やあっちゃんの行動を報告し、そのときどきの被害者が、それは真実であると証言した。

そのうち、自分たちをかばう何人かの女の子たちが、松坂くんたちはこんないいこともした、とか、そんなことはどこのクラスでも起こっていて、とりたてて騒ぐほどではない、松坂くんたちはときどき乱暴ないたずらをするが、それを本気で怒っている者などいないと思うと言ってくれたが、三人組の報告は延々とつづき、そのうち同調する者たちがあらわれて、かばってくれる子たちの言葉を封じ込めてしまった。

ノブちゃんは、その人民裁判の途中から声を殺して泣き始めた。裁判は、授業の終了を告げるベルとともに終わり、峰山先生は「少しは反省したか？」とにやにや笑いながら自分たちに訊いた。自分もあっちゃんも返事をしなかった。ノブちゃんは泣きつづけるばかりで、峰山先生の顔を見なかったし、返事もしなかった……。

月村敏夫の話をまとめると、おおむねそのようなものであるらしかった。

熊吾は、怒りを抑えながら、

「で、伸仁やお前らのやったことで、いちばん悪いことは何なんじゃ？」

と訊いた。敏夫は首をかしげて考え込み、

「自習の時間に教室から抜け出して、廊下でボクシングをして遊んでたことと、水飲み場で並んで順番を待たんと横入りしたことと、廊下で女の子に脚を掛けて転ばしたことと、三人組が書いて、女の子に渡した手紙を取り上げて読んだことと……」

と言った。

「お前ら、いたずらをするなら、もっとでかいことをせえ。男じゃろう。わしはそのほうが腹が立つ」

熊吾はあきれながら言い、タネの家から出ると阪神国道を渡って公衆電話のところに行った。シンエー・モータープールの事務所に電話をかけると、伸仁が出てきた。

「もしもし、シンエー・モータープールです。まいどありがとうございます」

熊吾は安堵《あんど》しながら、いまタネの家に来ている、甲田に仕事のことで世話になったので、今夜は彼に何かご馳走《ちそう》するつもりだ、帰りは遅くなるかもしれないと言った。

「母さんにそう伝えといてくれ」

「月極契約をしたいって人がさっき来はったで」

その伸仁の口調にはいつもと何の変わりもなかった。伸仁は、いまお母ちゃんが買い物から帰って来たと言って、房江と代わった。ムクと名づけた仔犬《こいぬ》が、房江の帰宅を歓んで甘えるように吼《ほ》える声が聞こえた。

「伸仁は何時ごろに帰って来たんじゃ」

熊吾の問いに、房江は、三時過ぎだったと思うと答えた。ムクの吼える声が遠ざかったので、熊吾は伸仁が事務所から出て、モータープールの敷地内でゴムボールを使ってムクを遊ばせているのだと思い、

「伸仁は、いつもと変わりはないか?」

と訊いた。

「うん、べつに変わりはないけど……。何かあったの?」

「いや、タネの家でちょっと横になったら、そのまま居眠りをしてしもうて……、いやな夢を見たんじゃ。伸仁が大怪我《おおけが》をする夢じゃ。それでいやに気になっただけじゃ」

「タネちゃんの家で居眠り……。珍しいことを。ずっと忙しかったから疲れはったんやね。ノブはいまムクと一緒にボールを追いかけて走り廻ってるわ」

電話を切り、くそォ、あの日教組の賃金労働者めが、と熊吾は思った。我々教師たちは聖職者ではない、賃金労働者であると宣言し、ストライキをするやつらめが。人民裁判じゃと? 自分の気に入っている生徒と結託し、人民裁判と称して気に入らない生徒

を寄ってたかって吊《つ》るしあげやがって。この仇《かたき》は必ず討つぞ。

熊吾は胸のなかでそう言いながら交差点を渡りかけて、中古のキャデラックが蘭月ビルの前に停まるのを見た。助手席から降りて来たのは、中学の制服を着た津久田咲子だった。

このとび抜けて美しい女の子も、来年は中学を卒業するが、高校には進学するのだろうか。あの父親なら、女は中学だけで充分だと言って、咲子に働くことを強要するであろうと熊吾は思いながら、キャデラックの前を通って、運転している若い男の人相を窺《うかが》った。もみあげを長く伸ばし、花柄のアロハシャツを着た、目つきは鋭いが貧相な青年だった。

「なんや、ここでバイバイか？　俺は三日でも四日でも、ここで待つで」

青年は言って煙草《たばこ》をくわえた。咲子はその言葉に何の反応も示さず、尾橋モータースの横の階段をのぼって行った。

タネの家に戻ると、熊吾はお好み焼きを食べている月村敏夫に、

「きょう学校で起こったことをおじちゃんに喋《しゃべ》ったとは伸仁には絶対に言うなよ」

と命じた。その熊吾の表情が恐ろしかったのか、敏夫は緊張した顔つきで、絶対に言わないと約束した。

「もし喋ったら、ただじゃおかんぞ」

「……うん」

それから三十分ほどしてやって来た甲田憲道に、熊吾は、助言どおりにしたら結果はすぐに出たことを話し、礼を述べた。

「今夜はわしにご馳走させてくれんか」

熊吾はそう言い、用意しておいた封筒を甲田に手渡した。

「住民になりすまして警察に電話をかけてくれた甲田さんとこの社員らに、これで何かうまいもんでも食うてもろてくれ」

「あいつら、礼をしてもらいとうて、松坂さんに手を貸したんとちゃいますよ」

甲田は笑顔で言ったが、熊吾は封筒を甲田の上着のポケットに捩《ね》じ込んだ。

「せっかくのお誘いですけど、きょうはこれから明石まで行かなあきませんのや。お世話になった方の奥さんが亡《な》くなりはって、今夜はお通夜《つや》ですねん」

「そうか、それはしょうがないのお。そしたら、甲田さんの都合のええ日に電話をくれ」

それならば、きょうは自分が留守のときに月極契約の申し込みに来たという人のところに行って話を決めてしまおうと思い、熊吾はタネにお好み焼きの代金を払った。

「もうちょっとここにいてはったほうがよろしおまっせ」

と甲田は言った。

「松坂さんが自動車を停めてはる近くで、もめごとが起こってますねん」

熊吾は自分の自動車を、いつも停める工務店の所有地の横ではなく、尾橋モータースと映画館のあいだの、通行人の邪魔にならない狭い空地に停めていた。

「キャデラックの若造か？」

その熊吾の言葉に、

「なんでわかりますねん？」

と甲田は驚き顔で訊《き》いた。

「誰にでも嚙《か》みつきそうなチンピラが、分不相応な外車のなかで、まだ中学生の女の子を待っちょった。目のなかにもうひとつ目があって、そのどっちもがどこを見ちょるのかわからんような……。あれは、なにかっちゅうとすぐに向こう岸に渡ってしまう目じゃ」

甲田は笑みを浮かべ、咲子の父親が頭に血をのぼらせたらどうなるか、もし興味があるなら遠くから見物してはいかがかと言った。

「わしの自動車のガラスなんか割らんじゃろうのお。あれは中古車じゃが、まだ一万キロとちょっとしか走っとらんのじゃ」

「さあ、どうですやろ……。なにかっちゅうとすぐに向こう岸に渡ってしまう者同士《もん》ですから……」

熊吾は本気で自動車のことが心配になり、椅子《いす》から立ちあがったが、甲田は熊吾のズボンの腰のあたりをつかみ、

「君子、危うきに近寄らず、ですよ」

と真顔で言った。

大きな叫び声と怒声が蘭月ビルの一階のトンネル状の道から聞こえ、誰かの部屋の戸がつぶれるような音がつづいた。

「身長、六尺五寸、体重、三十二貫。デブの三十二貫とは違うんです。咲子の親父は力道山よりもはるかにでかい。あいつが逆上して暴れだしたら、誰も止められへん。あのアロハのチンピラ、運の悪いやつや。鉄砲でも持ってないかぎり、殺されまっせ」

こんどは二階から物が壊れる音がした。咲子の父親のものとしか思えない、蘭月ビルが揺れるほどの震動が、咲子の部屋の前から廻り廊下に沿って近づいて来て、ときおりドアを蹴《け》ったり殴ったりする音がつづいた。

足音がタネの住まいの頭上まで近づくと、敏夫が血の気を失った顔でタネの家から走り出ようとした。

「まだ行くな」

と甲田が制した。

「光子が部屋にいてるねん」

「子供には手ェだせへん。……たぶんなァ」

それでも二階へ行こうとする敏夫を力ずくで元の場所に引き戻しながら、

「あれ？」

と甲田はつぶやいて外に目をやった。

「ごっつい数の警官やなァ」

その言葉で、熊吾は甲田と並んで戸口から工務店の資材置き場周辺を見やった。いつのまに来たのか、パトカーが五台停まり、制服を着た警官が十数人、蘭月ビルのほうを見つめていた。パトカーの周りにいる男たちは私服の刑事のようで、その数も十人近かった。

二階の足音は再び廊下を廻って咲子の部屋のほうへと移った。

津久田とあのチンピラふたりによるケンカにしては、あまりにも警官の数が多すぎると言い、とにかくこの蘭月ビルから遠ざかったほうが無難だろうと甲田は熊吾とタネを促した。

タネの家の東側にある階段を駆けあがった月村敏夫は、妹がいないと半泣きになりながら戻って来た。そのとき、朴家の横の階段のところから、

「松坂のチビはどこにおんのや」

という津久田の大声が聞こえた。

「松坂のチビ？　それはわしの息子じゃろうが。なんであいつが伸仁を捜しちょるんじゃ」

そう言って津久田のいるほうへと行きかけた熊吾を制し、とにかくあのパトカーの近くまで行こうと甲田は熊吾の腕を強く引っぱった。

工務店の資材置き場の南東側に行き、そこから見ると、警官や刑事たちは蘭月ビルを取り囲むように何十人も集結していることがわかった。

いったいこれは何事だ。そしてなぜ津久田は俺の息子を捜しているのだ。

熊吾はまるで訳がわからないまま、津久田の子供たちの身を案じた。取り返しのつかないことが、あの津久田の部屋で起こってしまったのではないのか。

その熊吾のいやな予感は、包丁を持った津久田が土井のあっちゃんの衿首《えりくび》をつかんで、朴家の西隣りの階段に姿をあらわしたことでさらに強まった。

土井のあっちゃんは、首から肩にかけて血まみれになり、体からは力が抜けてぐったりとしていた。

「松坂のチビはどこに行きさらしたんや」

津久田はそう言い、あっちゃんの全身を片方の手で吊《つ》り下げるようにして階段を降りると、タネの家へと入った。蘭月ビルの通路にいた警官たちがタネの家の前に集結し、西側からも東側からも警官が走ってきて陣列を整えた。救急車のサイレンが、あちこちから蘭月ビルへと向かって来ていた。

五分もたたないうちに、津久田は手ぶらで出て来た。大捕物は呆気《あつけ》なく終わった。

首のつけ根のところを包丁で深く切られた土井のあっちゃんが救急車で運ばれ、尾橋モータースの横で意識を失っていたキャデラックの青年も病院に搬送されていくのを見届けてから、甲田は知人の通夜に参列するために自分の家へと戻って行った。

土井のあっちゃんの傷が、決して浅くはないが死に至るものでもないとわかったのは夜の八時で、警察官たちがすべて蘭月ビルから引きあげたのは夜の十時過ぎだった。

蘭月ビルの一階と二階の各部屋のドアはほとんど壊されていた。

熊吾は、津久田香根と月村光子を自分の部屋にかくまって一緒に押し入れに隠れて息を潜めていた怪人二十面相の口から、事のあらましを知った。

津久田清一は、神戸の元町のガード下にある喫茶店で、蘭月ビルの一階に住む並河照美という生命保険の外交員を刺し、脊髄《せきずい》に深い傷を負わせたあと、タクシーで蘭月ビルまで戻って来た。津久田はおとといから血まなこになって自分の妻を捜していた。

妻が映画館で住み込みで働いているというのは嘘《うそ》で、じつは神戸の元町に最近出来たという売春組織に属して、その組織のいう「高級娼婦《しようふ》グループ」の一員として客を取っていたことを知ったのだ。そのグループの名は「スカーレット」という。

津久田の妻に「スカーレット」のメンバーになることを勧め、組織との仲介をしたのは並河照美だった。

どこでどうやって調べたのか、津久田は「スカーレット」の根城である元町の喫茶店を見張り、そこに入って行く並河照美を目にしたことで逆上し、抑えがきかなくなった。同じガード下の荒物屋で包丁を買い、喫茶店に乗り込むと、逃げまどう並河照美をうしろから刺し、タクシーで蘭月ビルに戻った。妻だけでなく、娘の咲子までが「スカーレット」のメンバーになってしまったに違いないと思ったのだ。

運の悪いことに、津久田清一がタクシーを降りかけると、その前に停まっていたキャデラックから咲子が降りて来た。

津久田は、運転席のアロハの男をひきずり出し、その体を両手で高々と持ち上げて道に叩《たた》きつけ、ほとんど気を失ってしまっている男の頭をハンマーで砕きつぶした。ハンマーは、尾橋モータースの主人が持っていたものを奪い取ったのだ。救急車が到着したときには、男は死んでいたそうだ。

それから津久田は、共同便所の横の階段をのぼって自分の部屋に行き、咲子に真実を話せと迫った。

自分が勤め先の郵便局から帰って来たのはちょうどそのころだった。

神戸の警察は津久田清一を追って動き出していたし、彼の住まいがある尼崎署にも連絡していた。津久田は昭和二十年の暮にも、ふたりの血縁のある者たちを刃物で刺した前科があり、そのとき警官三人に大怪我を負わせていた。狙《ねら》いを定めたふたりに重傷を負わせたのは出刃包丁だが、そのあと警官と大立ち廻りをしたときは包丁は持っていなかった。素手で三人の警官の顎《あご》の骨や肋骨《ろっこつ》を折ったのだ。彼は昭和二十七年に仮出所してきた身だった。

並大抵の怪力ではない。警察はそれがわかっていたので、あれだけの警官を動員したのだ。

津久田は、咲子の勉強机の引き出しにあった男たちからの何通かの手紙をみつけたが、どれも郵便局によって届けられたものではないことはすぐにわかった。どれも切手は貼《は》られていないし、宛先《あてさき》も書かれていなかったからだ。

どうやってこの手紙がここに届いたのかと津久田は咲子に詰問《きつもん》した。咲子は、妹の香根の身を案じて、なんとか香根を父の近くから遠ざけようと、それればかり考えていたので、この手紙を送ってくる者たちは、いつもノブちゃんに託すのだと言ってしまった。いやだと断わったら、ノブちゃんはその者たちに殴られるのだ、と。

しかし、逆上どころか、錯乱してしまっている津久田清一は、ノブちゃんまでもが並河照美とぐるだと思い込み、ノブちゃんを捜して、いつも一緒に遊んでいる土井のあっちゃんの部屋に行った。

その隙《すき》に、咲子は香根をつれて来て、この子をかくまってくれと頼んだ。香根は怖がって光子の名を呼びながら泣いた。それで自分は仕方なく光子も部屋からつれて来て、三人で一緒に押し入れに隠れたのだ……。

「なんで咲子も逃げようとせんかったんじゃ」

恩田の説明がひとまず終わると、熊吾はそう訊いた。

「さあ……、自分の身はぜんぜん心配してないっちゅう感じで、なんやしらん悠々としてました。まだあの段階では、父親が神戸で何をしてきたか知らんかったんでしょう。いちばん上のお兄ちゃんも、まだ学校から帰ってませんでしたし」

恩田は、自分の幼馴染《おさななじみ》が尼崎署の刑事で、そいつから事件の概略を教えてもらったという。

「ノブちゃん、おらんでよかったなァ。私、こないだノブちゃんがここに寄ったとき、金曜日に学校が退《ひ》けたら寄ってくれって頼んだんや。二階の金さんから、春に作った洋服の替えボタンを渡してくれって預かったもんやさかいに。きょうがその金曜日やのに、ノブちゃん、きっと忘れてしもたんやと思ててん」

タネはのんびりした口調で言い、封筒に入れてある替えボタンを熊吾に渡した。

「兄さん、房江さんに渡しといて」

「なんでいまごろ出すんじゃ。お前こそ、忘れちょったんじゃろう」

熊吾は言って、替えボタンをワイシャツの胸ポケットに入れながら、伸仁がタネと約束していたにもかかわらず、この蘭月ビルに寄らずに、学校が退けるとすぐに阪神バスに乗って福島西通りに帰ってしまったのは、突然学校で人民裁判なるものにかけられ、たくさんの級友たちの前で泣きつづけたからであろうと思った。

「お昼から何にも食べてへんのんとちゃう？　ホルモンでも焼こか？　熊兄さんは、お好み焼きが嫌いやから」

とタネが訊《き》いた。

「いや、なんにも食う気がせん。土井のあっちゃんが死なんで、ほんまによかったのお」

熊吾は、恩田にビールとホルモン焼きをご馳走《ちそう》してやってくれとタネに耳打ちし、出て行きかけて、

「張本のアニイとか金村盛男とかはどうしちょるんじゃ」

と恩田に訊いた。

金村は最近この近くにできた「つれこみホテル」で働くようになり、週に三日は夜の九時から朝の九時までが勤務時間で、たぶんきょうはその夜勤の日なのであろう。

張本のアニイはどこで何をしているのかさっぱりわからない。滅多にないような儲《もう》け話が舞い込んだらしいのだが、どうせ高利の金を借りなければならなくなった人間の生き血を吸うような、あこぎな儲け話なのであろう。

恩田はそう答えた。

尾橋モータースの隣に停めておいた自動車で国道二号線を大阪のほうに戻って行き、熊吾は淀川大橋の真ん中でそれを停めると、石の欄干に肘《ひじ》をついて煙草《たばこ》に火をつけた。

小学六年生になっても、自分は母親のお腹《なか》のなかに三年間いたのだと信じているという土井のあっちゃんが、仲仁の身替わりになってくれたのかと思った。

夜釣りをする人たちが欄干に並び、ときどきだがせわしげに大きな懐中電灯を川面に向けた。

近くにいた人の釣り針に大きな鯉がかかったが、竿《さお》も糸もハゼ釣り用だったので、すぐに逃げられてしまった。

懐中電灯の光で一瞬照らし出された鯉の大きくひらかれた丸い口のなかが、津久田咲子の肌の色に見えて、

「あんたのハゼ釣りの針に食いついたのは、いまの鯉にとって運命ですかのお、宿命ですかのお。どっちじゃと思いますか」

と熊吾は話しかけた。

その釣り人は、ぼんやりとした表情で熊吾を見たが、横にいた仲間らしい男が小声でささやいた。

「知らんふりしとけ。相手にせんほうがええで」

翌日の土曜日、伸仁はいつもと変わらぬ表情でランドセルを背負いながらシンエー・モータープールの正門からバス停へと走って行った。

熊吾は出入りする何台もの自動車を正門のところで停めさせたり、通行人が行き交うのを少し待ってもらうために何度も笑顔で頭を下げたりしながら伸仁が登校していく姿を見送り、安堵《あんど》の思いを抱いた。

クラスでの人民裁判なるものを伸仁は父にも母にも話さなかったが、朝になって、もう学校には行きたくないと言いだすかもしれないと案じていたので、熊吾は、伸仁はああ見えて案外打たれ強いのかもしれないと思った。

船津橋の土佐堀川畔で暮らした時代。突然、富山という雪深い地につれて行かれ、両親と離れて他人の家の飯を食った時代。そしてそのあとにも、やはり両親とは暮らせずに尼崎の蘭月ビルの、多くの朝鮮人との交わりのなかで生きた時代。それらは好むと好まざるとに拘《かかわ》らず、ごく自然のうちに、伸仁に人間と人間の生の打ち合いを余儀なくさせたのだ。

とりわけあの蘭月ビルで日々起こっている事柄ときたら、担任の教師の煽動《せんどう》による姑《こ》息《そく》な人民裁判などとは桁違《けたちが》いの剝《む》き出しの修羅場で、子供といえども生きるための露骨な「切った張った」から目を逸らすわけにはいかない。

そのような環境に大事な一人息子を放り出すしかなかった自分の甲斐性《かいしょう》のなさは父親として申し訳ない限りだとしても、お陰で伸仁は得がたい何物かを心に培《つちか》い、鍛えられたのかもしれない。

熊吾はそんなことを考えながら、朝の最も忙しい時間をすごして事務所に戻り、煙草を吸いながら朝刊をひらいた。

社会面には、きのうの事件が大きく報道されていた。しかし記事は、恩田が友人の刑事から聞いたという神戸の高級娼婦グループのことには触れていなくて、妻が浮気していると思い込んだ津久田清一が、神戸で保険外交員の女を包丁で刺したあと、自宅のある尼崎のアパートに帰って、さらに男を殺し、同じアパート内に住む小学生に重傷を負わせたが、包囲していた警官隊によって逮捕されたとだけ記してあった。

津久田は十三年前にも二人に重傷を負わせる事件を起こしたが、出刃包丁で脊髄を切断するという手口は同じなので、警察はそのことについて取り調べを進めているという。

自分が黙っていても、きのうの事件は月村敏夫の口から伸仁に伝わるだろうし、房江が仮にこの新聞の記事を読まなくても、遅かれ早かれ知ることになる。

熊吾はそう思い、モータープールの南側の通用口のところにある洗い場で洗濯を始めた房江を呼んだ。

洗濯石鹼《せっけん》で泡だらけの手をエプロンで拭《ふ》きながら事務所にやって来た房江に、熊吾は、電気洗濯機を買ってやると言った。

「えっ、ほんま？　嬉《うれ》しいわァ。そやけど、ものすごう高いんですやろ？」

「ぎょうさんの洗濯物を洗剤と一緒に放り込んでスイッチを入れるだけで、きれいに洗濯ができてしまうんじゃぞ。洗濯板の上でごしごしやる労力を考えてみィ。安いもんじゃ。そんなありがたい文明の利器を使わん手があるかや。アメリカの一般家庭では戦前から普及しちょったそうじゃ。電気冷蔵庫もじゃ。そんな国と戦争をやって勝てると思うちょった政治家も軍人もみんな腹を切らにゃあいけん」

熊吾は、洗濯板とはきょうでおさらばだと言いながら朝刊を房江に手渡し、蘭月ビルでの事件を報ずる記事の部分を人差し指で示した。

読み始めるなり、房江は、えっと小さく叫び、読み終えると、

「土井のあっちゃんが、なんでこんな目に遭うのん？」

と驚き顔で訊いた。

「わしはこのとき、タネの家におったんじゃ」

そう言って、昨夜帰宅してからなぜ話さなかったのかを説明した。けれども、学校での人民裁判のことは黙っていた。

「あっちゃんは、ノブの身替わりになったん？」

「まあ、そういうことじゃ」

「なんで津久田さんは、ノブまでを殺そうとしたん?」

「もう気が変になっちょったんじゃろう」

青ざめた顔でしばらく熊吾を見つめてから、警察はいちおう松坂伸仁という小学六年生の子供からも話を訊こうとするのではないかと房江は言った。

「しかしそれなら、きのうのうちに警察がここに来よったはずじゃ」

熊吾はそう答えたが、その可能性は大いに有り得るだろうと気づいた。

事務所の横の洗い場で手を洗い、エプロンを外すと、

「私、これから土井のあっちゃんのお見舞いに行って来る。病院はどこやろ。あっちゃんのお母さんにお詫《わ》びをせなあかん」

と言った。

「きょうは、わしが行く。お前はまた日を改めてお見舞いをせえ。わしは十時に人と逢わにゃあいけん。二台のライトバンの月極《つきぎめ》契約をしたがっちょる会社が聖天通りの近くにあるんじゃ。そこへ行ってから、わしが病院に行く。わしとお前がふたりとも出かけてここを留守にするわけにはいかんじゃろう。あっちゃんのお母さんとも逢《お》うてくるけん」

熊吾は二階の住まいに行くと、房江が用意してくれていた朝食を食べ、背広に着換えた。

新規契約者との用件はすぐに済んだので、熊吾は自分の自動車で蘭月ビルへと向かったが、途中何度も、津久田の子供たちはこれからどうなるのだろうと案じる心が生じ、そのたびに、自分が案じたとて詮《せん》ないことだと胸のなかで言い聞かせた。

まだ三十七歳だという母親が間違いなく売春組織の一員だったとすれば、逮捕されて当分家には帰って来られないであろう。たとえ授業料の安い国立大学といえども、働き手を失《な》くしてしまっては、津久田家の長男の医学部進学は断念せざるを得まい。長男の進学どころか、兄妹の生活すら立ち行かなくなる。

そんなことを考えているうちに、熊吾は新聞記事の最後のところが妙に心にひっかかってきた。

津久田清一は、十三年前もきのうも、相手の脊髄《せきずい》切断だけを狙ったという点だった。新聞ははっきりとそう明言してはいなかったが、それを匂《にお》わせる書き方であったような気がした。

もしそうなら、津久田清一は前後の見境いを失くしながらも、目的の遂行に対しては冷静であって、しかも見事に狙いを外さなかったことになる。

人体組織のことがわかっていて、鋭利な刃物の使い方に練達していなければ成し得ない所業だ。

人間は脊髄を切断されるとどうなるのだろう。傷が癒《い》えても下半身は機能を失ってしまうに違いない。殺すのではなく、生涯にわたっての下半身不随という後遺症で苦しめつづけることを目的としていたとしたら、津久田清一の心の闇《やみ》に潜んでいるものは、ただの狂暴な犯罪者のそれとは根源的に異質な何かなのだ……。

熊吾は、仲仁に蘭月ビルとの縁を完全に切らせなければならないと思った。

あそこにはタネ一家もいるし、可愛《かわい》がってくれる朝鮮人たちもいる。仲のいい友だちも住んでいる。だから、学校が退けると寄り道をして蘭月ビルやその近くの広場で遊ぶのは仕方のないことだと思ってきた。

だが、もうあそこには立ち寄るどころか、近づくことさえ許してはならない。津久田清一が内包していた目に見えない発散物が、あの迷路のような安アパートのそこかしこに、地獄へと引きずり込む「縁《えん》」と化して漂っている。

それを気配といってもいいし、悪霊のようなものと言い換えることもできるかもしれないが、縁という言葉が最も正しいような気がする。清らかなものに縁すれば、こちらも清らかになるが、悪に縁すれば、こちらも悪道へとひきずり込まれる。そういう意味での「縁」だ。

悪に誘《いざ》なわれる因はこちらにあるとしても、それを触発する力に縁しなければ、悪を為《な》すという果にはつながらない。電気の線とつながっている電球も、スイッチを入れるという別の力が介在して初めて灯るのと同じなのだ。

熊吾はそんなことを考えつづけながら、尼崎の三和商店街で幾種類かの果物の入った籠《かご》を買い、「お見舞」と印刷された紙に松坂と書いてもらうと、文具店で見舞い金を入れる袋も買い、そこに金を入れた。そして、自動車を工務店の資材置き場の東側に停め、朴家の横の階段で蘭月ビルの二階へ行った。

土井のあっちゃんの部屋には鍵《かぎ》がかかっていた。壊されたドアには応急処置のための段ボール紙が貼《は》ってあった。廊下からは金静子の踏むミシンの音だけが聞こえた。

あっちゃんの入院している病院の場所を訊こうとタネの店に入ると、張本のアニイと金村盛男がビールを飲んでいた。

熊吾はふたりと話をしたくなかったので、台所で牛や豚の内臓に下味をつける作業をしているタネに病院への道順を教えてもらうと、すぐに出て行きかけたが、

「ノブちゃんは運のええやつや。きのう、ここに寄ってたら殺されてたかもなァ」

という金村の言葉で椅子《いす》に坐《すわ》った。

「頸動脈《けいどうみゃく》の一寸ほど横に包丁の刃が入っとったそうやで」

と張本のアニイが言った。

「わざと急所を外しよったんや。土井のあっちゃんやとわかっとったからや」

「わしの息子じゃったら、頸動脈に狙いを定めて包丁を振り降ろしたっちゅうのか」

「いや、ここを狙《ねろ》うたやろなァ」

張本のアニィは背中を反らせ、右腕を腰の真ん中に廻しながら言った。

「男からの付け文を咲子に渡したっちゅうだけで、なんでまだ十一歳の子供をそんな目に遭わせにゃあいけんのじゃ」

「津久田は、そういう人間なんや。そうとしか説明の仕様があらへん」

その張本のアニィの言葉のあとに、金村が薄笑いを浮かべながら言った。

「満月の夜に狼《おおかみ》が吠《ほ》えよったんやろ。津久田にだけ聞こえる声で」

その意味が解せず、熊吾は煙草に火をつけながら金村を見つめた。すると、張本のアニイが金村の言葉を補足するように、

「津久田の一家と関わり合うたことのあるやつは、『満月の夜に狼が』っちゅう意味がわかるんや」

と言った。

「津久田の家の連中は、女房も、高校生の息子も、中学生のあの咲子も、ある日突然、態度が変わるんや。何ちゅうたかなァ、キョウヘン？　ショウヘン？」

「豹変《ひょうへん》か？」

「それや。きのうまで肉親みたいなつきあいをしてたのに、きょうになったら豹変しよる。急に口もきかんようになるどころか、先祖代々からの敵みたいな目つきを向けてきよる。話しかけても返事もしよれへん。仲良うつき合《お》うとったほうは、なんでやろと考

え込んでしまうんや。何か気に障《さわ》るようなことをしたのか、言うたのか、って。そやけど、なんぼ考えても思い当たる節がないんや。けったいなやつらやと思うて、相手にせんようになって、疎遠《そえん》になったころに、また突然豹変しよる。こないだまでの敵意の態度はいったい何やったんやと、こっちがきょとんとなるくらいに親しそうに話しかけてきて、愛想のええ言葉を並べよる。その繰り返しや。それに慣れてしもたやつらが、あいつらが豹変するたびに、いつのまにか、『満月の夜に狼が吠えた』って言うようになったんや」

熊吾は張本のアニイの話を聞きながら、津久田一家と関わり合った人々がはからずも譬《たと》えてみせた「満月の夜」云々《うんぬん》という言葉には、多くの含みがあるような気がした。

「それにしても、出刃包丁で脊髄だけを切断するなんてことが実際に可能かのお。死んだ鶏の骨を叩《たた》っ切るのとはわけが違うんじゃぞ。相手は逃げまどうて動いちょる生身の人間じゃ。津久田はいつどうやってそんな技を身につけたんじゃ」

熊吾の問いに、自分たちもさっきそのことを話題にしていたのだと金村盛男は言った。

「刃物の扱いに慣れてるやつに訊いてみても、首をかしげよる。ぜひ弟子入りして教えてもらいたいっちゅうて笑《わろ》とったで」

金村は、欠伸《あくび》をしながらそう言って椅子から立ちあがり、ビールの代金を払うと二階の自分の部屋へと帰って行った。

ここで張本のアニイと話をしている場合ではない。早く病院に行って土井のあっちゃんを見舞わなければと思い、熊吾が椅子から立ちあがると、学校から帰って来た月村敏夫が店の前を通って階段のほうへと歩いて行く姿を目にして、熊吾はそのあとを追い、

「伸仁はバスに乗ったか？」

と訊《き》いた。

ノブちゃんとは校門の前で別れたが、バス停のほうへと歩いて行ったから、たぶんバスに乗って帰ったと思う。月村敏夫はそう答えた。

「きょうは土曜日じゃけん給食は出んのじゃろう。光子をつれて来て、ここでお好み焼きを食え。金はわしが払うちょくけん」

熊吾の言葉で、敏夫は嬉《うれ》しそうに階段を駆けのぼった。

「敏夫と光子にお好み焼きを焼いてやってくれ。ちょっとだけホルモン焼きも付けてなァ」

タネの店に引き返し、熊吾がそう言って代金を渡すと、今朝、警官とこの地域を担当するふたりの民生委員が津久田の兄妹に逢いに来たあとここに立ち寄り、一家の生活ぶりについていろいろ訊いていったとタネは言った。

「神戸に県立の盲学校があるんやけど、六歳にならんと入学でけへんらしいわ。あの子らの母親はどうなるんですかって訊いてみたけど、自分らにはわからんて……。琴ちゃ

んの両親は、香根ちゃんといちばん下の男の子を引き取るのを拒否したんやて」

「琴ちゃん？」

「あの子らの母親や。津久田琴枝」

「その琴ちゃんには両親がおるのか」

するとと、張本のアニイが、

「映画館を経営してる強欲な夫婦や。戦後のどさくさに、どんなあこぎな手を使うたのか、元の持ち主に替わってその映画館を自分らのもんにしてしまいよったんや」

と言った。

「わしは津久田の女房をいっぺんも見たことがない。咲子よりももっと美人じゃっちゅうが、咲子よりも美人なんて、この世におるのか？」

熊吾が笑みを浮かべて冗談混じりに訊くと、

「涎《よだれ》が出そうなくらいええ女やで。四人の子持ちやって言うても誰も信じよれへん。三十七やけど、どう見ても三十前やな」

と張本のアニイは言った。

「売春組織で客を取っちょったとなると、何年くらい刑務所に入らにゃあいけんのじゃ？」

「初犯やったら実刑にはならんやろ。罰金を払う程度で済むはずやで」

熊吾はタネの店から出て行きかけて、この蘭月ビルのなかでの北と南のいさかいはどうなったのだろうと考えた。大韓民国では李承晩政権が揺れている。政権としては末期に入ったかのようだ。北朝鮮がこの好機に手をこまねいているはずはない。アメリカは大韓民国に強固な反共の軍事政権を作ろうと画策するはずだ。そう読むのが妥当であろう。だがそうなると、日本に住む朝鮮人を韓国が受け入れることはさらに難しくなる。祖国への帰還を切望する朝鮮人たちは、否《いや》が応でも北朝鮮を選択するしかなくなるのだ。

熊吾がその自分の考えを口にすると、張本のアニイは、これは人からの受け売りだがと前置きし、アメリカの諜報《ちょうほう》機関もソ連の諜報機関も、ずっと以前から朝鮮人の民族性についてそれぞれ独自に分析をつづけてきたが、戦前も戦後も両国ともに同じ結論に達したのだと言った。

「不可解な過激性。それ以外に表現の方法がないっちゅう結論らしいで。けっ！　ありがたい分析や。なにが不可解な過激性じゃ。アホ扱いしやがって。それやったらこっちもありがたい分析どおりに、不可解な過激性を武器にして、己れの身を守ったるやんけ！」

喋《しゃべ》っているうちに激してしまった張本のアニイが傍にあった椅子を蹴《け》り倒したので、熊吾はなだめるように笑みを浮かべ、ソ連とアメリカの諜報機関が日本人の国民性をどう分析したのかもぜひ知りたいものだと言いながら煙草《たばこ》を勧めた。そしてその煙草に火

をつけてやってから、

「わしなら、倨傲《きよごう》と卑屈が入り混じった不可解な愚昧性《ぐまい》じゃと分析するがのお」

と言って、資材置き場の横に停めておいた自動車に戻り、病院へと向かった。

モータープールの事務所に置いてあるラジオで、台風十一号が東海・関東地方を通過して現在判明している死者は二十一名だというニュースを聴きながら、熊吾は買ったまま読まずにいた週刊誌をひらき、目次に目をやり、「新しき庶民『ダンチ族』」という特集記事のページをめくった。

鳩山内閣が資本金六十億円で誕生させた日本住宅公団が建設した団地という名の鉄筋コンクリートの集合住宅が、大都市のあちこちに建設されたことによって、戦後の我が国における衣食住のなかで最も遅れていた住が大きく改善されたと書かれてあった。

水洗便所、ガスで沸かす風呂、日当たりのいいベランダ等は日本の主婦層に夢の生活をもたらしたが、いざ住んでみると、都市計画というバックボーンを持たずに郊外の辺《へん》鄙《ぴ》な「たそがれ地帯」を狙って建設されたために多くは駅から遠くて不便な生活を強いられることになった。

さらには、公団側は、昭和三十二年度建設分から入居資格者の月収下限を二万五千円から三万〜三万五千円に引き上げるとともに、家賃も四千円台から六〜七千円台に値上げしたことで、一番住宅に困っている月給一万円から二万円程度の勤労者から月給の半分近くも家賃を払いつづけるのはかなわないという声があがっている。

記事はおおむねそのようなものだった。

雨があがるのを待ちかねていたようにF建設の社長車の運転手が黒塗りの高級車に艶《つや》出《だ》しラッカーを塗り始めたので、

「そんなに塗ったら、塗料が剝《は》げて地金が出てしまうぞ」

そうひやかして、ちょっと頼みがあるので手を止めてくれないかと熊吾はその林田信正という青年に言った。

林田が手を洗って事務所に入って来ると、熊吾は用意しておいた便箋《びんせん》と鉛筆を渡し、

「わしが言うとおりに書いてくれんか」

と言った。

「丁寧に書かんでもええ。乱雑な字のほうがええんじゃ」

林田は鉛筆を持ち、

「何て書くんです？」

と訊いた。

「あの名刺、必ずや天下に公表されるでありましょう、じゃ。それだけでええ」

林田は、理由を訊かず、熊吾の口から出た言葉をそのまま便箋に書いてくれた。

「ついでに、差し出し人の住所と名前も書いてくれ」

そう言って、熊吾は封筒も出した。玉突き師の上野栄吉に書いてもらったときとは違う名にしてやろうと思い、

「名前は……」

とつぶやきながら、開いたままの週刊誌に目をやった。大江という人名が目に止まったので、

「大江……、敏男じゃ」

と言った。

「これでいいですか？　宛名《あてな》のほうは？」

「それはわしが書くけん」

林田が車の洗い場へと戻ると、二階につないであるムクが鼻を鳴らした。

伸仁の帰りを待ちあぐねて、小便か大便かがこらえきれなくなったのであろうと思い、熊吾は階段をのぼり、ムクを散歩につれて行った。散歩といってもモータープールの敷地内で、小型トラックの販売代理店が客から下請けした中古車を並べてある場所だった。

亀井家からこのシンエー・モータープールにやって来たころのムクは、丸い顔に垂れた小さな耳が、そこだけ少し黒っぽい毛色で付いているだけだったのだが、最近、体が大きくなるとともに、丸い顔は長くなり、耳は立って長く鋭い形となり、あきらかにシ

ェパードの顔になっていた。

それなのに茶色の尾は柴犬特有に固く巻いていて、体の半分はシェパード、もう半分は柴犬という珍妙な姿に変化していた。

「お前は番犬失格じゃ」

滅多に吠えない、人なつこいムクに熊吾は言った。

「お前は、夜中に塀を乗り越えて入って来た泥棒に、いらっしゃいませっちゅうてしっぽを振るに決まっちょる。お前の性格のなかには、怒るっちゅう働きがきれいさっぱり欠落しちょるのじゃ。珍しい犬じゃ」

毎夜、正門と通用門とを閉めたあと、つないである鎖から解き放ってやり、朝の開門までモータープール内で自由に遊ばせているのだが、ムクが何かに対して吠えたことは一度もなかった。腹が空いたときと、大小便がこらえきれなくなったときだけ、なさけなさそうに鼻で鳴くのだ。

熊吾は、ムクを二階の大きなサーチライトの下に再びつなぐと、さあこの二通目の手紙を読んで海老原太一はどう動くかと考えた。

いまの太一にとっては五十万円は端《は》した金にすぎない。自分なら、あの名刺が万一世間に出廻る前に、五十万円に利子をつけて金沢へ行き、かくかくしかじかの事情で遅くなってしまったが、お預りした金を返済するために参上したと井草正之助の妻に言うだろう。そして返済証明書に署名捺印《なついん》をしてもらうことも忘れないだろう。

しかし、海老原太一という男は、決してそんなことはしない。というよりも、出来ないのだ。金を惜しむのではなく、名を惜しむからだ。

太一は、名刺はいったい誰が持っているのかと血まなこになって捜すだろう。しかし捜しようがない。井草の妻君は持っていない。それどころか、亭主が松坂熊吾から盗んだ金を海老原太一に預けたのも知らなかった。それは海老原も、おそらくその道のプロであるに違いないあの得体の知れない男の報告によって疑ってはいないはずだ。その道のプロの報告は正しかった。井草の妻君があの名刺をみつけたのは、男が去ってからなのだ。

だが、念のためにと再びあの男が金沢の井草の妻にさぐりを入れ、名刺は松坂熊吾の手に渡ったと判明したら、太一はこの松坂熊吾にいかなる手を使ってくるであろうか。

俺は太一という人間をよく知っている。あいつの倨傲と卑屈の入り組み方は、じつは極めてわかりやすい……。

熊吾は、自分たちの住まいに入り、麦茶を飲みながら、伸仁の夏物のシャツや半ズボンの繕いをしている房江に、

「もう夕方の五時じゃ。伸仁はまさか蘭月ビルに寄ったりはせんじゃろうなァ」

と話しかけた。

「あそこには行けへんと思うけど……。友だち何人かで野球のチームを作ったらしいから、授業が終わってから校庭で野球でもしてるんやわ。きのう、竹の棒にビニールテープを巻いてバットを作ってたから」

体の半分に西日が当たっていなくても、房江の血色が良くなったことはわかった。電気洗濯機のお陰だと房江は言うのだが、やっと家族が家族らしい生活をおくれるようになったことがその最大の原因であろうと熊吾は思った。

「ちょっとそこまで出かけてくる」

そう言って、熊吾は、モータープールを出て雀荘《ジャンそう》の「丸栄」に行きかけた。「丸栄」の店主に、封筒の宛先を書いてもらうつもりだったのだが、バス停に神戸行きの阪神バスが停まっているのを見た瞬間、それに乗ってしまった。

土井のあっちゃんの傷が癒《い》えて退院したのは先週末だったが、包丁の刃はわずかに首の骨に損傷を与えていて、ときおりひどい頭痛に襲われるという後遺症が残ったのだ。

丸尾千代麿にその話をすると、そんな症状に良く効く温泉があると教えてくれた。

あさってから学校は夏休みに入る。あっちゃんの母親は勤めがあるが、祖母とあっちゃんのふたりで夏休みを利用して湯治に行ってはどうか。費用はこの松坂に負担させてくれ……。

熊吾は、あっちゃんの母親と祖母にそう勧めてみようと思い立ったのだ。

その温泉は、骨の怪我《けが》に効くと昔から言い伝えられていて、医学的根拠は不明ながらも、骨折の回復を早める効果が多くの人たちによって立証されているという。長期の湯治客のために自炊場を備えた宿も何軒もあった。

バスが大物《だいもつ》を過ぎ、玉江橋にさしかかると、台風の影響らしい雲が夕日を遮《さえぎ》り、薄暗りの空の向こうの、尼崎港の近くにそびえる灰色の球体が姿をあらわした。それは天然ガスを備蓄するための巨大なタンクだったが、熊吾には、尼崎という街全体を灰色に染めつづける元凶の汚れた金属の塊りにしか見えなかった。

バスから降りて、交差点へと歩きかけると国道二号線を神戸のほうからやって来た梅田行きのバスが停まり、それに乗り込むホンギの上半身が見えた。ホンギは新聞紙で包んだものを大事そうに持って席に坐《すわ》った。

自分で作った晩飯を入れた弁当箱であろうと思いながら、熊吾は大声でホンギを呼び、手を振った。だが、それはちょうど通りかかったトラックのクラクションの音でホンギには届かないまま、バスは大阪方面へと走り去って行った。

その場に立って、熊吾は国道を挟んだ真正面に建つ蘭月ビルをしばらく見つめた。そのようにして蘭月ビルを眺めるのは初めてだった。

外から見る限り、いったい誰がこの安アパートのなかに四つの階段があり、二階の回り廊下とその階段が迷路を形作っているとわかるであろうかと思った。

土井家には鍵《かぎ》がかかっていて、ノックをしても応答がなかった。蘭月ビルの二階はさっきまでの西日によって蒸し器のなかのように熱せられ、汗かきの熊吾の首や胸はたちまち濡《ぬ》れた。

あけたままのドアから伊東が顔を出し、あっちゃんはおばあさんにつれられて病院へ行ったと教えてくれた。いま出かけたばかりだから、帰って来るのに二時間はかかるだろう、と。

「いっつも、よう混んでる病院ですねん」

二時間も待つのはためらわれて、熊吾は訪ねて来た理由を伊東に話し、あっちゃんの母親と祖母に伝えておいてくれないかと頼んだ。

自分は今夜は夜勤なのでこれから工場に行くが、妻から伝えておくようにすると伊東は約束してくれた。

この蘭月ビルの二階の耐え難い暑さを少しでもしのぐ方法はドアをあけておく以外にないのだが、津久田の部屋のドアだけが閉じられていた。

熊吾は、津久田の兄妹たちはどうしているかと伊東に訊いた。

「あれ以後も、いつもと変われへん。親父の事件のあと、二日ほど学校を休んだみたいやけど、上の兄ちゃんも咲子も毎日学校に行ってるし、香根も、月村の光子と仲良う広場で遊んでまっせ」

と伊東は言った。

熊吾は廊下を南へと歩き、津久田の部屋の前で立ち止まると、耳を澄ましてなかの気配を探った。夕飯時なので、蘭月ビルの住人たちの台所から立ちのぼってくるさまざまな食べ物の匂《にお》いが、まるで津久田の部屋の前に集結してくるかのようだった。

ミシンの音がした。熊吾は金静子の部屋の前に行った。椅子《いす》に腰かけ、痩《や》せた体を丸めてミシンを踏んでいる金静子に声をかけようとしたが、シュミーズ姿だったのでやめた。

廊下を曲がり、二階で最も熱気がこもる狭い場所から尾橋モータース横へと降りる階段へと急ぎ足で歩きだしたとき、怪人二十面相の部屋から子供たちの笑い声が聞こえた。その笑い声は三人や四人のものではなかった。

まさか伸仁もいるのではあるまいな。熊吾はそう思い、怪人二十面相と恩田哲政の部屋のほうへと廊下を曲がった。

蘭月ビルに住む子だけでなく、近所の子供たちも集まって、怪人二十面相が即興で創《つく》り出す物語に耳を傾けていた。

恩田は熊吾を目にすると佳境に入っていたらしい話を中断し、照れ笑いを浮かべて小さくお辞儀をした。

「わしの息子は不参加か？」

その熊吾の問いに、

「ノブちゃん、なんぼ誘うても来よれへんねん」

と月村敏夫は言った。

光子がいる。その横に盲目の香根がいる。猿橋理髪店の子もいる。屋台の支那そば屋の双子の姉妹もいる。司法書士事務所に勤める大関という女の娘もいる。

それらに近所の子たちも加わって、怪人二十面相の六畳一間の部屋は身動きできないほどだった。

「せっかく盛りあがっちょったのに水を差して申し訳なかったのお」

そう言って、熊吾は階段を降りかけた。「おばあちゃーん」というひそやかな声が蘭月ビルのどこからか聞こえて、熊吾は驚いて声がした方向へと神経を集中した。

敏夫はいま怪人二十面相の部屋にいたではないか。伸仁め！　あれほど父と母とに約束しておきながら、敏夫の代わりに「こうちゃん」になっているのか！　敏夫に怪人二十面相の話を聞かせてやりたいのであろうが、だからといって両親との誓いを簡単に破るとは何事だ！

熊吾は、ここで待ち伏せしていれば、いずれ伸仁が「おばあちゃーん」と呼びながら走ってくるだろうと思った。しかし、あまりの暑さが熊吾の脚を自然に津久田の部屋の前の共同便所への階段へと動かした。

沼田のおばあちゃんを呼ぶ声が一階の土の道から聞こえ、階段を忍び足でのぼって来る音が響いた。

のぼって来たのは津久田咲子だった。咲子は一階のほうを見ながら階段をのぼって来たので、そこに熊吾が立っていることに気づかなかった。熊吾にぶつかって、両手で口を押さえながら驚きの表情で見つめてから、

「ああ、びっくりしたァ」

と咲子は言った。

「びっくりしたのは、わしのほうじゃ。わしはてっきり声の主は伸仁じゃと思うた。なんで咲子がこうちゃんの役を務めとるんじゃ」

咲子は沼田のおばあちゃんに追いつかれないよう階下を気にしながら、廊下を南へと歩き、敏夫が怪人二十面相の話を聞きたがっていたので、代わりをしてやっているのだと言い、おかしくてたまらないといった表情で忍び笑いを洩《も》らした。

「女の声でも騙《だま》されるやなんて……。あっ、来た」

咲子は廊下を曲がり、怪人二十面相の部屋の前を走り過ぎて立ち止まった。沼田のおばあちゃんが共同便所の横の階段をのぼって来た。

咲子を追って行き、熊吾は、兄の進学はどうなるのか、母親はどうなったのか、香根の盲学校入学は決まりそうなのか、を訊こうとした。だが、熊吾が口をひらく前に咲子

は相変わらず忍び笑いを洩らしながら、

「松坂のおじさん、さっきぶつかったとき、私の胸をさわったでしょう。このへんがじーんとしてる……」

と言って、左の乳房を掌で包み込んだ。そして、廊下を走り、タネの住まいの横に通じる階段を降りて行った。

熊吾は尾橋モータースの横へと出る階段を降り、雲の切れ目からの西日に再び照らされている巨大なガスタンクに目をやりながらバス停に立つと、自分の腕に生じて消えない鳥肌を消すために、掌でそれを強くこすりつづけた。

あとがき

この「花の回廊」は「流転の海」の第五部である。

第一部を書き始めたのは三十五歳のときで、第五部「花の回廊」を書き終えてすぐに私はたくさんの方々から還暦を祝ってもらった。私はやっと主人公・松坂熊吾の年齢に追いついたことになる。

いまの私と同じ歳《とし》に、彼はまだ十歳にしかならない我が子を貧しい人々の住む奇妙なアパートに預けて、生活の糧《かて》を得るために奔走していたのだ。

「流転の海」において「花の回廊」はどうしても書かねばならなかった一巻だといえる。松坂伸仁の生涯にわたっての「根」のその毛細根の部分に染《し》み込んだ人々がたくさん登場するからだ。しかし、私が書いた出来事すべてが実際起こったかどうかは語らずにいるべきであろう。ラブレーは「三つの醜い真実よりも、ひとつの美しい嘘《うそ》を」と言った。

「流転の海」の第六部を書くための準備は始まっている。それが私のなかでもう少し熟すのを待つだけだ。読者からは、早く熟させて、さっさと書けとお叱《しか》りを受けるであろうが、私はいまや読者の方々に同志的連帯を感じるようになってしまった。松坂一家に寄り添って、ともに生きて下さっている多くの読者に衷心より感謝申し上げる。

「花の回廊」の連載中は新潮編集部の松村正樹氏に、単行本化にあたっては新潮社出版部の鈴木力氏のお世話になった。併せて感謝の意を添えさせていただく。

平成十九年七月七日

宮本輝

解説

田中弥生

一九八二年に「海燕《かいえん》」で連載が始まった「流転の海」、その第五部。第四部で「関西中古車業連合会」の計画が潰《つぶ》れた後、エアー・ブローカーとなっていた熊吾が「シンエー・モータープール」の経営を任され、再び家族三人で暮らすようになるまでの経過と新しい生活、それらと並行しての蘭月《らんげつ》ビルとのかかわりが描かれる。伸仁が小学五年生になる前の昭和三十二年三月から六年生の夏休み前まで、一年半ほどの間の出来事だ。

熊吾と海老原の因縁、房江の飲酒など、終わりへの伏線は一段と危険な匂《にお》いを放つ。熊吾の上海《シャンハイ》時代の回想、熊吾と房江の出会いを知る千代鶴=島津育代の再登場も印象的だ。熊吾の説教師ぶりは伸仁の落語以上に芸として磨かれ読者を飽きさせないし、千代麿一家や「ラッキー」の人々など、脇役《わきやく》陣の一人一人が読者に親しい身内のように感じられる。それぞれの物語は別れ、合わさりながら、河口に向かって勢いを増している。

一方、時代の記録としての質の高さも、ゾラの作品などと同様、読み物としての本書の見過ごせない価値だ。自動車文化の波及の様子や、メートル法施行時の様子、洗濯機購入のくだりなど、昭和の庶民の何気ない経済活動、それに伴う小さな知識、とまどいや喜びが心に残る。最近人気アニメーション映画で、水道水で海水魚が飼えるように見える描写がちょっとした衝撃を呼んだが、それを観《み》た子どもには是非、金魚を飼おうとした伸仁が水道水の扱いについて細かく教えられる場面を読んで欲しいものだ。

人々の日常的な感動や不満、実感を含む「昭和の光景」は、ノスタルジーを売る娯楽作品では確かによく見られるが、本作では基本となる物語がそれと別に確固としてあるためか、ささいな日常がきちんとささいな形で、テーマパーク的な大げささを排除した適正な温度で表現されている。この適正な記録としての貴重さは、今後私のような伸仁の子ども世代の読者、それより下の読者が増えるに連れてますます増すだろう。たとえば私事で恐縮だが、私の祖父はガソリンとプロパンガスとカーバイトを中心に雑多な事業を営んだ人間で、その雑多な事業形態の脈絡のようなものが私にはずっとよく分からなかった。だが、その死から二十年近くたち、全《すべ》てが霧消した後で、本シリーズと熊吾を見た私は、初めてそれが生きた形で分かった気がした。おそらく読者はみな、多かれ少なかれ、そういう自分の記憶、親や祖父母の、分からなかった内面に、この作品を通して再会しているだろう。その時を超えた何かとの再会が、この作品の一番の魅力であると私は思う。

と書いたところで、以下では少し本書について分析してみたい。物語に浸った後に無粋で申し訳ないが、おつきあい下されば幸いだ。

この第五部にはこれまでの流れとは違う、独立した雰囲気がある。その印象の要因となっているのは、言うまでもなく、今回新しく登場した蘭月ビルという建物だろう。

この建物の特殊さを示すのが、本書の冒頭だ。本書では冒頭第一文が、蘭月ビルのための、ほとんどエピグラフのような文になっているのだが、実は松坂家の人々より先に特定のものだけが描かれ、それに冒頭の一文が捧げられているのは、この第五部と、第一部『流転の海』だけなのである。

著者、宮本輝は小説執筆をよく建築にたとえるが、それで言うと、第一部とこの第五部の冒頭の形は地鎮祭型ということができるかもしれない。人間＝松坂家の人々の物語の前に、舞台となる土地に文が捧げられているからだ。ところで第一部で地鎮対象となっているのは、闇市《やみいち》が広がる大阪の街である。つまりこの第五部は、蘭月ビルにシリーズ冒頭の大阪と同等の地位を与えていることになる。一建築物に対しては明らかに破格の扱いである。また冒頭の少し後、熊吾が一人で蘭月ビルを検分する場面があるが、読み比べるとこの場面は第一部で熊吾が闇市の中を歩く場面に雰囲気がよく似ている。そういったことをふまえて本書の冒頭数ページを読むと、蘭月ビルが、物語の最初に広がっていた闇市の再来に思えてくる。戦後の闇と混沌《こんとん》が、十年後、奇妙なアパートに姿を変え、凝縮された夢のような形で熊吾の眼前に戻ってきているように思えるのだ。そしてその蘭月ビルと過去の闇市のイメージの重なりが、読者に物語が一周したこと、熊吾の何かがふりだしに戻り、それによって、これまでと違う何かが始まったことを感じさせるのである。

では蘭月ビルと共に新しく始まったものとは何だろう。

端的に言ってしまえばそれは、熊吾の物語と別個の、伸仁の物語ということになるだろう。父と子の関係を中心に置く本作だが、幼い伸仁は、これまで熊吾と違う気質をそれほど表だって主張してはいない。しかしその一方で房江の飲酒に露《あら》わな嫌悪感《けんおかん》を見せるなど、徐々に自分の美意識を表出するようになってきている。そういった伸仁独自の美意識や気質が、特定の対象を捉《とら》え、その中で発達していく、その最初にして最大の舞台であり、象徴となっているのが、おそらく蘭月ビルなのだ。

伸仁の感性と蘭月ビルの密接な関係については、単行本刊行時のインタビューで既に著者が「伸仁という子どもの根のごく細い部分に、蘭月ビルでの一年間がしみ込んでいる」と語っている。ところでこの言葉は二つの意味に取ることができる。第一に、伸仁の心に蘭月ビルの思い出がしみこんでいるという通常の意味。二つめは、書かれた蘭月ビルが現実のそれではなく、伸仁にしみこんだ蘭月ビルであるという、作品制作上の意味だ。

この後者の意味から、本書の蘭月ビル像は不思議な二重性を放つことになる。つまり、本書は基本的に熊吾と房江の視点で書かれている。そのため、蘭月ビルも一応、彼等の目に映った姿を基本として描かれる。しかし同時にその建物は、伸仁の感性それ自体の具現化である。実際、伸仁の口からビルについての情報が供されることも多い。そのため、熊吾が語る現実の蘭月ビルの上に、伸仁が体験した蘭月ビル、伸仁独自の蘭月ビルの姿がおのずと映り込んでしまう。要するに多少歪《ゆが》むのである。

熊吾たちの見る現実の蘭月ビルは、魅力的な住人がいれど、結局はかかわりあいにならないに越したことはない、社会の底辺の「貧乏の巣窟《そうくつ》」である。読者が見るのも基本的にはこの熊吾たちが見る現実の蘭月ビルだ。だが同時に読者は、時に熊吾や房江も、伸仁を通して、その現実の向こうにある、詩的空間としての蘭月ビルの実相を見てしまう。タイトルの「花の回廊」はそのように伸仁を経由して人々が見る場合の蘭月ビルの名だろう。その場合にはその名が示す通り、そこは決して「貧乏の巣窟」ではない。あるドアの向こうには侘《わ》びを極めた茶室があり、別のドアの向こうには金襴《きんらん》の衣装を作る縫子がいる。母親の腹に三年いた少年に、死者を追う老婆もいる。さらにそれらの中心に津久田家の人々の巨大な花が咲く。ボルジア家の兄妹を彷彿《ほうふつ》とさせる咲子と兄、ジッドを連想させる盲目の末娘と殺人マシーンのような父、マッチ売りの少女を現実化する人、永遠に年をとらないような母。熊吾や房江、読者は、伸仁とともに蘭月ビルに入り込むことで、貧乏の巣窟の中にあるこの花の回廊、世界中の魅力的な物語が詰まった、最も豪奢《ごうしゃ》な貴族の館を体験するのだ。

ここで第三部『血脈の火』に登場した近江丸《おうみまる》が思い出される。というのは、近江丸に対しても今回の蘭月ビルと同じように、熊吾や大人たちが見ている近江丸と違う近江丸を伸仁が見ている気配があったからだ。実際その「違う近江丸」の姿を読者は「泥の河」の廓舟《くるわぶね》の詩情に見ることができるかもしれないが、少なくとも『血脈の火』の時点では伸仁が体験している近江丸が現実の近江丸の上にかぶさって読者に舟の像を二重に見せるということにはならなかった。それは蘭月ビルに比べて近江丸が小さかったからかもしれないし、熊吾の支配する現実がその時点で今より堅固だったからかもしれない。どちらにせよ、その時点ではまだ小さく、熊吾が語る現実の水面下に潜んでいた伸仁独自の感性が、蘭月ビルという場を得たこの第五部では一気に作品の表面に現れている。十歳の伸仁の感覚は、作中の現実を一部その幻想で包み込むまでの大きさに成長したのである。

ところでこの、熊吾が語る現実と、伸仁が見る実相による蘭月ビルの二重性は、この作品の基本にある、より根本的な二重性を思わせる。転落していく熊吾の半生を描く

「大河小説」である本作だが、実は同時に、同じ経過を裏側から見た場合、「芸術家の魂の生成を描くタイプの教養小説《ビルドウングスロマン》もしくは芸術家小説」でもあるからだ。

今書かれつつある熊吾の没落は、熊吾の後半生の経過をそのまま描く小説として読んだ場合、敗北の経過にならざるを得ないところがある。ところがこれを、逆から読む読み方がある。没落をそれ自体ではなく、ある実際的な家系が徐々に精神性を高め、没落と引き替えに一人の芸術家＝伸仁を誕生させる経過として読む場合だ。この場合、同じ没落経過が、敗北ではなく、その家系の精神的な勝利の経過になるのである。

スリルと人情でぐいぐい読ませる大河小説である本書が、同時に美的感慨を引き起こさせる力に満ちているのは、根本にこの二つの読み方の拮抗《きっこう》があり、それが熊吾の現世的な戦いをあらかじめ相対化しているからだ。

このタイプの教養小説としては、近代ドイツを舞台とするトーマス・マンの『ブッデンブローグ家の人々』があげられるが、熊吾はそこで二世代のドイツ人が演じた隆盛と没落の経過を、第二次大戦を挟んで一人で演じる。この点、本書は、数世代分飛ぶように進んだ日本の近代化の本質を、教養小説の枠組みの中で的確に表現した作品と言えるだろう。

伸仁は蘭月ビルで相次いで二人の男性の異常な死にかかわるが、これは蘭月ビルが異常な場所であるという以上に、伸仁がそういった教養小説における「芸術家世代」、学業の伸展といった健全な価値より死や腐敗に搦《から》め取られるタイプの人物であることを端的に示すエピソードである。本書には房江が窓からポンポン船を見ている伸仁の後ろ姿を見て「遠い昔日を懐《なつか》しむ老人のように見えた」と思う箇所もあるが、未熟児として誕生して以来の伸仁の気質、一度人生を生ききったような、老成とも達観とも諦観《ていかん》ともつかない雰囲気をよく示す場面だ。熊吾の母や、房江の父につながるような、いつのまにか彼岸に行ってしまうような部分が伸仁には確かにある。その暗いロマン主義的な芸術家気質を、残された時間の中でどこまで人生の生の部分につなげられるか。それが経済問題以上の、父親としての熊吾の戦いになっているのである。

見たものについてしゃべり続けたり、落語を改変し暗唱する伸仁の腕前は、単なる癖や技術ではない。それらは前巻『天の夜曲』の「うまくいけば、偉大な芸術家になるでしょう」という易者の言葉につながっている。あるいは熊吾は房江と出会った瞬間、我知らず、自分の経済的、社会的成功を、次世代に芸術家を生むための土台としてながうつ運命を選んだのかもしれない。熊吾のこれまでの回想シーンで一番印象的なのは「まち川」で千代鶴に向かって敬礼をする場面だが、その粋な別れが読者の胸に残るのは、そこで彼が別れを告げたのが、実は千代鶴ではなく、それまで彼が持っていた、自分のための運命だったのだということを読者が知っているからなのだ。

自分ではそれと知らないまま、自分の没落を息子の肥やしとするために後半生を費やす。しかも単に負ければいいのではない。経済の崩壊が早すぎれば、芸術家の魂を充分育成できずに終わってしまうし、逆に崩壊速度が遅すぎれば、芸術家の誕生が次の世代に先送りされてしまう。ちょうどよい速度で破滅しなければならない。それは神業的な綱渡りだ。熊吾が伸仁に教えたことの中で、もっとも印象的な言葉は「自分の自尊心よりも大切なものを持って生きにゃあいけん」だが、伸仁を生かすために最適のタイミングで滅びる、そのために戦う、この熊吾の戦いこそまさに「自尊心より大切なものを持って生きる」の実践だろう。もちろん親というものはみなそういうものかもしれず、熊吾のその姿こそ父親というものかもしれない。だがその一方で、彼の姿は父というより義経を守る弁慶を、最も日本的なヒーロー像を連想させる。最も西洋近代小説を感じさせる枠組みである、教養小説的な芸術家小説という形式を使いこなし、しかしこれを利用して、日本人が最も愛する英雄像を、その美学を存分に描く。ここまで本書を二重性というキーワードのもとに語ってきたが、あるいはこれが、本シリーズを構成する、もっとも大きな二重性なのかもしれない。

（平成二十一年十一月　文芸評論家）

この作品は平成十九年七月新潮社より刊行された。

宮本輝著
生きものたちの部屋
迫る締切、進まぬ原稿――頭を抱える小説家・宮本輝を見守り、鼓舞し、手を差し伸べる、夜の書斎のいとしい〈生きもの〉たち。

宮本輝著
私たちが好きだったこと
男女四人で暮した あの二年の日々。私たちは道徳的ではなかったけれど、決して不純ではなかった！ 無償の愛がまぶしい長編小説。

宮本輝著
月光の東
「月光の東まで追いかけて」。謎の言葉を残して消えた女を求め、男の追跡が始まった。凛冽な一人の女性の半生を描く、傑作長編小説。

宮本輝著
血の騒ぎを聴け
紀行、作家論、そして自らの作品の創作秘話まで、デビュー当時から二十年間書き継がれた、宮本文学を俯瞰する傑作エッセー集。

宮本輝著
草原の椅子（上・下）
虐待されて萎縮した幼児を預かった五十男二人は、人生の再構築とその子の魂の再生を期して壮大な旅に出た――。心震える傑作長編。

井上靖著
あすなろ物語
あすは檜になろうと念願しながら、永遠に檜にはなれない〝あすなろ〟の木に託して、幼年期から壮年までの感受性の劇を謳った長編。

花《はな》の回《かい》廊《ろう》
流転の海 第五部

新潮文庫　み－12－54

平成二十二年一月一日発行

著者　宮《みや》本《もと》輝《てる》

発行者　佐藤隆信

発行所　株式会社 新潮社
郵便番号　一六二－八七一一
東京都新宿区矢来町七一
電話 編集部(〇三)三二六六－五四四〇
読者係(〇三)三二六六－五一一一
http://www.shinchosha.co.jp

価格はカバーに表示してあります。

乱丁・落丁本は、ご面倒ですが小社読者係宛ご送付ください。送料小社負担にてお取替えいたします。

印刷・大日本印刷株式会社　製本・株式会社大進堂

ISBN978-4-10-130754-1 C0193